LEDA SCHIAVO

Historia y novela en Valle-Inclán
Para leer «El ruedo ibérico»

EDITORIAL CASTALIA

Copyright © Editorial Castalia, 1984
Zurbano, 39 - 28010 Madrid - Tel. 419 58 57

Cubierta de Víctor Sanz

Impreso en España - Printed in Spain
Unigraf, S. A. Fuenlabrada (Madrid)

I.S.B.N.: 84-7039-331-6
Depósito Legal: M. 26.651-1984

1001087596

LITERATURA  Y SOCIEDAD

DIRECTOR

ANDRÉS AMORÓS

Colaboradores de los primeros volúmenes

ÍNDICE

A mi madre, en sus 70 años

PREFACIO

Este trabajo fue comenzado en 1969 en el Instituto de Filología de la Universidad de Buenos Aires, y elaborado en su mayor parte en Madrid entre 1973 y 1976, para ser presentado como tesis doctoral en la Universidad Complutense (junio de 1977). A lo largo de esos años, y de sus avatares, he recibido la ayuda de numerosas personas.

A la directora de mi trabajo en Buenos Aires, Frida Weber de Kurlat, le debo enseñanza, ejemplo y apoyo continuos. La presencia cotidiana de Celina Sabor de Cortazar en el Instituto fue un aliciente inestimable. Entre quienes colaboraron conmigo en Buenos Aires debo recordar a Elda Artigas, Melchora Romanos y Josefina Sartora.

Manuel Alvar, Rafael Lapesa, Antonio y Violeta Núñez, y Alonso Zamora Vicente, director de mi tesis, me brindaron ayuda de todo tipo en los años en que adopté España como segunda patria. Antonio Odriozola me facilitó generosamente publicaciones de Valle-Inclán.

La redacción final se hizo en el frío infierno de Chicago, compartido con Graciela Reyes, sin cuya inteligente y equilibradora compañía este libro no se habría escrito.

En la revisión del original me ayudó Beatriz Entenza de Solare, con quien revivimos así los buenos tiempos en que colaborábamos en la preparación de *Filología*.

Me otorgaron ayuda financiera, en diferentes etapas del trabajo, la Universidad de Buenos Aires, el Consejo de Investigaciones Científicas y Técnicas de la Argentina y el *Research Board of the University of Illinois at Chicago Circle*.

Para todos, mi agradecimiento.

L. S.

Madrid, 25 de julio de 1978.

INTRODUCCIÓN

Las novelas de *El ruedo ibérico* son novelas históricas; corresponden, pues, a un tipo de relato literario que se caracteriza por presentar secuencias y personajes identificables fuera del contexto narrativo, ya que han sido recreados a partir de unos personajes y unos hechos no ficticios sino pertenecientes a lo que se considera «realidad» histórica.

Al encarar el estudio de una novela histórica se plantea inmediatamente, desde el punto de vista general de la teoría literaria, el problema de la dicotomía realidad / ficción. La realidad sería lo histórico —perteneciente al conjunto de experiencias sociales transmitidas y compartidas por una comunidad—, la ficción sería lo novelesco, lo inventado por un autor particular. Según esto, el relato literario histórico utiliza materiales sacados de la «realidad» para construir una nueva configuración donde, con determinados procedimientos e intenciones, se entrelazan hechos documentados con otros imaginarios. Del uso de elementos reales dentro de la ficción depende la mayor o menor «exactitud documental» que los críticos encuentran en las novelas históricas, y así se ha dicho, en términos generales, que la novela histórica es la obra en la que la exactitud documental es más importante que la ficción [1].

[1] Cfr. S. RAVIS-FRANÇON, «Temps historique et temps romanesque dans *La Semaine Sainte*», en *Revue d'Histoire Littéraire de la France*, 75, núm. 2-3, 1975, p. 419.

Sin embargo, la dicotomía realidad / ficción es engañosa (no sólo para la ciencia literaria, por supuesto); no se puede aislar tan fácilmente lo real y lo ficticio en una novela histórica. En primer lugar, no se puede hablar de «realidad» más que en un sentido aproximado cuando esta realidad se refiere a lo que en nuestro caso es extra-literario, la historia. Este tipo de relato en el que se reconocen secuencias y personajes que, antes de ingresar en la ficción, existieron en el mundo real, suele extraer su información histórica no de una realidad inmediatamente accesible, sino de otro relato en el cual esa realidad ya ha sido reorganizado y reinterpretado, el histórico [2]. Este relato histórico, patrimonio cultural de una comunidad, construido tanto a partir de tradiciones y creencias no comprobadas como de documentos fidedignos, es ya una interpretación del conjunto de experiencias sociales, interpretación variable y siempre sujeta a rectificaciones. Si nos atenemos al relato histórico que se manifiesta en las obras adscritas al género del ensayo histórico, y entre éstas, en nuestro caso, a las del siglo XIX, veremos que es difícil establecer en ellas el límite entre realidad y ficción, ya que los historiadores de esa época admiten narraciones anecdóticas, escenifican determinados sucesos, abren continuamente juicios sobre los hechos relatados, incorporan datos sin indicar fuentes y reproducen fragmentos enteros de esas fuentes sin señalar siquiera con comillas lo reproducido.

Entre estos libros de historia, que sirvieron en gran parte como fuente a las novelas históricas de la época que estudiamos, y las novelas históricas mismas, no habría, pues, diferencia ni en cuanto al manejo de datos ni en cuanto a los procedimientos de valoración (selección, interpretación personal tendenciosa, incluso humorística) de esos datos. La falta de objetividad hace que esa realidad histórica supuestamente inmutable sea algo problemático. Tam-

---

[2] V. Jean Pierre Faye, *Théorie du récit. Introduction aux «Langages totalitaires»*, Paris, 1972.

poco hay diferencias esenciales entre los propósitos del historiador y los del novelista: ambos quieren interpretar procesos históricos. Se ha dicho que un novelista puede explicar un proceso histórico mejor que un historiador[3] y que ni uno ni otro son nunca objetivos.

Sin embargo, sabemos que hay diferencias entre un relato histórico literario y otro no literario. La más evidente es que en el relato literario, en la novela histórica, está permitido intercalar libremente secuencias y personajes imaginarios que se mezclan con las secuencias y personajes históricos o reconocibles fuera de la novela. Pero unos y otros, por pertenecer a un relato que consideramos literario, son, en principio, ficticios, integran el universo de la ficción, que representa al mundo real, pero no se confunde con él. En el concepto de ficción —y no en su opuesto, la realidad— está la clave de lo que consideremos novela histórica.

Todos los relatos literarios son ficticios; las novelas históricas también. Olvidarlo, y exigir «exactitud documental» a una novela, sería quebrantar las normas culturales que rigen el proceso de producción y recepción de textos literarios, tomar una novela por algo que no es ni pretende ser. Esto no significa que una novela histórica no nos pueda ofrecer una interpretación, perfectamente válida, de la historia. Significa simplemente que al leerla no podemos separar tajantemente lo ficticio de lo real, como si lo real tuviera una existencia propia y no formara parte de la novela. La novela, y todo relato, es un discurso representativo, un reflejo, estéticamente organizado,

---

[3] Cfr. A. Daspre, «Le roman historique et l'histoire», en *Revue d'Histoire Littéraire de la France*, 75, núm. 2-3, 1975. página 235. A propósito de esto, es interesante lo que un historiador, Tuñón de Lara, afirma de Galdós: «Don Benito, testigo calificado, es fuente histórica de primera mano para cuanto ocurre en Madrid en 1865, fuente que algunos han mirado despectivamente tratándola —erróneamente— de «literaria» *(Estudios sobre el siglo XIX español*, Madrid, Siglo XXI, 1973, p. 150, nota 35).

del mundo real, o de una imagen del mundo real. Este discurso establece sus propios postulados narrativos, que indican la relación particular entre lo imaginario y lo real válido únicamente dentro del relato; la ficción construye un universo propio y se independiza así, en cierto modo, de la realidad representada. Dicho de otra manera, una novela no deja de pertenecer a la ficción —a la literatura— por relatar hechos que han tenido lugar, efectivamente, en el mundo representado.

La novela histórica otorga categoría de ficticios a hechos que tuvieron lugar y a personas que actuaron, de forma supuestamente igual, parecida, o aun diferente, en el mundo de la realidad comprobable o historiable. Esto implica que podríamos leer una novela histórica ignorando que parte de los procesos relatados son históricos, y, efectivamente, podemos. Esta lectura es válida, es una lectura literaria en la que se da por sentado que todo lo que aparece en un relato literario debe ser ficticio, con lo que no se hace sino respetar unas normas tradicionales de recepción de textos. Y puede ser una lectura satisfactoria, que no sólo produzca el placer que buscamos al leer o escuchar un relato, sino que nos haga reinterpretar, revalorar, a través de esa particular representación del mundo, nuestro mundo real y cotidiano. Podemos leer de esta forma una novela histórica *aun sabiendo* que es histórica, desentendiéndonos completamente de ese otro relato subyacente que la novela recrea, desfigura o transfigura, y desentrañando su significado sin acudir a más datos que los que nos proporciona la novela.

Hay una segunda lectura posible, mucho más ingenua que la anterior, que consiste en otorgar total valor de verdad, si no a todos los hechos narrados, sí a la reelaboración histórica en su conjunto y a la interpretación que conlleva. Provocar esta lectura es el propósito de muchas novelas históricas escritas con fines de combate o propaganda y que usufructúan la simpatía del lector por unos héroes presentados como dechados de virtudes. En este caso se da por supuesto que el lector reconoce nombres y hechos como pertenecientes a la «historia», y además, generalmente, se le «enseña» historia.

Consideremos, finalmente, una tercera lectura, que es la que este libro propone para *El ruedo ibérico*. Una lectura propuesta para el lector de nuestros días, que se enfrenta con un relato escrito hace cincuenta años de unos hechos sucedidos hace más de un siglo. Es improbable que el lector de nuestros días se acerque a la trilogía de Valle-Inclán ignorando el hecho de que se trata de una novela «histórica». Tampoco podemos suponer que no reconozca inmediatamente, al menos algunos personajes y hechos que conoce ya por otras fuentes y que corresponden a la historia de España. El lector puede estar más o menos informado, pero difícilmente será ajeno del todo a ese relato subyacente que la novela incorpora al suyo propio. El lector utilizará por lo tanto, junto con su conocimiento de la lengua y de las convenciones de lectura, la información —poca o mucha— que posee sobre la época a la que la novela se refiere, además de su información sobre las novelas mismas, si ha leído o escuchado críticas, juicios y explicaciones. El lector aporta, pues, un repertorio de conocimientos de diferente tipo, incluidos prejuicios. Es difícil que su lectura pueda ser la del primer tipo mencionado, es decir, que se desentienda de lo histórico para leer una novela —universo ficticio representativo del real— y que esta lectura (en principio válida, insisto) le satisfaga; es fácil, en cambio, que información histórica e información sobre la novela y sobre su autor sean, al menos, incompletas. En ese caso, podrá todavía disfrutar de la lectura, pero dejará de percibir, por ejemplo, lo humorístico de muchos pasajes —ironías, parodias, que exigen una complicidad con el narrador sólo accesible generalmente si se tienen conocimientos previos acerca de las cosas sobre las que se ironiza o a las cuales se parodia. Del mismo modo, puede tomar por ficticios —producto de la malevolente imaginación del autor— hechos o palabras que constan, idénticos, en otras fuentes. O, simplemente, puede no entender lo que lee. Es obvio que cuanta más información posea el lector, más disfrutará y mejor comprenderá el significado de una obra. La lectura ingenua corre siempre el riesgo de ser una lectura equivocada, porque en la lectura de una obra literaria, como en todo acto comunicativo, el receptor hace una serie de inferencias, y si no está capacitado para hacerlas, la comunicación puede fracasar, en parte o totalmente.

La crítica literaria actual parece tender, entre otros, a un objetivo fundamental: volver explícitas todas las implicaciones que haría al leer una obra literaria, un lector ideal, es decir, un lector dotado, por una parte, de competencia lingüística, y por otra, del conocimiento de todas las normas culturales que rigen los procesos de comunicación verbal —tanto las establecidas por la tradición literaria, que reglan la interpretación de textos diferentes, como las que implican el conocimiento completo del contexto histórico y social al que la obra alude. En el marco de estos propósitos generales, y ante una novela histórica, a la crítica le corresponde explicitar el repertorio de datos históricos sobre los que el autor ha elaborado su ficción y los procedimientos seguidos en la reelaboración, en la medida en que esto contribuye a una lectura más rica y a una interpretación más acertada de la obra.

Este estudio se propone, principalmente, aportar una serie de datos y de fuentes documentales utilizados por Valle-Inclán en *El ruedo ibérico*, muchos de los cuales no han sido nunca aducidos por los estudios críticos de las novelas; cuando es posible, al acopio de datos históricos se agrega una descripción de la manera como el autor utilizó estas fuentes y los propósitos con que reelaboró los materiales históricos. Se trata de estudiar, pues, la relación entre relato histórico (el que, con datos procedentes de fuentes muy diversas, estaba constituido en la época en que fueron escritas las novelas) y relato novelesco histórico.

La novela histórica es un discurso referido a otro: en *El ruedo ibérico* las referencias a otros textos (libros de historia, memorias, documentos varios, noticias periodísticas, folletos satíricos, periódicos clandestinos, cantares de ciego, relatos orales, etc.) son constantes, y se hacen de manera muy variada, desde la incrustación de un texto que no ha sufrido ninguna modificación hasta la breve alusión difícil de localizar, pasando por una serie de reescrituras humorísticas.

Los procedimientos satíricos de la trilogía obedecen a un propósito enunciado por el propio autor (cfr. cap. 2): ofrecer una interpretación de la época isabelina. De ahí el interés por saber qué materiales seleccionó para sus propósitos, y cómo los utilizó. Las novelas de Valle-Inclán, con su humor, sus ambigüedades, sus múltiples significaciones, requieren un lector previamente informado y atento, capaz de disfrutar de la ironía y de la sátira.

El autor afirmó que las novelas de *El ruedo ibérico* eran esperpénticas. El esperpento, como procedimiento estético, implica una valoración negativa de la realidad, que se logra con determinados procedimientos estilísticos. El lector ingenuo piensa, sin duda, que el esperpento es una alteración de los hechos históricos, que Valle-Inclán, al re-relatar con su peculiar ironía, con su peculiar estilo, altera la historia. Lo que quiero demostrar es que esta óptica diferente es, sin embargo, fiel al relato histórico: es asombroso comprobar la *exactitud documental* de *El ruedo ibérico*. De ahí que las infidelidades históricas deliberadas y las omisiones cobren mayor significado.

Este trabajo, pues, quiere sobre todo volver explícitas las relaciones implícitas (a veces inaccesibles para el lector no documentado) entre narración novelesca y narración histórica: se propone como estudio previo a una lectura de *El ruedo ibérico* como novela histórica. Aunque ofrezco algunas hipótesis críticas sobre el sentido e intenciones de la trilogía, mi propósito ha sido, ante todo, acopiar los

datos necesarios para una mejor comprensión de las
novelas [4].

En cuanto al plan general de este trabajo, en
el cap. 1 reconstruyo el contenido probable de las
novelas de *El ruedo ibérico* que Valle-Inclán no llegó
a escribir, y aventuro brevemente algunas causas
de la interrupción de la trilogía. En el cap. 2 señalo
la evolución del interés de Valle por los temas históricos, tal como puede observarse a lo largo de toda
su obra, incluido *El ruedo ibérico*. En el cap. 3 hago
un resumen del proceso del liberalismo español desde
la invasión francesa hasta la revolución de 1868, señalando la mención de algunos de estos hechos en
la trilogía. Los caps. 4, 5 y 6 contraponen el relato
histórico de los sucesos acaecidos en el período en
que transcurre el relato novelesco con la narración
de Valle-Inclán. En el cap. 7 se presentan algunas
fuentes que sirvieron de documentación al novelista,
y se analiza el tratamiento dado a esas fuentes.
El cap. 8 está dedicado a las publicaciones previas
—algunas de ellas hasta ahora no estudiadas por la
crítica— que fueron incorporadas luego, con distintas variantes, a las tres novelas. Finalmente, en el
capítulo 9 trato de encontrar un fundamento ideológico a la compleja estructura circular de las dos
novelas que el autor completó. Los Apéndices ofrecen
información que puede ser útil al lector de *El ruedo
ibérico;* en el Apéndice I se reúnen datos sobre hechos y personajes históricos mencionados en las dos

---

[4] Terminado este trabajo, apareció el libro de ALISON SIN-
CLAIR, *Valle-Inclán's «Ruedo Ibérico». A popular view of
Revolution* (London, 1977), que llega a conclusiones pareci-
das a las mías. A. Sinclair basa su exposición, principalmente,
en la prensa satírica y en la literatura popular, y yo, sobre
todo, en la prensa partidaria y otras fuentes documentales
tradicionales, por lo que considero que ambos trabajos se
complementan. Mi reseña del libro de Alison Sinclair aparecerá próximamente en *Les Lettres Romanes.*

novelas [5]; en el Apéndice II se traza un paralelo entre el tratamiento literario de tres personajes centrales —Isabel II, el rey consorte y el padre Claret— y el perfil histórico legado por fuentes diversas.

Téngase en cuenta que en las remisiones el primer número, romano, indica la novela (I: *La corte de los milagros*, II: *Viva mi dueño*, III: *Baza de espadas*); el segundo, arábigo, indica el libro dentro de cada novela; y el tercero, también romano, el capitulillo. Cito por las ediciones de Espasa-Calpe, Colección Austral: *La corte de los milagros*, Madrid, 1968; *Viva mi dueño*, Madrid, 1969; *Baza de espadas*, Madrid, 1961.

[5] La omisión de algunos personajes en el Apéndice I no indica necesariamente que sean ficticios, sino que no he encontrado suficiente documentación sobre ellos.

CAPITULO 1

LAS NOVELAS DE *EL RUEDO IBÉRICO*

Las novelas de *El ruedo ibérico* de Valle-Inclán tienen como tema la preparación de la «Gloriosa», o sea de la revolución de setiembre de 1868, que arrojó del trono a Isabel II.

Valle-Inclán llegó a escribir y publicar dos novelas —*La corte de los milagros* y *Viva mi dueño*—, y dejó una tercera —*Baza de espadas*— inconclusa, publicada en el folletín de *El Sol*.

Como veremos, Valle-Inclán traza un corte transversal en el tiempo para hacer la disección de la sociedad isabelina en un período muy limitado: los tres libros transcurren entre el 12 de febrero de 1868 y el 9 de agosto del mismo año.

El plan de trabajo que se había propuesto Valle-Inclán era mucho más amplio, ya que comprendía tres series de tres novelas cada una. El plan aparece desarrollado al frente de la primera edición de *La corte de los milagros* (1927), con la siguiente relación de títulos:

Primera serie: *Los amenes de un reinado*

   I.   *La corte de los milagros*
  II.   *Secretos de Estado*
 III.   *Baza de espadas*

Segunda serie: *Aleluyas de la Gloriosa*

IV. *España con honra*
V. *Trono en ferias*
VI. *Fueros y cantones*

Tercera serie: *La Restauración borbónica*

VII. *Los salones alfonsinos*
VIII. *Dios, Patria y Rey*
IX. *Los campos de Cuba*

Al publicar en 1928 la segunda novela, Valle-Inclán cambió el título por el de *Viva mi dueño.*

Como hemos dicho, la tercera novela de la primera serie, *Baza de espadas,* publicada como folletín en 1932, quedó inconclusa. Su último libro, *Albures gaditanos,* se refiere al frustrado levantamiento del 9 de agosto de 1868, que iba a tener lugar en Cádiz. Pero la relación de títulos citada precedentemente nos permite hacer conjeturas sobre las novelas que Valle-Inclán no llegó a publicar.

España con honra, primer título de la segunda serie, es el grito final del manifiesto de la Junta revolucionaria, dado en Cádiz el 19 de setiembre de 1868, por lo que es lícito suponer que *Baza de espadas* terminaría con el feliz desembarco de los revolucionarios en suelo español y el exilio de Isabel II. Las tres novelas de la primera serie se desenvolverían entonces entre el 12 de febrero y el 18 de setiembre de 1868.

Trono en ferias, segundo título de la segunda serie, alude a la búsqueda de rey constitucional para España, trabajo que termina con la elección de don Amadeo de Saboya, efectuada por las Cortes el 16 de noviembre de 1870.

El mismo día de la renuncia de don Amadeo al trono de España —el 11 de febrero de 1873— las Cortes proclamaron la República. *Fueros y cantones,* último título de la segunda serie, alude a las reivindicaciones regionales que se agravaron durante la Primera República y a los levantamientos cantonales. Para poner fin a esta situación, el general Pavía dio un golpe de estado el 2 de enero de 1874, disolvió las Cortes, y entregó el poder a Serrano. Esta situación se prolongó hasta el 29 de diciembre de 1874, fecha en que el general Martínez Campos proclamó rey a Alfonso XII en Sagunto. De modo que la segunda serie iba a abarcar un período de seis años —los que transcurren entre 1868 y 1874—, ya que la tercera serie se titula *La Restauración borbónica.*

Esta última serie tendría, sin duda, por escenario la corte en *Los salones alfonsinos* y los campos de la guerra carlista en *Dios, Patria y Rey.*

El último libro, *Los campos de Cuba,* nos trasladaría a la isla, donde desde 1868 se estaba desarrollando la «Guerra de los diez años». El 10 de febrero de 1878 el general Martínez Campos logró una capitulación, paz o tregua llamada *del Zanjón,* que no fue aceptada por un grupo de patriotas cubanos. Estos siguieron la guerra denominada *chiquita* hasta ser derrotados por el general Polavieja en 1880. De modo que es probable que esta tercera serie abarcara también seis años —desde 1874 hasta 1880— como la segunda, en el plan que el autor tenía pensado en 1927.

Tenemos testimonio de que Valle-Inclán había cambiado algo este plan unos años después, por una entrevista que firma José Alonso Montero, y que se publicó como nota previa a la edición de *Vísperas de la Gloriosa* en *La Novela de hoy* (16 de mayo de 1930). Allí Valle-Inclán afirma: «... continúo (...) trabajando en los volúmenes de *El ruedo ibérico.* El último se llamará *Los cucos del Pardo* (...) Ver la reacción de la sensibilidad española en aquel período tan interesante que va desde la revolución, en el año 1868, hasta la muerte de Alfonso XII, en el año 85, es lo que me propongo en esa obra mía». Según esta declaración, el ciclo habría acabado con el Pacto del Pardo, en el que Cánovas y Sagasta se comprometieron a sostener a la reina regente, María Cristina de Habsburgo, después de la muerte del rey, acaecida el 25 de noviembre de 1885.

Valle-Inclán empezó a publicar episodios sueltos, que luego integraría en *El ruedo ibérico*, en 1925. Es curioso que comenzara por *Cartel de ferias (La Novela Semanal*, 10 de enero de 1925), episodio que integró en la segunda novela de la trilogía, y que este episodio apareciera antes que los primeros fragmentos de *Tirano Banderas*, publicados en junio de 1925. Esto indica que Valle-Inclán trabajó casi simultáneamente en sus dos proyectos y que compuso sus obras algo así como con modelos modulares, que luego acomodó al publicar los libros.

Las fechas de publicación de los episodios y de las novelas de *El ruedo ibérico* son las siguientes:

10-I-1925:
Cartel de ferias. Cromos isabelinos. (Libro quinto de *Viva mi dueño*, 1928.)

23-XII-1926:
Ecos de Asmodeo. (Libro segundo de *La corte de los milagros*, 1927.)

21-IV-1927:
Estampas isabelinas. La Rosa de oro. (Libros primero y último de *La corte de los milagros*, 1927.)

18-IV-1927 y 18-VIII-127:
Primera y segunda tirada de la primera edición de *La corte de los milagros.*

28-VI-1928:
Teatrillo de enredo. (Libro séptimo de *Viva mi dueño*, 1928, y continuación de *Cartel de ferias.*)

12-X-1928:
Las reales antecámaras. (Libro cuarto de *Viva mi dueño*, 1928.)

23-X-1928:
Viva mi dueño.

15-XI-1929:
  Otra castiza de Samaria. (Libro tercero de *Baza de espadas*, 1932.)

16-V-1930:
  Vísperas de la Gloriosa. (Libro cuarto de *Baza de espadas*, 1932.)

20-X-1931 al 11-XII-1931:
  Edición, en los folletines de *El Sol*, de *La corte de los milagros.*

14-I-1932 al 25-III-1932:
  Edición, en los folletines de *El Sol*, de *Viva mi dueño.*

7-VI-1932 al 19-VII-1932:
  Edición, en los folletines de *El Sol*, de *Baza de espadas.*

  Episodios no incluidos en «El ruedo ibérico» pero relacionados con él:

15-III-1928:
  Fin de un revolucionario.

5-I-1929:
  Un bastardo de Narizotas.

12-III-1933:
  Correo diplomático (reescritura del anterior).

16-III al 23-IV de 1935 (póstumo):
  El trueno dorado (reelaboración y ampliación de *Ecos de Asmodeo*).

En el capítulo *Génesis de «El ruedo ibérico»* estudiaré cada uno de estos episodios, sus variantes y su inserción real o potencial en la trama novelesca.

Son muchos los factores por los que Valle-Inclán no pudo continuar su obra. En una entrevista publicada en *ABC* el 3 de agosto de 1930 —nótese que para esta fecha ya había publicado la primera versión de dos libros de *Baza de espadas* y también *Fin de un revolucionario* y *Un bastardo de Narizotas*— se queja de su mala salud y luego dice:

> Ahora voy a quedarme solo una temporada. Josefina [su mujer] y los niños se marchan a Elizondo y yo me quedo aquí, solo, trabajando en *El ruedo ibérico*. Tengo mucho que hacer.

Y más adelante:

> ... en el otoño pienso publicar el tercer tomo de *El ruedo ibérico*. Esto es lo que más tiempo me lleva. Voy a dedicar todo el verano a ese libro.

Pero *Baza de espadas* no se publicó en el otoño de 1930; salió en forma de folletín en 1932, y quedó inconcluso. ¿Cuál fue el problema que impidió a Valle-Inclán publicar *Baza de espadas* en la fecha planeada? Como hipótesis se han barajado, principalmente, su grave enfermedad del riñón y sus problemas familiares, que culminarían con el divorcio en 1932. No se ha formulado, en cambio, una más importante: que Valle Inclán pudo haber sido sobrepasado por la rapidez de los acontecimientos políticos desde 1930: renuncia de Primo de Rivera, gobierno de Berenguer, sublevaciones de Jaca y Cuatro Vientos a favor de la República, fusilamiento de los capitanes Galán y García Hernández, proclamación de la Segunda República, proclamación del Estado Catalán, incendios de iglesias y conventos en Madrid y otras ciudades, etc.

Por otra parte, Valle-Inclán se sintió atraído por los acontecimientos políticos y participó en ellos. Ramón Sender afirma en una entrevista que publicó en *Nueva España* en marzo de 1930: «Causa asombro la información política que en todo momento posee Valle-Inclán»[1].

---

[1] Reproducida en J. ESTEBAN, *Valle-Inclán visto por...*, Madrid, 1973, pp. 281-288.

En las elecciones de 1931 se presentó como candidato a diputado a Cortes Constituyentes, pero no salió elegido. El 6 de junio hizo declaraciones muy precisas en *El Sol*, declaraciones que, por haber sido citadas por Francisco Madrid[2] sin indicar su procedencia, han sido poco divulgadas. Valle-Inclán se declara partidario de Lerroux y agrega que la revolución con la que soñaba no habría permitido a Alfonso XIII salir de España. Luego dice, proféticamente, que si los republicanos históricos fracasaran, «los españoles volverían a encontrar muy bien la aparición de un general para acabar con toda la política antigua».

En enero de 1932 Valle-Inclán fue nombrado Conservador general del Patrimonio Artístico, cargo al que renunció en junio, y en mayo fue elegido presidente del Ateneo. En 1933 viajó a Roma como Director de la Academia Española de Bellas Artes.

Creo que Valle-Inclán escribió todos los libros que se conocen de *Baza de espadas* antes de la proclamación de la República. En cambio, *Aires nacionales*, libro agregado al comienzo de *La Corte* en *El Sol*, es presumiblemente posterior, y pudo haber sido escrito poco antes de su publicación en el periódico en octubre de 1931.

Sin embargo, es probable que Valle-Inclán siguiera atormentado por la idea de terminar *El ruedo ibérico*. Cuenta Francisco Madrid que cuando el autor estaba internado en Santiago de Compostela, decía: «Quisiera llegar en mi obra histórica hasta una descripción titulada *Los campos de Cuba*... Mi interpretación del mambí y del voluntario español causará mucho ruido...»[3]

Pero Valle-Inclán no pudo acabar *El ruedo ibérico*, cumpliendo con su propia predicción de 1928: «En cuanto a *El ruedo ibérico*, es obra a la cual es lo más

---

[2] Francisco Madrid, *La vida altiva de Valle-Inclán*, Buenos Aires, ed. Poseidón, 1943, p. 247.
[3] *Op. cit.*, p. 88.

probable que no pueda dar fin, ya por su extensión
y mis años, ya por sus dificultades» [4].

Indudablemente, las dificultades para proseguir
la obra eran muchas. ¿Cómo hubiera tratado don
Ramón, en plena efervescencia republicana, el tema
de la Primera República? Y más aún ¿cómo hubiera
desarrollado el tema del carlismo? ¿Con una nueva perspectiva, contradiciendo sus obras anteriores?
Creo que Valle-Inclán se encontró en un callejón
sin salida.

Don Ramón tuvo, pues, problemas domésticos,
problemas económicos —quiebra de la Compañía
Ibero-americana de Publicaciones, que era su principal fuente de ingresos—, cargos públicos que lo
obligaban a desplazarse, y problemas de salud. ¿Es
la suma de todos estos factores razón suficiente para
el abandono de *El ruedo ibérico*? Creo que no, sino
que Valle-Inclán no pudo encontrar una perspectiva
histórica «a la altura de las circunstancias». El antimilitarismo era un tópico fácil en los años artificial-
mente estancados de la dictadura de Primo de Rivera.
Pero al estallar el proceso de aceleración histórica
en 1931, Valle-Inclán quedó descolocado, y esto frenó
su tarea de «historiador».

Esta hipótesis puede modificarse si algún día aparecen nuevos episodios de los que Carlos María del
Valle-Inclán afirma tener en su archivo [5]. Pero por el

[4] *ABC*, 7 de diciembre de 1928.
[5] Carlos María del Valle-Inclán me manifestó, cuando lo vi-
sité en Pontevedra en 1973, que existía un gran archivo Valle-
Inclán, pero era absolutamente imposible consultarlo (la
misma afirmación recoge HAROLD BOUDREAU, *The metamorpho-
sis of the Ruedo Ibérico*, en A. N. Zahareas, ed. *Ramón del
Valle-Inclán. An appraisal of his life and works*, New York,
1968, p. 773). Si es verdad que don Carlos tiene papeles y
episodios inéditos de su padre, quizás nos los haya publicado
antes por temor a represalias políticas. Es necesario recordar
un triste episodio apenas conocido: Carlos y un cuñado suyo,
Jerónimo Toledano, fueron detenidos, uno en Santiago y el
otro en Astorga, cuando Pío Baroja publicó un artículo en
Pamplona en el que afirmaba que Valle-Inclán era comunis-

momento debemos atenernos a lo ya publicado. Si
Valle-Inclán tenía escritos más episodios ¿por qué
volvió a publicar en 1933 uno ya publicado en 1929
y volvió a publicar la mitad de *Ecos de Asmodeo* en
El trueno dorado? Esta publicación póstuma revela
que el problema que preocupaba a Valle-Inclán era el
aggiornamento de su obra. Por un lado, Don Fermín
[Salvochea] aparece allí mucho más radicalizado
que en el libro tercero de *Baza de espadas*, y por otro,
se advierte que Valle-Inclán quiso incorporar a su
obra «el cuarto estado», es decir, el pueblo madrileño
en su escenario barriobajero —el gran ausente de *El
ruedo ibérico.*

ta. El hecho está documentado en una carta sin fecha que
doña María Concepción del Valle-Inclán de Toledano dirigió
a Unamuno, pidiéndole que hiciera algo por ellos «dado su
enorme prestijio [sic] e influencia». Esta carta se puede consultar en el Archivo de Miguel de Unamuno, en Salamanca.

CAPÍTULO 2

VALLE-INCLÁN Y LA HISTORIA

En este capítulo me propongo echar una ojeada a las obras de Valle-Inclán que tienen relación con la historia, tanto aquéllas que pueden incluirse plenamente en la categoría de «novelas históricas» (como *La guerra carlista* o *El ruedo ibérico*) cuanto aquéllas en que la ficción tiene relaciones, más o menos estrechas, con situaciones históricas (como las *Comedias bárbaras*). También consideraremos alguna obra que, no relacionada aparentemente con la historia, es susceptible, sin embargo, de una lectura política, histórica (como *Divinas palabras*).

Primeros cuentos

Cuando Valle-Inclán incorpora el tema del carlismo a sus primeras obras parece hacerlo porque lo considera marco apropiado para presentar personajes satánicos, brutales o por lo menos misteriosos y alejados de lo vulgar.

Tal es el caso de su cuento *Un cabecilla*, publicado en *El Globo* (Madrid, 1893) y más tarde en *Jardín umbrío* y *Jardín novelesco*. El personaje es un guerrillero carlista que mata a su mujer porque ésta, torturada por los enemigos, revela el lugar donde se encontraba la partida. Valle-Inclán tomó el tema de

Merimée [1], autor que tiene marcada preferencia por los tópicos decadentistas [2]. Lo que interesa es el hecho mismo y la brutalidad del personaje —señalada por el narrador al principio y al final del cuento— más que su ideología.

Lo mismo puede decirse de *A media noche*, publicado en *La Ilustración Ibérica* (Barcelona, enero de 1889), y más tarde también en *Jardín umbrío* y *Jardín novelesco*. Aquí se narra la aventura de un conspirador carlista que, al atravesar un monte sombrío, mata a un salteador. Lo más interesante del cuento es la atmósfera de misterio y la fuerza en la presentación del personaje.

Esta atmósfera misteriosa y este tipo de personaje eran cultivados por uno de los maestros de Valle-Inclán, Barbey d'Aurevilly, que también fue legitimista y había novelado con procedimientos parecidos a los de Valle-Inclán la guerra de los *chuanes*. En este sentido habría que interpretar el posible acercamiento de Valle-Inclán al carlismo por el camino de la estética decadentista: esta ideología y estas guerras le ofrecían el marco ideal para presentar un mundo legendario, aristocrático y brutal.

Sonata de invierno

Valle-Inclán colocó esta historia perversa en el marco de la segunda guerra carlista. Aunque las citas históricas son precisas, la guerra está utilizada como circunstancia propicia para exaltar la personalidad decadente de Bradomín y sus aventuras galantes. Parte de la acción transcurre en Estella, durante los primeros años de la restauración borbónica (la ciudad estuvo en poder de los carlistas desde fines de agosto de 1873 hasta el 19 de febrero de 1876).

[1] Se inspiró en *Mateo Falcone* de Merimée. V. ANTONIO G. SOLALINDE, «Prosper Merimée y Valle-Inclán», *Revista de Filología Española*, VI, Madrid, 1919.

[2] V. MARIO PRAZ, *La carne, la muerte y el diablo en la literatura romántica*, Caracas, Monte Ávila, 1969, *passim*.

En la *Sonata de invierno* aparecen como personajes Carlos VII y doña Margarita y se hacen referencias al cura Santa Cruz, a Cabrera, a Dorregaray, a Lizárraga, etc. En una conversación entre Bradomín y el pretendiente surgen los dos problemas más importantes por los que atravesaba el carlismo, problemas que Valle-Inclán volverá a tocar en obras posteriores: la rebeldía de Santa Cruz y la «liberalización» de Cabrera:

> El rey sonrióse y me llevó al hueco de una ventana:
> —Conozco que has hablado con Cabrera. Esas ideas son suyas. Cabrera, ya habrás visto, se declara enemigo del partido ultramontano y de los curas facciosos. Hace mal, porque ahora son un poderoso auxiliar. Créeme, sin ellos no sería posible la guerra.
> —Señor, ya sabéis que el general tampoco es partidario de la guerra.
> El rey guardó un momento silencio:
> —Ya lo sé. Cabrera imagina que hubieran dado mejor fruto los trabajos silenciosos de las Juntas. Creo que se equivoca. Por lo demás, yo tampoco soy amigo de los curas facciosos. A ti ya te dije eso mismo en otra ocasión, cuando me hablaste de que era preciso fusilar a Santa Cruz. Si durante algún tiempo me opuse a que se le formase consejo de guerra, fue para evitar que se reuniesen las tropas republicanas ocupadas en perseguirle, y se nos viniesen encima. Ya has visto cómo sucedió así. El Cura ahora nos cuesta la pérdida de Tolosa (p. 107) [3].

Las *Comedias bárbaras*

Las *Comedias bárbaras* [4] están muy relacionadas con *La guerra carlista*. En estas dos trilogías se

---

[3] Cito por la ed. de Espasa-Calpe, Colec. Austral, Madrid, 1954.
[4] La trilogía está integrada por *Águila de blasón* (1907); *Romance de lobos,* publicada en el folletín de *El Mundo* (21-X al 26-XII de 1907) y más tarde como libro (1908); y *Cara de Plata* (1922).

exalta el mundo del antiguo régimen, en el que «lo mejor —con todos sus vicios— eran los hidalgos, lo desaparecido»[5].

Cara de Plata, obra que abre el ciclo de las *Comedias bárbaras*, fue publicada en 1922, pero las que le siguen —teniendo en cuenta la cronología interna de la obra— fueron publicadas mucho antes: *Águila de blasón*, en 1907, y *Romance de lobos*, en 1908.

Cara de Plata, hijo segundón de don Juan Manuel Montenegro, reaparece como carlista en *Los cruzados de la causa* y en el episodio *La corte de Estella*[6]. También reaparecen en la primera novela de *La guerra carlista*, Montenegro, Sabelita, don Galán y don Farruquiño, en el mismo escenario gallego.

Las *Comedias bárbaras* han sido consideradas como dramas históricos[7] y el mismo Valle-Inclán al referirse a su obra dice: «Soy el historiador de un mundo que acabó conmigo; ya nadie volverá a ver vinculeros y mayorazgos»[8].

Valle-Inclán insiste sobre el valor histórico de su obra en una declaración que recoge Francisco Madrid: «En mis *Comedias bárbaras* reflejo los mayorazgos que desaparecieron en el año 1833. Conocí a muchos. Son la última expresión de una idea, por lo que mis comedias tienen cierto valor histórico»[9].

La guerra carlista

La fórmula de *La guerra carlista*[10] no es la misma que la de las *Sonatas*. Ya no son las perversiones

[5] Carta de Valle-Inclán a Rivas Cherif reproducida en «La comedia bárbara en Valle-Inclán», *España*, 16 de febrero de 1924.

[6] V. JACQUES FRESSARD, «Un episodio olvidado de *La guerra carlista*», *Cuadernos Hispanoamericanos*, Madrid, julio-agosto de 1966.

[7] V. ALFREDO MATILLA RIVAS, *Las «Comedias bárbaras»: historicismo y expresionismo dramático*, Madrid, Anaya, 1972.

[8] V. nota 5.

[9] FRANCISCO MADRID, *La vida altiva...*, p. 151.

[10] Las novelas de la trilogía son las siguientes: *Los cruzados de la causa* (*La guerra carlista*, vol. I), Madrid, Imprenta de Balgañón y Moreno, 1908; *El resplandor de la hoguera* (*La*

sexuales el tema predominante, sino la exaltación del
Antiguo Régimen y del heroísmo a la vez infantil y
sanguinario de los curas, labradores y señores que
se lanzan a luchar. En la trilogía se advierte una
clara progresión hacia la historia: mientras que en
la primera novela la mayoría de los personajes y las
intrigas secundarias son ficticias, en *El resplandor
de la hoguera* y en *Gerifaltes de antaño* cobran importancia los personajes históricos.

Las tres novelas transcurren durante la Primera
República. En *Los cruzados de la causa* (cap. IV)
Bradomín dice: «La facción republicana que ahora
manda es una vergüenza para España»; y más adelante: «Yo temo la hora del triunfo, porque en ese
momento harán profesión de fe carlista todos los se-
tembrinos, que hoy llevan el gorro frigio, y que antes
eran un día devotos y otro traidores a doña Isabel»
(cap. XXIV) [11]. En la última novela del ciclo, *Gerifaltes de antaño*, se da una fecha precisa: octubre de
1873 (cap. III) y se nombra al cuarto presidente de la
República, Castelar, de modo que el lapso en que se
desenvuelven las novelas es muy breve, técnica prefe-
rida por Valle-Inclán, que repite en *El ruedo ibérico*.
(La *Sonata de invierno* transcurre en una época posterior —durante la Restauración— ya que los carlistas luchan contra los «negros alfonsistas».)

Después de escribir *Los cruzados de la causa*, Valle-
Inclán sintió la necesidad de documentarse más ampliamente. No sólo se documentó en libros, sino que

guerra carlista, vol. II), Madrid, Imprenta de Primitivo Fernández, 1909; *Gerifaltes de antaño (La guerra carlista*, vol III),
Madrid, Imprenta de Primitivo Fernández, 1909. Las tres
habían sido publicadas en los folletines del *El Mundo* poco
tiempo antes de su aparición en forma de libro: *Los cruzados de la causa* el 21, 22, 24, 25 y 29 de noviembre; 1, 3, 5,
7, 11, 13, 17, 26 y 29 de diciembre de 1908. *El resplandor de
la hoguera* el 17, 21 y 24 de enero; 2, 10 y 22 de febrero; 1 y
7 de marzo; 5 y 17 de abril y 7 de mayo de 1909. *Gerifaltes de
antaña* el 17, 18, 22 y 29 de agosto; 14 y 22 de septiembre; 5,
12, 14 y 24 de octubre; 7, 10, 17, 21, 25 y 27 de noviembre de
1909.

[11] Cito por la ed. de Espasa-Calpe, Colec. Austral, Madrid,
1954.

hizo viajes y conversó con testigos. Ha dejado testimonio de un viaje por Navarra el hijo del escritor, Carlos, al esbozar una breve biografía de su padre, publicada en 1945 (como prólogo a la primera edición de *Gerifaltes de antaño* en la colección Austral). Al escribir el primer tomo de la trilogía, don Ramón no conocía Navarra; antes de continuar las novelas decidió hacerlo minuciosamente, recorriendo a pie la región, conversando con testigos y consultando los archivos, según afirma su hijo.

El mismo Carlos María del Valle-Inclán proporcionó a Gaspar Gómez de la Serna una lista de los libros históricos que don Ramón tenía en su biblioteca y que habría utilizado para la redacción de sus novelas históricas[12]. Esta lista es muy interesante e incluye algunos libros bastante raros. Algunos de ellos fueron utilizados sin ninguna duda como fuente por Valle-Inclán. Este es el caso de *La campaña carlista* de Francisco Hernando, de donde Valle-Inclán extrajo el retrato del cura Santa Cruz que aparece en *Gerifaltes de antaño*[13]. Transcribo a continuación los dos textos:

Don Manuel Santa Cruz entró en la iglesia [...] Iba entre ellos *con la mirada recelosa, sin armas, sin insignias,* y más parecía un prisionero que un capitán vencedor. *Era fuerte de cuerpo y menos que mediano en la estatura,* con los ojos grises de aldeano desconfiado y la *barba* muy	... «*Era* [...] *hombre de mediana estatura,* más bien bajo que alto, *de robusto cuerpo,* facciones pronunciadas, frente estrecha, pelo castaño, *barba* rubia, desgarbado porte y maneras rudas y vulgares. *Su mirada* vaga y extraviada prestaba a su fisonomía un marcado tinte de des-

[12] La lista fue publicada por GASPAR GÓMEZ DE LA SERNA en «Las dos Españas de Don Ramón María del Valle-Inclán», en *Clavileño,* set.-oct. de 1952. Reeditado en *España en sus Episodios nacionales,* Madrid, Ediciones del Movimiento, 1954, páginas 53-99.

[13] Traté este tema en «Un personaje de Valle-Inclán: el cura Santa Cruz», en *Homenaje al Instituto de Filología y Literaturas Hispánicas «Dr. Amado Alonso»* en su cincuentenario, Buenos Aires, 1975, pp. 394-400.

basta, toda *rubia* y encendida. *Su atavío no era sacerdotal ni guerrero. Boina azul muy pequeña*, zamarra al hombro, *calzón* de lienzo y *medias azules*, bajo las cuales se descubría el *músculo de las piernas. Aquel* cabecilla *sobrio*, casto y *fuerte, andaba prodigiosamente y vigilaba tanto que era imposible sorprenderle.* Los que iban con él contaban que dormía con un ojo abierto, como las liebres [14].

confianza y de *recelo*, y la expresión seca y dura de su semblante acababan de darle un carácter sombrío y nada simpático a primera vista. Santa Cruz *vestía un traje que no era sacerdotal ni guerrero*; componíase de *boina azul* oscura *muy pequeña*; chaqueta de paño del mismo color, *calzón* corto y ancho, gruesas *medias azules* que cubrían sus *robustas piernas*, y alpargatas por todo calzado. Como de costumbre, *no llevaba arma ni insignia alguna*, sino un grueso palo en el que se apoyaba durante las marchas.

Aquel hombre robusto, *fuerte y sobrio andaba prodigiosamente*; apenas dormía y *vigilaba tanto, que no era posible sorprenderle.* Había entrado en campaña el primero, se había sostenido en los montes con una partida de 30 hombres, y por esto y porque él representaba el principio de la dureza en la guerra, había logrado gran popularidad entre cierta gente [15].

Valle-Inclán ha condensado para dar mayor fuerza expresiva, suprimiendo lo meramente descriptivo.

[14] *Gerifaltes de antaño*, pp. 18-19.
[15] Francisco Hernando, *La campaña carlista (1872-1876)* París, 1877, p. 51. Antonio Pirala en su *Historia contemporánea*, Madrid, 1875-1879, transcribe entre comillas este mismo retrato sin indicar su fuente. Pero la edición de Pirala tiene una errata en la serie de adjetivos «robusto, fuerte y sobrio»: dice *sombrío* en lugar de *sobrio*.

En una de las últimas oraciones conserva el mismo
número de adjetivos que Hernando, pero sustituye
robusto por *casto* (Hernando: *Aquel hombre robusto,
fuerte y sobrio*; Valle: *Aquel cabecilla sobrio, casto
y fuerte*). Me parece importante señalar esta sustitución porque es un índice de valorización del personaje, ya que el cura tenía otra faceta *decadente* que
Valle no quiso explotar: el odio por las mujeres.
Bernoville cuenta en su biografía (que es una apo-
logía) cómo el cura perseguía a las prostitutas que
rondaban al ejército y cómo vigilaba la virtud de sus
soldados. «Estaba vedado a su gente bromear con
mozas y bailar», apunta Olazábal, otro de sus apolo-
gistas [16]. Bermejo [17], en cambio, denigra su figura y
hace resaltar su crueldad con las mujeres: pone
énfasis en el fusilamiento por simple sospecha de
espionaje, de una mujer embarazada, y más adelante
dice:

> Mandaba apalear a todo aquel que le infundía
> recelo y disponía que emplumasen a las mujeres
> sobre las cuales recaía alguna sospecha de com-
> plicidad con las tropas del gobierno [18].

El tema de los emplumamientos es muy interesante porque en *Gerifaltes de antaño* se relata uno del
que es víctima la marquesa de Redín, aunque este
castigo no es ordenado por el cura. Es sabido que
se acusaba a los carlistas de usar esta denigrante
tortura; Olazábal, por ejemplo, niega insistentes versiones orales que señalaban a Santa Cruz como aficionado a ella. Transcribo el relato porque tiene algunos puntos de contacto con el capítulo VII de
Gerifaltes; aunque el libro de Olazábal es de 1928, se
apoya en versiones orales de contemporáneos de los
sucesos, versiones que también pudo haber escucha-

---

[16] JUAN DE OLAZÁBAL Y RAMERY, *El cura Santa Cruz guerrillero,* Vitoria, 1928, p. 13.
[17] ILDEFONSO ANTONIO BERMEJO, *Historia de la interinidad y
guerra civil de España desde 1868,* Madrid, 1877.
[18] BERMEJO, *op. cit.,* p. 23.

do Valle-Inclán cuando hizo su viaje a Navarra con
el fin de recoger datos para su novela:

> Dícese que, hallándose el cura en Deva [...] le
> fue denunciada una mujer de traer y llevar malos
> rumores contra los carlistas por los pueblos del
> contorno. Ella era de Motrico. El cura mandó pren-
> derla. Traída a la plaza, la mandó apalear y des-
> pués que la hubieron dado 40 palos (para lo cual
> dispuso que se retirase el marido de la apaleada,
> que servía en las filas del Cura) mandó que la
> desnudasen de la cintura para arriba y le cor-
> tasen la cabellera y le untasen de miel la cabeza
> y se la cubriesen de plumas, y montada al revés
> sobre un jumento, la paseasen por las calles de
> la población; hecho lo cual, la dejó marchar a
> su pueblo [19].

Olazábal niega que Santa Cruz fuera responsable
de este hecho y tras algunas razones medianamente
aceptables, lo atribuye a otro jefe carlista.

Las dos últimas novelas de la trilogía de *La guerra
carlista* tienen unidad de concepción; ambas fueron
publicadas en 1909, después del viaje por Navarra.
En *El resplandor de la hoguera,* aunque Santa Cruz
no es protagonista, los otros personajes hablan de él
y exponen los conflictos fundamentales que ha suscitado su actuación histórica y que están explícitos
o subyacentes en los historiadores de la guerra, cualquiera sea el bando al que pertenezcan: su indisciplina con relación a las autoridades carlistas y su leyenda sangrienta. En el capítulo X, por ejemplo, las
distintas posibilidades que plantea el problema de
su indisciplina con implicaciones o no de traición,
son expuestas por viejos hidalgos provincianos le-
gitimistas («¡Afirmo su pacto con los liberales!»; «Las
naciones nos hubieran concedido la beligerancia sin
las ferocidades de Santa Cruz»; «Santa Cruz podrá
ser un equivocado pero no es un traidor»); en el
capítulo XI es la gente de pueblo que sigue a Miquelo

---

[19] Olazábal, *op. cit.*, pp. 158-159.

Egozcué la que desconfía («Santa Cruz quiere ser solo en el mando. —¡Mala cosa es la envidia! —Por ella ya le ponen tacha de traidor»). Dentro del campo de las tropas del gobierno se plantean problemas similares; los oficiales liberales —que tienen el elegante escepticismo de sus colegas rusos en las novelas de Tolstoi— ven a Santa Cruz como una pieza más en el ajedrez que mueve el Estado mayor: «Hace falta una degollina para presentar a los carlistas como hordas de bandoleros. Entonces Castelar alzará los brazos al cielo, jurando por la sangre de tantos mártires, y pasará una nota a todos los embajadores. Ahora la suprema diplomacia es ayudar al Cura.» (*Gerifaltes de antaño*, p. 33.)

Del relato se desprende que el cura hace fusilar a Miquelo Egozcué para quedar él solo al frente de las tropas, lo que confirma su leyenda sangrienta; Valle no expone otros conflictos. Sin embargo, quizás los hubo: Olazábal intenta probar que había motivos poderosísimos para el fusilamiento de Egozcué, *alias* el Jabonero; uno de ellos sería que el cabecilla quiso traicionarlo y entregar las tropas que tenía bajo su mando a los republicanos o, según otras versiones, a Lizárraga [20].

La crítica no se ha ocupado, en especial, de las fuentes de *La guerra carlista*. Hay, en cambio, varios intentos de interpretación de la ideología de Valle-Inclán.

Algunos críticos ven en su carlismo un signo más de frivolidad y toman poco en serio su ideología, opinión que no comparto. Valle-Inclán pudo decir, con razón, que era carlista por estética. Lector y cultivador de literatura decadentista, su carlismo se avenía muy bien con su pose y con esa escuela literaria. Pero no podemos dudar de que fuera un car-

---

[20] El fusilamiento de Egozcué —que se llamaba Juan— tuvo lugar, históricamente, en abril de 1873. Valle altera deliberadamente la cronología, lo mismo que algunos datos geográficos.

lista convencido, ya que lo afirma en su obra, en sus declaraciones y en sus actuaciones políticas.

Emma Speratti-Piñero sostiene que Valle-Inclán se fue desengañando de la causa carlista a medida que escribía su trilogía:

> He dicho que algo le ocurre a Valle-Inclán al internarse en el tema que se ha propuesto. Probablemente el estudio de la historia le mostró que, tanto por el lado del gobierno central como por el lado del bando legitimista las cosas dejaban mucho que desear [21].

Esta hipótesis, sin embargo, podría ser refutada, ya que entre 1910 y 1912 Valle-Inclán prodiga sus actos más importante de adhesión a la causa: se presenta como candidato a diputado por Monforte de Lemos y hace declaraciones partidistas en *El Correo Español*, órgano oficial del carlismo:

> Barcelona, allí somos el constante contrapeso de la revolución, y en todo momento, una necesidad para los amantes del orden; si no hubieran existido las masas jaimistas en Cataluña, las osadías del partido sindicalista habrían sido el motivo de su creación. Las lindes están bien definidas: de un lado, los revolucionarios en amalgama extraña con los partidos que representan la izquierda radical; enfrente, la protesta viva del jaimismo, en ocasiones, defendiendo con las armas los derechos de las personas honradas [22].

En el viaje que había hecho a Buenos Aires pocos meses antes fue agasajado por tradicionalistas exiliados. En ese mismo año, 1910, publicó el episodio *La corte de Estella*, que, como ha señalado Fressard, «suena como una profesión de fe sin ambigüedad y hasta casi como una proclama electoral» [23]. Por otra parte, en 1911 Valle-Inclán estrenó su «tragedia pas-

[21] EMMA SPERATTI-PIÑERO, *De «Sonata de otoño» al esperpento. Aspectos del arte de Valle-Inclán*, London, 1968, p. 244.

[22] Citado por JUAN ANTONIO HORMIGÓN, *Ramón del Valle-Inclán. La política, la cultura, el realismo, el pueblo*, Madrid, 1972, p. 154.

[23] V. nota 6.

toril» *Voces de gesta,* de contenido político indudable. El idealizado rey Carlino, destronado injusta-
mente por el rey Pagano, errante, humilde, dechado
de virtudes, no es otro que el pretendiente carlista
don Carlos, que había muerto hacía poco tiempo. La
lectura política de la obra no es arbitraria y en este
sentido fue entendida en su época. La compañía de
la Guerrero, que la había representado en Valencia, se
negó a repetirla en Navarra por considerar este hecho un acto político.

Una tertulia de antaño

El período histórico sobre el que debió documentarse Valle-Inclán para escribir *La guerra carlista*
es el mismo que el de *El ruedo ibérico,* ya que la tercera guerra se desata como consecuencia de la revolución de 1868. Todos los preliminares de esa guerra
están en las tratativas de Prim con Cabrera y Carlos VII de que se habla en *La corte de los milagros,
Viva mi dueño* y *Baza de espadas.* Por eso Valle-Inclán retoma a personajes ficticios como Bradomín
y el duque de Ordax.

Estos personajes aparecen también en *Una tertulia
de antaño* [24], episodio publicado antes que *Gerifaltes
de antaño,* pero enmarcado en un tiempo histórico
posterior: el levantamiento de Sagunto para poner
en el trono a Alfonso XII. La «tertulia» del título
tiene lugar en el salón de la duquesa de Ordax, escenario que aprovecha Valle-Inclán para ridiculizar
a los nobles asistentes. Se trata de un pequeño cuadro esperpéntico, anticipación consciente de su estilo posterior, ya que el autor aprovechó fragmentos
del texto para reubicarlos en *La corte de los milagros,* en el momento en que describe la tertulia de
los marqueses de Torre Mellada [25].

[24] Publicado en *El Cuento Semanal* el 23 de abril de 1909.
[25] V. EMMA SPERATTI-PIÑERO, «Acerca de *La corte de los
milagros*», *Nueva Revista de Filología Hispánica,* XI, 3-4,
1957, pp. 343-365. Reeditado en *De «Sonata de otoño» al esperpento, op. cit.,* pp. 249-255.

Farsa y licencia de la reina castiza [26]

El antecedente más importante de *El ruedo ibérico* es, indudablemente, *Farsa y licencia de la reina castiza*. En esta obra Valle-Inclán toca, aparentemente, los aspectos más superficiales del reinado de Isabel II: la conducta sexual de la reina y del rey, y la ambición de dinero de los grandes personajes de la corte. Mientras la reina se divierte disfrazada de manola en bailes populares, la intriga gira alrededor de unas inflamadas cartas de amor de la «pecadora pluma» real que un estudiante intenta vender en Palacio; pero todos quieren participar del negocio: el rey, su bufón, la infanta Francisca, Tragatundas *(el militar:* «¡A mí, hombres de pelo en pecho! ¡A mí los demagogos proletarios! / Uno por uno me los escabecho / y que haga la Prensa comentarios») y el Intendente de Palacio. Cuando todo se frustra, el rey consorte decide chantajear pidiendo el divorcio («¡Mi divorcio, como otras veces, / no quedará en conversación! / ¡Apuré las últimas heces! / ¡Mi pundonor hizo explosión!»), y al querer entrar en el cuarto de la reina provoca un conflicto con ridículas derivaciones.

Valle-Inclán publicó esta farsa en la revista *La Pluma*, de agosto a octubre de 1920, luego como libro en 1922; y en 1926, bajo el título general *Tablado de marionetas para educación de príncipes*, apareció junto con *Farsa italiana de la enamorada del rey* y *Farsa infantil de la cabeza del dragón*. Las tres farsas tienen en común aspectos temáticos y formales y en las tres se hace parodia de temas y formas impuestas por el modernismo. El mismo autor lo pone de manifiesto en el *Apostillón* que precede a *La reina castiza:*

Mi musa moderna
enarca la pierna,

---

[26] Este estudio, con el título «*Farsa y licencia de la reina castiza:* grotesco literario y fuentes históricas», apareció en *Tiempo de historia*, núm. 21, pp. 116-120, agosto de 1976.

> se cimbra, se ondula,
> se comba, se achula
> con el ringorrango
> rítmico del tango
> y recoge la falda detrás.

Musa que es, evidentemente, una esperpentización de la de Rubén Darío en *Canción de carnaval (Prosas profanas)*:

> Musa, la máscara apresta
> ensaya un aire jovial
> y goza y ríe en la fiesta
>   del carnaval.
> Ríe en la danza que gira,
> muestra la pierna rosada,
> y suene, como una lira,
>   tu carcajada.

Con *La marquesa Rosalinda* Valle-Inclán había iniciado el camino del grotesco, camino que pasa por las farsas de *Tablado de marionetas* y que desemboca en el esperpento.

La *Farsa y licencia de la reina castiza* admite varias lecturas, pero no cabe ninguna duda de que la lectura política es la más importante (de ahí el éxito del estreno en 1931, de ahí la prohibición de levantar el telón en 1973). En la obra Valle-Inclán revela un excelente conocimiento de sucesos históricos de la época isabelina, sucesos que hasta ahora no han sido asociados a su argumento por la crítica. Veamos cuáles son. Desde la escena primera (la edición de *La Pluma* está separada en escenas, las siguientes no) Valle-Inclán deja sospechar que la acción transcurre en 1857, porque se hace referencia al embarazo de la reina y al posible nacimiento de un heredero:

> *Lucero del Alba:* ¿Y hay novedades?
> *Mari-Morena:*   Para la semana
>   mediante Dios, saldremos de la
>   duda.
> *Lucero del Alba:* Pues que nos traigan un Príncipe.
> *Mari-Morena:*   Así sea.

El Gran Preboste (Narváez) aparece muy preocupado por posibles agitaciones en los barrios bajos de Madrid. Narváez gobernó, en este período, desde octubre de 1856 —sucede a O'Donnell, después de la «crisis del rigodón de honor»— hasta el 15 de octubre de 1857, fecha en que dimite por no firmar el ascenso del favorito, Puigmoltó. El año no fue pacífico —no podía serlo a tan poca distancia del bienio progresista— y la represión del gobierno de O'Donnell había lanzado a los demócratas a la clandestinidad. En noviembre de 1856 hubo una insurrección en Málaga al grito de *¡Viva la República!* y en el año siguiente, precisamente en abril —que es cuando transcurre la acción de *La reina castiza,* como veremos— el gobierno tiene conocimiento de una vasta conspiración carbonaria dirigida por Sixto Cámara [27]. En este mes Sixto Cámara publica el *Manifiesto de la Junta Nacional Revolucionaria al pueblo,* en Zaragoza. La conspiración tiene como centros principales Cataluña y Andalucía, y no es inverosímil que tuviera conexiones en Madrid. El gobierno recibió aviso del plan subversivo a través de la embajada española en Lisboa. De ahí que la inquietud del Gran Preboste de *La reina castiza* tenga plena justificación histórica:

El Gran Preboste: Y aquellos barrios, ¿cómo están?
Lucero del Alba: Lo mismo
                que una balsa de aceite.
El Gran Preboste: ¿No hay barruntos
                de jollín?
Lucero del Alba: Al que chiste lo descrismo
                y me engraso las botas con sus
El Gran Preboste: Si algo observas...   [untos.
Lucero del Alba: No tenga usía canguelo.
El Gran Preboste: ¿Allí nadie conspira?

---

[27] CLARA E. LIDA, *Anarquismo y revolución en la España del siglo XIX,* Madrid, Siglo XXI, 1972, pp. 82-86.

Lucero del Alba: Por ahora
en su olivo se está cada mochuelo
[...]
El Gran Preboste: Cuando observes jaleo por la plaza
de Antón Martín, me avisas.

(Jornada I, escena II.)

También se alude en la obra a la crisis de subsistencias que, comenzada en 1855, tuvo su momento culminante en 1857. El Gran Preboste sabe que el pueblo tiene hambre, aunque atribuye los problemas a la injerencia extranjera:

Don Gargarabete: Pues el motín se viene encima,
todo el mundo protesta.
El Gran Preboste: Pero
¿porque la reina se comprima
van a echar carne en el puchero?
Sin las intrigas de Inglaterra
no se moviera aquí una paja,
yo conozco mucho mi tierra
pero el oro inglés la trabaja.

Lo que da la pauta definitiva de la época en que transcurre la acción es el desenlace: el rey quiere entrar intempestivamente en las habitaciones privadas de la reina y para apoyar su propósito llega con Tragatundas, el Intendente y otros miembros de su camarilla. El Gran Preboste le niega la entrada, y Tragatundas se apresta a defender «los fueros del Rey». En la confusión, Lucero del Alba —«manolo, compadre de la reina»— y Torroba —«jorobado guitarrista, favorito del rey»— caen muertos frente a la puerta de las habitaciones reales. La reina sale y ordena que resuciten, y todo sigue su curso:

Pregones y campanas el alba sinfoniza,
apaga de repente sus luces el guiñol,
y en el Reino de Babia de la Reina Castiza
rueda por los tejados la pelota del sol.

Todo esto, que Valle-Inclán ha puesto en coherente tono de farsa es brillante reescritura de un suceso

histórico que Miguel Villalba Hervás cuenta de esta
manera:

> A fines de abril de 1857 ocurrió en Palacio, en la
> propia antecámara de doña Isabel II, un sangrien-
> to suceso, cuyos pormenores no son aún conocidos
> con exactitud por el público. Había dado la Reina
> orden terminante de que *nadie* entrase en sus ha-
> bitaciones, en momentos en que seguramente se
> consagraba en cuerpo y alma al estudio de los ne-
> gocios del Estado. Quiso el Rey consorte forzar la
> consigna, acompañado del Ministro de Guerra,
> Urbiztondo; y como Narváez, que intencional o
> casualmente se encontraba en la antecámara con su
> ayudante, hijo de un título muy conocido, opusiese
> a don Francisco el regio mandato, se agriaron las
> palabras; alguien añade que se llegó a las injurias
> de obra; salieron a relucir los aceros, y Urbiztondo
> quedó muerto allí, mientras el joven ayudante
> pasó muy mal herido a su domicilio, donde falle-
> ció pocas horas después. Por de contado, ambas
> muertes fueron oficialmente naturales.
> ¿Qué extraordinario misterio se proponía don Fran-
> cisco de Asís sorprender en la cámara de su con-
> sorte?... Porque él no acostubraba a tomar en serio
> los caprichos de ésta; y prueba de ello que, según
> más de un historiador refiere, solía embromarla
> con esta chistosa frase: «Isabelita, Arana te es
> infiel». Algún interés iba en ello a los apostólicos,
> y la intervención de Urbiztondo parece compro-
> barlo [28].

El «joven ayudante» de Narváez era Joaquín Osorio, marqués de los Arenales, hijo segundo del marqués de Alcañices. El teniente general Urbiztondo
había sido destacado carlista y se acogió después
al convenio de Vergara; fue ministro de la Guerra
en el gabinete de Narváez, y luego Jefe de Cuarto del
rey hasta su muerte.

[28] MIGUEL VILLALBA HERVÁS, *Recuerdos de cinco lustros (1843-1868)*, Madrid, 1896, pp. 177-178.

¿Qué sucedió en Palacio el 25 de abril de 1857? Al respecto hay bastante bibliografía [29], pero en última instancia lo que se sabe con seguridad es lo que dicen los periódicos —que sólo dicen lo que no puede callarse (las muertes) y lo que quiere el gobierno. *La Época* del 27 de abril comunica que «ayer, después de una penosa enfermedad», ha fallecido Urbiztondo. *La Discusión* anuncia, en cambio, en su número del 28 de abril que Urbiztondo «falleció casi repentinamente» el domingo 26 a las seis de la tarde, y trae más abajo la noticia de la muerte de Osorio. El diario conservador dice también que Narváez «se halla en cama desde la noche del sábado, afectado de una ligera irritación». Y más adelante: «Su Majestad la Reina ha entrado ya, según todas las noticias, en el cuarto mes de su situación interesante.» También se habla del descubrimiento de una vasta conspiración carlista que debía estallar el 10 de mayo «con crímenes que habrían de cometerse en varias y elevadísimas personas».

En la prensa están, pues, todos los naipes que barajarían después los historiadores. Falta decir que don Francisco de Asís tuvo extrañas relaciones con el carlismo, a tal punto que cada vez que había una conspiración o un atentado contra la reina no se encontraba libre de sospechas (v. p. 370 de este libro). Si lo que cuenta Villalba Hervás tiene algún fundamento histórico, habría que asociar los hechos, quizás, con las negociaciones que había iniciado el rey para casar a la princesa de Asturias, María Isabel, con el primer hijo que le naciera a Montemolín; negociaciones que sufrirían un grave revés al conocerse el nuevo embarazo de la reina. Pero no es mi intención proponer aquí una interpretación de estos hechos históricos, sino simplemente hacer notar que Valle-Inclán conocía la versión de Villalba Hervás

[29] V. por ejemplo JOSÉ MÚGICA, «¿Cómo murió el general donostiarra Urbiztondo?», en *Boletín de la Real Sociedad Vascongada de Amigos del País*, 1947, III. También FERNANDO DE AMÉRICA, en la misma revista, y CARMEN LLORCA, *Isabel II y su tiempo*, Barcelona, 1973, pp. 138 y ss.

—u otra parecida, quizás por relatos de sus amigos carlistas— y la convirtió en episodio de farsa.

En la obra de Valle los personajes no se corresponden exactamente con lo del relato histórico: Urbiztondo aparece imaginativamente desdoblado en Tragatundas —ministro de Guerra— y en el intendente de Palacio, es decir, en los dos cargos que desempeñó sucesivamente. Los que mueren en la farsa no son Urbiztondo y el marqués de los Arenales, sino la contrafigura grotesca de ambos, ya que el guitarrista Torroba pertenece a la camarilla del rey, y Lucero del Alba a la de la reina. Además de morir en situación confusa, ambos resucitan a una orden de la reina; esto último también puede interpretarse como una metáfora de la realidad porque, por ejemplo, en el caso de Urbiztondo, su nieto atestiguó —sin que pueda dudarse de su buena fe— que el general murió en la cama, de pulmonía. De lo cual puede deducirse que el secreto de su muerte alcanzó a los mismos familiares y que Urbiztondo murió al día siguiente, en su casa. El periódico *La Discusión*, en el número citado antes, dice textualmente: «El domingo a las seis de la tarde falleció casi repentinamente el teniente general don Antonio Urbiztondo a consecuencia de un ataque cerebral, según unos, y según otros, de una pulmonía fulminante».

El tema central de la *Farsa y licencia de la reina castiza* es el de las cartas de amor de la reina que su destinatario quiere vender a buen precio. Este tema de las cartas indiscretas en que fue tan fecunda Isabel está en todas las historias de la época, antiguas y modernas, y también en toda la literatura panfletaria que se publicó a raíz de la revolución de 1868 (v. p. 365 de este libro).

Quizás Valle-Inclán haya querido referirse —por la época en que se desarrolla la acción de la *Farsa*— a un episodio que narra el P. Cristóbal Fernández en su libro sobre el P. Claret (*El confesor de Isabel II y sus actividades en Madrid*, Madrid, 1946.) El claretiano se refiere a las dificultades que surgieron cuando se pidió a Pío IX que fuera padrino del heredero, porque trascendió que la reina había escrito a Puigmoltó una o varias cartas asegurándole que él era el padre del niño que iba a nacer (el futuro Alfonso XII), el papa puso como condición que se recuperaran las cartas. A instancias del P. Claret prometió Isabel hacerlo, pero no lo hizo. Añade el P. Cristóbal Fernández:

> Fue más tarde cuando esas y otras cartas amatorias se recuperaron y destruyeron, sin que sea del caso traer aquí las incidencias casuales y animadas que acompañaron el incidente (p. 148).

¿Es a partir de *Farsa y licencia de la reina castiza* que Valle-Inclán decide escribir *El ruedo ibérico?* Creo que sí, que en ese fecundo año de 1920 —en que publicó la primera versión de *Luces de bohemia*, *Divinas palabras* y *El pasajero*— año signado por la muerte de Benito Pérez Galdós, Valle-Inclán decidió convertirse en novelista-historiador del tinglado isabelino; tan sólo cinco años después da a conocer el primer episodio de *El ruedo ibérico: Cartel de ferias.*

Tirano Banderas

Tirano Banderas [30] no puede encuadrarse en el marco tradicional de la novela histórica, pero ha sido considerada como una síntesis de los vicios históricos que España transmitió a sus colonias: «*Tirano Banderas* es la interpretación en América de un pro-

---

[30] *Tirano Banderas. Novela de tierra caliente (Opera omnia, XVI), Madrid, 15 de diciembre de 1926. Capítulos sueltos de la novela habían aparecido en El Estudiante, núms. 8-13, Salamanca, junio-julio de 1925 y en la «segunda época» de la misma revista, núms. 1-4, 6-7, 9-10, Madrid, diciembre de 1925 y enero-febrero de 1926. En La Novela de hoy, núm. 225, Madrid, 3 de septiembre de 1926, apareció Zacarías el Cruzado o Agüero nigromántico. E. SPERATTI-PIÑERO estudia la inserción de estos capítulos en las ediciones de 1926 y de 1927 de Tirano Banderas. (La elaboración artística de «Tirano Banderas», México, 1957; reeditado en De «Sonata...»)*

blema español: la presencia repetida e insistente del *Espadón* que se opone al buen deseo democrático» [31], afirma Emma Speratti-Piñero en su estudio sobre la novela.

Por otra parte, Valle-Inclán quiso documentarse en obras de muy diversa índole. Speratti-Piñero, en el *Apéndice II* del estudio citado, reproduce una carta del autor a Alfonso Reyes, en la que pide bibliografía a su amigo mejicano. Los libros que necesita son una buena muestra de la variedad de sus intereses:

> Para este libro mío me faltan datos, y usted podía darme algunos, querido Reyes. Frente al tirano presento y trazo la figura de un apóstol, con más de Savonarola que de don Francisco Madero, aun cuando algo tiene de este Santo iluminado. ¿Dónde ver una vida de «El Bendito don Pancho»? Trazo un gran cataclismo como el terremoto de Valparaíso, y una revolución social de los indios. Para esto último necesitaba algunas noticias de Teresa Utrera, la Santa del Ranchito de Cavora. Mi memoria ya no me sirve y quisiera refrescarla ¿Hay algo escrito sobre la Santa? —Los libros que tiene para mí, puede mandármelos aquí, y si los acompaña una «Visión de Anahuac» serán doblemente agradecidos [32].

Varios estudios sobre las fuentes de *Tirano Banderas* han revelado que Valle-Inclán buscó inspiración tanto en las crónicas de la conquista americana [33] como en obras menores [34].

---

[31] EMMA SPERATTI-PIÑERO, *De «Sonata...»*, p. 185.
[32] SPERATTI-PIÑERO, *op. cit.*, p. 201.
[33] V. J. I. MURCIA, «Fuentes del último capítulo de *Tirano Banderas*», *Bulletin Hispanique*, 52, 1950, pp. 118-122. EMMA SPERATTI-PIÑERO, «Acerca de dos fuentes de *Tirano Banderas*», *Nueva Revista de Filología Hispánica*, 7, 1953; reeditado en *La elaboración...* y en *De «Sonata...»* SILVERMAN «Valle-Inclán y Ciro Bayo: sobre una fuente desconocida de *Tirano Banderas*», *Nueva Revista de Filología Hispánica*, 14, 1960; reeditado con el título «En torno a las fuentes de *Tirano Banderas*» en *Ramón del Valle-Inclán, An appraisal of his life and works*, ed. por A. Zahareas, New York, Las Américas, 1968.
[34] V. EMMA SPERATTI-PIÑERO. *De «Sonata...»*, pp. 95-103.

Divinas palabras

M. Bermejo Marcos ha visto en *Divinas palabras* [35] una alegoría política, «una sarcástica y acusadora caricatura de España en el período de la Regencia a la muerte de Alfonso XII» [36]. La argumentación que desarrolla es coherente, detallada y convincente. Valle-Inclán habría hecho mofa del *turnismo* del sistema canovista y retratado en Pedro Gailo a Cánovas, y a Sagasta en el compadre Miau.

Bermejo Marcos afirma que:

> La muerte de la Reina al borde del camino, dejando al «idiota» —su propiedad y fuente segura de ingresos— sin protección y en peligro de ser explotado más desaprensivamente por sus «hermanos», y el subsecuente «apaño» del posible turno en la obtención de beneficios, gracias a la exhibición del indefenso «enano hidrocéfalo», ese repartirse las ganancias los dos bandos de la facción familiar nos señalaban muy a las claras una esperpentización de un hecho importante de nuestra historia: la muerte del monarca Alfonso XII, dejando al pueblo español sin responsable directo, la regencia de María Cristina hasta la mayoría de edad del heredero y el reparto que del poder hicieron durante dicho período los partidos más fuertes, conservadores y liberales en las personas de Cánovas y Sagasta, en el discutido «Pacto del Pardo» [37].

Sin duda, la de Bermejo Marcos es una lectura posible de la obra; lo malo es que, si Valle-Inclán se proponía burlarse del Pacto del Pardo y de la historia española finisecular, lo hizo tan crípticamente que

---

[35] ROBERTO LIMA, en *An Annotated bibliography of Ramón del Valle-Inclán*, Pennsylvania State University Libraries, 1972, registra tres ediciones de *Divinas palabras* en 1920: una en *El Sol*, otra impresa el 31 de mayo por Tipografía Yagües (*Opera omnia*, XVII) y la última impresa por Tipografía Europa (*Opera omnia*, XVIII).

[36] MANUEL BERMEJO MARCOS, *Valle-Inclán. Introducción a su obra*, Madrid, Anaya, 1971, p. 188.

[37] BERMEJO MARCOS, *op. cit.*, p. 216.

nadie lo entendió. La obra se representó con gran éxito durante la Segunda República. Valle regresó de Italia, asistió al estreno en el teatro Español (16 de noviembre de 1933) e hizo declaraciones, pero ni él ni ningún crítico descubrió en ese momento tan apropiado las claves que propone Bermejo Marcos.

La interpretación de Bermejo Marcos es seductora; la única objeción es que convierte a la obra en algo extremadamente esotérico y no se ve clara la razón por la cual Valle-Inclán, que fue tan explícito en sus alusiones a la abuela del monarca reinante y a toda la corte en *Farsa y licencia...* y en las dos primeras novelas de *El ruedo ibérico*, escondiera tanto su opinión en *Divinas palabras* hasta el punto de hacerla casi inaccesible.

Otras obras

Luces de bohemia y los esperpentos de *Martes de carnaval* son, cada una a su modo, historia viva del período que le tocó vivir a su autor.

La relación de *Luces de bohemia* con los grandes hechos históricos, por un lado, y con la menuda historia cotidiana, por otro, fue expuesta por Zamora Vicente en *La realidad esperpéntica* [38].

Cardona y Zahareas aclararon las múltiples alusiones históricas que se deslizan por las páginas de *Los cuernos de don Friolera, Las galas del difunto* y *La hija del capitán* en *Visión del esperpento* [39].

El ruedo ibérico

En *El ruedo ibérico* Valle-Inclán concibe la historia, como en general los autores del siglo XIX, a

[38] ALONSO ZAMORA VICENTE, *La realidad esperpéntica. Aproximación a «Luces de bohemia»*, Madrid, Gredos, 1969.

[39] RODOLFO CARDONA Y ANTHONY N. ZAHAREAS, *Visión del esperpento. Teoría y práctica en los esperpentos de Valle-Inclán*, Madrid, Castalia, 1970.

modo de sucesión de cuadros plásticos. Los héroes, grandes y pequeños, gesticulan en distintos escenarios: el Palacio, las Cortes, el Consejo de Ministros, el teatro, el salón, las calles, los campos. Junto a la *gran historia* —la que hacen los espadones y el pueblo, con ellos o contra ellos— la historia pequeña: los problemas de alcoba de la reina, sus temores, las debilidades de los poderosos, la muerte de una campesina. En los *Episodios nacionales*, de Galdós, hay siempre un héroe «anónimo», cuya historia se entrelaza con la Historia: su descubrimiento del mundo, su educación, sus amores, tienen lugar en concierto o contrapunto con las batallas, los motines, los pronunciamientos. En Valle no hay un héroe enfrentado al mundo, como en la epopeya, sino que hay muchos protagonistas y multiplicidad de perspectivas. El autor ha explicado sus motivaciones:

> Creo que la Novela camina paralelamente con la Historia y con los movimientos políticos. En esta hora de socialismo y comunismo, no me parece que pueda ser el individuo humano héroe principal de la novela, sino los grupos sociales [40].

Esto decía Valle-Inclán en 1928, al año siguiente de publicar *La corte de los milagros*. Lo cierto es que en las novelas no hay un héroe, pero sí muchos personajes que atrapan la atención (la reina, Fernández Vallín, Juan Caballero, Prim, Paúl y Angulo, etc.), y creo que sólo incidentalmente puede hablarse del protagonismo de los grupos sociales: la nobleza, los bandoleros, los gitanos. El estudio en profundo de las causas que llevaron a la revolución del 68 está sacrificado al pintoresquismo y a ciertos clisés de los que Valle no pudo librarse. Esto no debe interpretarse como una desvalorización, por mi parte, de las novelas de *El ruedo ibérico*, sino como una

---

[40] Entrevista con Gregorio Martínez Sierra, «Hablando con Valle-Inclán. De él y de su obra», *ABC*, 7 de diciembre de 1928.

crítica a los críticos que buscan al ideólogo que
Valle-Inclán, en realidad, no fue. Tampoco creo que
Valle-Inclán fuera un escritor no comprometido:
su «esteticismo carlista» era una forma del compro-
miso —y merece una explicación en profundidad
que hasta ahora la crítica no ha brindado. Su republicanismo —quizá su socialismo— de los últimos
años, su reacción ante la represión de la huelga
de Asturias, sus adhesiones y rechazos demuestran
que no hurtaba el cuerpo a las definiciones. Al contrario, el problema está en que sobreabunda en definiciones, siendo él un personaje tan contradictorio
y viviendo una época tan contradictoria.

En la entrevista con Martínez Sierra, Valle-Inclán,
dijo: «Mi propósito [en *El ruedo ibérico*] no es otro
que hacer la historia de España desde la caída de
Isabel II hasta la Restauración, y busco más que
el fabular novelesco, la sátira encubierta bajo fic-
ciones casi de teatro. Digo casi de teatro porque
todo está expresado por medio de diálogos, y el
sentir mío me guardo de expresarlo directamente.»
Es verdad lo primero, Valle concibe la obra de manera escénica, pero es necesario aclarar un poco la
última parte de la declaración. Valle utiliza dos
tipos de discurso de narrador: el irónico y el no
irónico o aseverativo, en el que sí expresa su pensamiento.

Continúa Valle-Inclán en la misma entrevista:
«En cuanto a la técnica de esta obra, puede apro-
ximarse a la técnica del puntillismo en pintura. Hay
una desarticulación de motivos y una vibración cro-
mática en mi voluntad. Claro es que acaso no en la
realización: eso no puedo yo juzgarlo...» Esta es una
de las razones por las que la lectura es tan difícil.
La acción se descompone en pequeños cuadros que
atrapan al lector y le hacen perder de vista la continuidad [41]. Por otra parte, Valle exige un lector aten-

---

[41] Las repeticiones estructurales y los clisés, tan abundantes
en las novelas, podrían tener (aparte de otras) la función
de facilitar la lectura, al permitir el reconocimiento de personajes y situaciones.

tísimo y de alguna manera cómplice, que sepa reconocer en «la culebrosa del ojo velido» de *Viva mi dueño* a la molinera tuerta de *La corte de los milagros*, o recuerde al «caballero jaquetón, enfermo de los ojos, andaluza fachenda», cuyo nombre no se dice en *Viva...* y se llama Paúl y Angulo en *Baza...*, y así sucesivamente. Las dificultades para el lector están en todos los niveles, desde el vocabulario hasta la interpretación histórica.

En 1924, en la »Autocrítica» que Valle-Inclán publicó en la revista *España* (8 de marzo), dice: «Ahora, en algo que estoy escribiendo, esa idea de llenar el tiempo como llenaba el Greco el espacio, totalmente, me preocupa.» Esta declaración, que parecía referirse a *Tirano Banderas*, vale también para *El ruedo ibérico*, ya que en esa fecha, como vimos, estaba planeando el autor ambas novelas.

Claro que Valle-Inclán no sólo llena el tiempo, sino también lo que podemos llamar el «espacio escénico», totalmente. La cantidad de personajes que desfilan por las tres novelas es asombrosa. Hay un regodeo en hacer aparecer gente que sólo revive por un instante, para estar en un lugar con su nombre, su apellido y algún adjetivo caracterizador. Los ejemplos son numerosos:

> Eduardo Saco [...] agudo y maldiciente [...] Floro Moro, bohemio y noctámbulo... (I, 9, VII)

Son personajes a los que Valle-Inclán debió de conocer (v. Apéndice I), y que introduce a modo de homenaje. En este nivel, Valle-Inclán escribe sólo para iniciados, para aquellos que son capaces de entender qué sentido puede tener la presencia de un personaje en determinado escenario. Todos tienen un nombre, un apellido y un espacio apropiado: desde Eliseo Dueñas, el borracho que sólo aparece una vez (I, 9, XV) hasta Juan Prim. Valle-Inclán afirma esto cuando le dice a Paulino Masip que sus novelas no tienen un personaje principal sino que «todos son iguales. Cuando les llega su hora se destacan del fondo y adquieren la máxima importancia. Ya sé que al lector le molesta que le abandonen el personaje que le ganó su primera simpatía, pero yo escribo la novela de un pueblo, de una época, y no la de unos cuantos hombres. El gran protagonista de mi libro es el *Ruedo Ibérico*. Los demás sólo sirven mientras su acción es definidora de un aspecto nacional. La calidad externa del suceso o la anécdota me tienen sin cuidado. Lo que me interesa es su calidad expresiva... Hay autores que siguen a sus personajes como mendigos; otros van a su espalda como comadres curiosas, y otros, como en el caso de Proust, se convierten en verdaderos parásitos. Sí, sí, Proust se pega a sus personajes como un parásito. Yo no, yo tengo a los míos siempre de cara y no los sigo. Un general no sigue los pasos de sus soldados. Los tiene delante de los ojos, en los planos, y ve, al mismo tiempo, dónde han estado y dónde es posible que estén, lo que es y lo que puede ser...» [42]

En efecto, la impresión que nos queda después de terminar las novelas es la de un inmenso mural con figuras de diferentes dimensiones y en el que algunos personajes aparecen repetidos en distintas secuencias, como en los cuadros prerrenacentistas.

En cuanto a los propósitos que lo llevaron a escribir *El ruedo ibérico*, Valle-Inclán declaró que su obra era satírica: «burlarme, burlarme de todo y de todos...». En otra ocasión dice que son novelas esperpénticas y que «los héroes son enanos patizambos que juegan una tragedia» [43].

Con *El ruedo ibérico* ocurre algo semejante a lo que Alonso Zamora Vicente demostró para *Luces de bohemia* en *La realidad esperpéntica*: el crítico comprueba que «todo cuanto en *Luces de bohemia* se dice o acontece, se dijo o aconteció, tuvo su hueco exacto en el aire de un Madrid absurdo, brillante

---

[42] V. Francisco Madrid, *La vida altiva...*, p. 107.
[43] Entrevista citada en nota 40.

y hambriento» [44]. Valle-Inclán no inventa casi nada, su obra es un gran documental del período que reconstruye.

En *El ruedo ibérico* el autor deformó la expresión de lo histórico con maravillas de estilo, pero apenas deformó el contenido. Quiero decir que Valle-Inclán no deformó grotescamente la historia del período isabelino, como aseguran algunos críticos. Podría demostrarse fácilmente que es más grotesca *La estafeta de Palacio*, de Ildefonso Bermejo —desde el punto de vista del contenido histórico narrado— que *El ruedo ibérico*. No es Valle-Inclán el que hace feos y ridículos a los personajes históricos: su fealdad y ridiculez es anterior, está configurada en los libros de historia —aun en el del escritor monárquico y cronista oficial que es Bermejo.

El lector que sepa poco de historia y lea *El ruedo ibérico* sufrirá algo así como una alucinación: creerá que ese mundo tan coherente, tan matemáticamente esperpéntico, es una invención de Valle-Inclán. A muy pocos críticos se les ocurrió verificar los datos históricos que maneja el autor, y posiblemente esto haya sucedido porque la deformación estilística y la coherencia interna de la obra es tan grande —dicho como Valle-Inclán: la matemática con que deforma es tan perfecta— que a nadie le interesa la Isabel II real, sino que quedamos atrapados en esa Isabel II de Valle-Inclán. Y al acabar la obra —esto vale también para *Farsa y licencia* y los esperpentos— surge espontáneamente la opinión de que Valle deformaba genialmente la realidad. Por eso es necesario demostrar que Valle-Inclán no exageró ni deformó la materia histórica, que se documentó minuciosamente para escribir las novelas y que a veces incluso la reescritura de Valle es menos esperpéntica que su fuente.

Dejando esto sentado, es necesario aclarar que Valle-Inclán en algunas ocasiones es deliberadamente infiel al relato histórico: altera la cronología, omite

[44] ALONSO ZAMORA VICENTE, *La realidad esperpéntica...*, p. 8.

personajes, inventa situaciones, como veremos oportunamente. Pero estas «infidelidades» tienen relevancia precisamente porque se destacan en un conjunto de gran exactitud documental.

El estilo esperpéntico da al discurso narrativo un fuerte tono modalizante: el narrador abre juicio constantemente sobre la realidad mezquina, despreciable, corrupta, de la corte isabelina. Pero este discurso irónico es contradictorio: por eso los críticos han podido decir cosas tan diferentes sobre el mensaje ideológico del ciclo novelesco.

Algunos contemporáneos afirmaron que Valle-Inclán era un intuitivo con escasas lecturas [45]. En la actualidad esta afirmación ha quedado completamente desvirtuada por los críticos que se han ocupado del estudio de sus fuentes, y vuelve a ser verdad lo que dice Francisco Madrid en *La vida altiva de Valle-Inclán*:

> La fama de don Ramón era la del hombre que había leído libros rarísimos a la eterna luz de un candil que se mece. Se insinuaba que los códices, incunables, ediciones príncipe y amarfilados pergaminos que citaba, sólo existían en su imaginación fértil, pero, a veces, años después, surgía algún erudito que había encontrado en viejos castillos y conventos los datos revelados por Valle-Inclán al sesgo de un diálogo intrascendente [46].

[45] Por ejemplo, JUAN RAMÓN JIMÉNEZ, «Castillo de quema», *El Sol*, 26 de enero de 1936.
[46] FRANCISCO MADRID, *La vida altiva...*, p. 22.

CAPÍTULO 3

LA PRESENCIA DEL PASADO EN
EL RUEDO IBÉRICO

EL PROCESO DEL LIBERALISMO ESPAÑOL HASTA 1868

Para hacer inteligibles los múltiples hilos entrelazados por Valle-Inclán en la trama de las novelas históricas que constituyen la trilogía de *El ruedo ibérico*, hilos que iban a converger en el hecho revolucionario de setiembre de 1868, es necesario explicar, en primer lugar, el proceso del liberalismo español, un proceso lento y difícil de marchas y contramarchas, que comienza en los primeros años del siglo, al producirse la invasión napoleónica. Al mismo tiempo que el pueblo se organizaba en guerrillas para luchar contra el francés invasor, los ideólogos de las Cortes de Cádiz trataban de implantar en España los principios de la revolución francesa y de demoler el edificio del Antiguo Régimen. Pero no todo era claro ni fácil: la guerra contra los franceses era, en muchos aspectos, una guerra antiliberal, y el pueblo luchaba por la vuelta de su rey, Fernando VII, llamado *el Deseado*, a quien se suponía prisionero de Napoleón. Es decir, habían surgido ya las dos Españas: la del absolutismo, que defendía en Fernando VII «la garantía de la tradición, de los fueros, del antiindividualismo económico medieval, la íntima unión del aspecto religioso con el político» [1], y la España «ilustrada», en franco divorcio con las masas populares al querer sentar las bases de una nueva sociedad.

Precisamente esta es la interpretación que da Valle-Inclán a la llamada Guerra de la Independencia:

> La Fe Católica, encendida de dramatismo semítico, había dado su potente boqueada, quemando franceses, como había quemado hugonotes y judaizantes. España sostuvo la última de sus guerras religiosas frente a la invasión napoleónica, y haberlo desconocido es el pecado del vocinglero liberalismo, que legisló en las Cortes de Cádiz. Se quiso entonces coronar el fantasma de la unidad nacional con engañosos laureles militares y enmascarar la furia teológica del pueblo alzado en armas, con los rojos peleones del morapio patriota (II, 8, x).

En las Cortes de Cádiz los liberales imponen sus principios a los serviles y se aprueban reformas que tratan de herir de muerte al Antiguo Régimen: en 1811 se incorporan a la nación las jurisdicciones señoriales, en 1812 se inicia el proceso de desamortización eclesiástica, en 1813 se dispone parcelar y reducir a propiedad individual terrenos de propios, realengos y baldíos.

Pero el primer decreto de Fernando VII al volver a España una vez terminada la guerra de la Independencia (1814) fue declarar nula la Constitución de 1812 y todas las reformas de las Cortes de Cádiz. El rey reprimió a los liberales, que emigraron preferentemente a Francia e Inglaterra; se restableció la Inquisición y los mayorazgos; se devolvieron los bienes eclesiásticos desamortizados. Fernando VII reinó como monarca absoluto durante los veinte años siguientes —salvo en el período que se denomina «trienio constitucional» (1820-1823)—, tratando

---

[1] PIERRE VILAR, *Histoire de l'Espagne*, Paris, P.U.F., 1973, página 50.

de mantener a raya tanto a los absolutistas extremadamente celosos como a los liberales. Pero los levantamientos y presiones de los liberales y las dificultades económicas obligan poco a poco a Fernando VII a suavizar su política, lo que produce el descontento de los «realistas puros» que pasan a apoyar al hermano del monarca, Carlos María Isidro.

Los liberales luchan a través de las logias masónicas, integradas por intelectuales, comerciantes y jóvenes militares, e intentan pronunciamientos, es decir, golpes de fuerza con el apoyo del ejército. Pronunciamientos hubo muchos, porque la oficialidad, aunque monárquica, era liberal y apoyaba a la burguesía revolucionaria. En 1820, uno tuvo éxito: el primero de enero Rafael de Riego proclamó la Constitución de 1812, y el 10 de marzo Fernando VII debió jurarla («Marchemos francamente, y yo el primero, por la senda constitucional»). El pueblo cantaba el *Trágala*: «trágala o muere / tú, servilón / tú, que no quieres / la Constitución». Pero el trienio constitucional termina violentamente porque la Santa Alianza decide intervenir y se envía un ejército francés que Chateaubriand bautizó con el nombre de «Cien mil hijos de San Luis». Fernando VII vuelve a recuperar su poder absoluto, e inicia una violenta represión que lleva nuevamente a la emigración a los liberales; pero hacia 1825 los levantamientos y las presiones económicas le obligan a liberalizar otra vez el régimen, produciendo la reacción de los absolutistas a ultranza, que empezaron a llamarse *carlistas* porque eligieron como jefe al presunto heredero del trono, Carlos María Isidro, hermano de Fernando VII. El monarca no tenía descendencia, pero al enviudar y casarse con María Cristina de Nápoles, su cuarta mujer, tuvo dos hijas: Isabel y María Luisa Fernanda.

Fernando VII murió en 1833, cuando había nombrado heredera del trono a Isabel y regente a su mujer, María Cristina, lo que planteó el problema dinástico que originó la primera guerra carlista (1833-1840). La coyuntura hizo que la reina se apoyara en los liberales, ya que los «realistas puros» apoyaban a Carlos, llamado Carlos V por sus partidarios. Los liberales están divididos ideológicamente: unos sostienen el liberalismo doctrinario, cuya tesis es que el rey y las Cortes detentan la soberanía, y otros un modelo más radicalizado que sostiene el principio de la soberanía nacional; los primeros pertenecen al partido moderado, los segundos, al progresista. De hecho la Corona se sitúa en la línea moderada y hace concesiones a los progresistas cuando éstos logran imponerse en pronunciamientos y agitaciones urbanas (en 1836, 1837, 1840 y 1854).

Pero donde más se concreta la revolución liberal que va ganando terreno en España es en el campo de las reformas económicas y sociales. Una de las bases más firmes del Antiguo Régimen era el mantener vinculadas las propiedades, es decir, que éstas no podían ser vendidas ni subdivididas. Los nobles se valían de la institución del *mayorazgo* para legar sus bienes, íntegros, al hijo mayor. La iglesia tenía también *vinculados* bienes importantísimos; lo mismo sucedía con los municipios (los terrenos de propios, comunes y realengos, que eran de usufructo común a los vecinos). Uno de los objetivos más importantes de los liberales era desvincular o desamortizar esas tierras para que pudieran ser repartidas o vendidas a propietarios individuales. En 1837, Mendizábal dio impulso a la desamortización eclesiástica disponiendo que se subastaran los bienes de las comunidades religiosas. La desamortización pretendió ser una reforma agraria practicada con justicia social, al intentar dar tierras a los campesinos, pero de hecho fue todo lo contrario: las tierras fueron compradas por burgueses enriquecidos que se convirtieron así en latifundistas, y la situación del campesinado empeoró en general. No es difícil concluir que los nobles, el clero y los campesinos fueron los perjudicados por estas reformas liberales, de ahí que se asociaran en defensa del carlismo, que representaba las garantías más firmes de supervivencia de las formas jurídicas del antiguo régimen.

Aquellos burgueses «nuevos ricos», unidos más tarde por vínculos de sangre a la nobleza, serían la clase dirigente durante la época de Isabel II y la Restauración.

La guerra civil carlista tuvo una consecuencia política importante; el surgimiento de los militares como figuras políticas de primer orden. Valle-Inclán ha dado la importancia exacta a este fenómeno al escribir como frase introductoria a su trilogía:

> El reino isabelino fue un albur de espadas: Espadas de sargentos y espadas de generales (I, 1, 1)

frase que tiene un lugar privilegiado no sólo por ser la primera del libro, sino porque se repite al final. (Se trata del libro *Aires nacionales*, que Valle agregó para la edición publicada en forma de folletín en *El Sol*, en 1931). En 1836 hubo, en efecto, una sublevación de sargentos en La Granja que obligó a María Cristina a jurar la Constitución de 1812. La revolución llevó al gobierno a los progresistas, gobierno que tuvo a Mendizábal como ministro de Hacienda y que convocó a Cortes Constituyentes. La Constitución de 1837 fue un éxito de los progresistas, pero a la vez una transacción, ya que se instituyeron dos Cámaras y el voto restringido. Mendizábal y Espartero fueron las figuras más importantes del progresismo, apoyado entonces por intelectuales, un importante sector de la burguesía, jefes militares —en general de graduación intermedia— y masas del proletariado urbano.

Espartero (1793-1879) es una de las figuras político-militares que surgen a raíz de la guerra carlista. Pertenecía al grupo denominado de los *ayacuchos*, porque, al volver de América, habían formado un sólido bloque dentro del ejército. Después del convenio de Vergara (1839), en el que se firma la paz con los carlistas, Espartero es la figura política más importante de España. En 1840 se convierte en regente del reino al producirse la renuncia y expatriación de María Cristina e iniciarse el trienio progresista (1840-1843). Espartero no tuvo éxito como político, y su personalidad es difícil de interpretar. Carlos Marx, en los artículos que escribió para el *New York Daily Tribune*, en 1845, lo caracteriza con gran agudeza: «No hace falta más prueba de la ambigüedad y excepcionalidad de la grandeza de Espartero que el simple hecho de que nadie consiga explicarla racionalmente. Mientras que sus amigos se refugian en gloriosas vaguedades, sus enemigos, aludiendo a peculiares rasgos de su vida privada, hacen de él un simple tahúr afortunado. Unos y otros, amigos y enemigos, están igualmente lejos de descubrir la menor conexión lógica entre el hombre mismo y su fama y su nombre.» [2]

Valle-Inclán introdujo en sus novelas algunos episodios de la regencia de Espartero que comentaremos más abajo. Durante este período no se permitió que la reina madre —emigrada a Francia, donde reinaba Luis Felipe— influyera en la educación de sus hijas. Donoso Cortés, en nombre de María Cristina, propuso a Espartero que Isabel tuviese un consejo de tutela compuesto por progresistas y moderados. Las Cortes rechazaron esta proposición y resolvieron votar una tutela unipersonal que recayó en Agustín Argüelles, entonces presidente del Congreso. Esta decisión produjo profundo disgusto en María Cristina, que se lanzó a conspirar abiertamente.

Argüelles es la figura intelectual prototípica del primer liberalismo. Tuvo una brillantísima actuación en las Cortes de Cádiz, donde por sus célebres discursos fue apodado «el divino Argüelles». Su vida sufrió luego los avatares de la política: ocupó cargos públicos en los momentos en que el liberalismo se afianzaba; era perseguido o exiliado, o vivía una vida oscura, en tiempos absolutistas. Siempre se le ha considerado un ejemplo de honradez y probidad, y fue el elegido para orientar la educación de la que entonces se llamaba, con la retórica al uso, «inocente

---

[2] Cito por MARX-ENGELS, *Revolución en España*, Barcelona, Ariel, 1973, p. 35.

Isabel». Si la elección de la servidumbre de Palacio siempre tuvo un sentido político, es lógico que se prestara especial atención a ella cuando Isabel y María Luisa Fernanda eran niñas y la reina madre intrigaba desde Francia. Por eso se eligió como institutriz a la condesa de Espoz y Mina, de clara fidelidad al liberalismo. La oposición hizo circular los rumores más absurdos sobre la supuesta educación liberal e impía que se daba a las niñas, calumniando a los encargados de impartirla. En *Viva mi dueño* la reina recuerda vivamente ese período cuando le hablan de abdicar en favor de su hijo Alfonso:

> Mi madre tampoco deja de mandarme emisarios, aconsejándome que abdique. Me he contenido para no contestarle que jamás entregaré la tierna flor de un hijo a los cuidados de otro jacobino como Espartero [...] La Católica Majestad remansaba el timorato pensamiento en las memorias de su infancia, bajo las censuras de la Santa Sede[3] (II, 4, XI).

En otro momento de la novela la reina vuelve a recordar con amargura ese período de su niñez y se refiere al célebre episodio del asalto a Palacio, protagonizado por Diego de León en 1841. Al mismo tiempo que Narváez y O'Donnell se unían con los moderados en el norte para organizar un levantamiento que fracasó, en Madrid, Diego de León intentó ocupar Palacio y apoderarse de la reina y la princesa, pero su plan fracasó por la inesperada resistencia de dieciocho alabarderos al mando del coronel Dulce. Valle introduce el tema por boca del rey Francisco:

> El asalto a la escalera ha sido un lamentable fracaso; pero poco después aquellos mismos hom-

---

[3] Durante la regencia de Espartero hubo continuos problemas con la Iglesia. La Santa Sede no había reconocido el gobierno de Isabel II, y no lo hizo hasta 1848, cuando Narváez demostró a los gobiernos absolutistas que sabía reprimir las sublevaciones populares.

bres alcanzaron el logro de sus ideales poniendo cerco a Palacio (II, 6, VI).

En realidad, el rey se confunde, porque los hombres de 1841 no eran de ninguna manera los mismos que los de 1843, aunque hubiera algunos nombres repetidos. La intentona de 1841 corría exclusivamente a cargo de los moderados; en 1843, en cambio, moderados y progresistas se habían unido en contra de Espartero. La conjura estuvo en parte dirigida por Narváez, que estaba exiliado en Francia, pero la participación de Olózaga, Serrano y Prim fue decisiva. Cuando Espartero, en la primavera de 1843, decide disolver las Cortes, Olózaga, el gran orador del progresismo, pronuncia un célebre discurso que acaba con las frases «¡Dios salve al país! ¡Dios salve a la reina!» Pocos días después empiezan las proclamas y los alzamientos. Barcelona, que fue puntal en la revolución por considerar que la política librecambista preconizada por el regente arruinaría su economía, se pronunció el 5 de junio. La Junta de Barcelona nombró un gobierno provisional, y a Serrano —que había sido fogoso esparterista— ministro universal, bajo promesa de convocar una Junta Central en Madrid que decidiera el futuro gobierno. La condesa de Espoz y Mina cuenta en sus *Memorias* cómo Narváez puso sitio a Madrid el 14 de julio, cortando el abastecimiento de agua. Los conjurados triunfaron fácilmente: Narváez fue nombrado capitán general de Madrid y Prim gobernador de la plaza. Ambos desfilaron frente a Isabel II. Valle cita dos veces las *Memorias* de la condesa de Espoz y Mina al referirse a este episodio:

La condesa de Espoz y Mina, Aya y Camarera Mayor, hace recuerdo en sus Memorias. El General Prim tenía puesto sitio a Palacio. Caracoleando recorría las filas de sus batallones. Arengaba con un brazo en alto: Intimaba la rendición de la guardia. Y sonando espuelas, cubierto de lodo, pisó la Regia Cámara. El General Narváez, también sublevado, se lo presentó a la Reina:

—¡Señora, la más invicta espada de Vuestro Ejército! (II, 1, VIII).

Sacó la reina el cabilo de sus recuerdos infantiles:
—Al General Prim, desde los balcones, le veíamos caracolear en torno a Palacio... La cara verde de bilis, lleno de salpicaduras de lodo el pantalón colorado. La de Mina le llamaba el Caballo de Espadas. ¡Qué vueltas da el mundo! (II, 6, VI).

Pero la condesa no narra estos episodios tal como los cita Valle-Inclán; el novelista ha reelaborado con absoluta libertad algunos fragmentos de los últimos capítulos de las *Memorias* [4].

El 30 de julio de 1843, Espartero se embarcó en Cádiz para exiliarse en Inglaterra. Como en Madrid no se formó la Junta Central que Serrano había prometido, los catalanes volvieron a sublevarse; esta revolución se llamó la Jamancia, y Juan Prim fue enviado a reprimirla, lo que hizo a sangre y fuego [5]. Por esta desdichada actuación en contra de sus paisanos y correligionarios, Prim fue ascendido a mariscal de campo, con faja y carta laudatoria de Serrano, luego recibió los títulos de Castilla de vizconde de Bruch y conde de Reus; la contrapartida de tanta gloria es que no se atrevió a regresar a su patria chica hasta 1858.

Debido a los acontecimientos, las Cortes decidieron adelantar la mayoría de edad de la reina, que juró el 10 noviembre de 1843. Olózaga, jefe civil de los progresistas y ayo de Isabel II, creyó que iba a poder vencer a los moderados y consiguió de la reina un decreto de disolución de las Cortes con la fecha en blanco. Hubo entonces un confuso episodio al que el conde de Romanones ha calificado de *drama* político, en el cual los figurones de la oposición,

[4] CONDESA DE ESPOZ Y MINA, *Memorias*, Madrid, Tebas, 1977, capítulos XXII y XXIII.
[5] OLIVAR BERTRAND reproduce las cartas de Prim a su general en jefe, Laureano Sanz: «Sí, mi general, concluyamos esto y luego *virga ferrea*, como usted dice, sí, la constitución y el palo». V. *El caballero Prim*, Barcelona, Miracle, 1952, t. II, página 396.

—Narváez y González Bravo— consiguieron demostrar legalmente que Olózaga había obligado a la reina a firmar por la fuerza dicho decreto [6]. Tomó entonces el poder González Bravo, quien allanó el camino a la larga década de dominación moderada: puso restricciones a la prensa, disolvió la Milicia Nacional, impuso la ley de Municipios que provocó la revolución de 1840 y creó, de acuerdo con Narváez, la Guardia Civil.

González Bravo (1811-1871) era un personaje singular. Desde muy joven se dedicó al periodismo, y se hizo famoso por sus violentos artículos en el periódico *El Guirigay* (donde usaba el seudónimo de Ibrahim Clarete). En los años de 1837-1838 llamaba «ilustre prostituta» a la reina madre, la que se había casado morganáticamente con el guardia de corps Fernando Muñoz poco después de morir Fernando VII. Valle-Inclán llama muchas veces a González Bravo «el Majo del Guirigay», y agrega que «nunca las momias apostólicas le perdonaron el remoquete» (II, 1, III). Luego este versátil político se hizo conservador y, al conseguir el poder en 1843, quiso obtener el perdón de María Cristina, preparando su regreso del exilio; también se ocupó de arreglar el matrimonio oficial de la reina madre con Muñoz, haciéndolo duque de Riánsares. Valle alude a las inmensas riquezas que ganó la pareja cuando hace decir a Adolfito Bonifaz —el último amante de la reina, según la novela—, quien está en apuros monetarios:

—Como tú mismo decías, la influencia es dinero.
—¡Cierto! Pero no sueñes que vas a ser el Muñoz de Tarancón. Era otro el caso (I, 9, XVII).

La reina madre regresó a España en 1844, y, según dicen los historiadores del siglo XIX, tan pródigos en anécdotas, alguien le hizo llegar la colección completa de *El Guirigay*, razón por la cual González Bra-

---

[6] Valle-Inclán se refiere al hecho en su artículo *Mi rebelión en Barcelona* (*Ahora*, 2 de octubre de 1935).

vo tuvo que abandonar el poder el 2 de mayo de 1844.

A partir de la mayoría de edad de Isabel II, decretada el 8 de noviembre de 1843, tienen el poder los moderados, salvo breves períodos en que logran llegar a él los progresistas. El sufragio fue siempre censitario y fraudulento, de modo que se podía digitar la composición de las Cortes, por lo que los progresistas sólo pudieron llegar al gobierno por la fuerza y nunca lograron que se afianzaran sus reformas.

Los moderados ejercieron un creciente control sobre la sociedad a través del montaje de un sistema basado principalmente en el control de los municipios y la manipulación de las elecciones. Establecieron un sistema represivo muy eficiente con la creación de la Guardia Civil (13 de mayo de 1844). Controlaron la prensa periódica a través de la censura y ejercieron control sobre la instrucción pública con la colaboración de la Iglesia Católica[7].

Durante la década moderada «la cúspide de la sociedad está formada por la gran propiedad agraria, noble o no», pero la nobleza consigue integrar en su sistema a los nuevos grandes propietarios, así como a los jefes militares que en general pertenecían a la clase media[8].

Entre la Corona y los políticos se movían las *camarillas*, en primer lugar la de la reina y sus validos; luego la de la reina madre, su marido —el duque de Riánsares—, con sus amigos y parientes, dedicada exclusivamente a las finanzas, y luego la camarilla ultramontana del rey, que trató siempre de influir políticamente.

Los altos mandos militares hacían rápida carrera en la política y en los negocios. «Los destinos en las colonias antillanas y de Filipinas servían para enri-

---

[7] Así lo asegura MIGUEL ARTOLA en *La burguesía revolucionaria (1808-1874)*, Madrid, Alianza, 1974, pp. 254 y ss.
[8] MANUEL TUÑÓN DE LARA, «¿Qué fue la década moderada?» en *Estudios sobre el siglo XIX español*, Madrid, Siglo XXI, p. 48.

quecerse», dice Tuñón de Lara [9], coincidiendo con un tópico de Valle-Inclán que también está en *El ruedo ibérico*; así, por ejemplo, cuando la reina decide despedir de su servicio a Adolfo Bonifaz, le da una credencial para Ultramar. Este es el diálogo que sostiene el personaje con el marqués de Salamanca:

> —¿De qué categoría es la credencial?
> —Superintendente de Manila.
> —¡Para hacerse millonario! Es una breva de ex ministro. Acepte usted y váyase.
> —Madrid es mi centro. ¿Puede cotizarse la credencial? Una prima por delante y un giro al mes.
> —Es la fórmula más frecuente de esa clase de convenios. Pero se hace preciso un personaje de campanillas... Ya pensaremos (III, 1, VII).

La división entre los progresistas ayudó a que los moderados tuvieran tan largo predominio en el gobierno. Después de la caída de Olózaga, en 1843, los progresistas se dividen entre los que quieren llegar al poder por vías legales —contando con Serrano, favorito de la reina, o con el financista Salamanca— y los que apoyan la vía revolucionaria. Los moderados supieron explotar el miedo a la revolución y se convirtieron en defensores del orden.

La Constitución de 1845 fue el instrumento político de los moderados: establecía un Senado nobiliario designado por la Corona, restringía aún más el censo de electores, suprimía la Milicia Nacional y los Ayuntamientos quedaban sometidos al poder central. La personalidad de Narváez domina todo el período con muy breves eclipses. Narváez era un hacendado andaluz temperamental, malhumorado y afecto a los métodos brutales. Los historiadores —Pirala, Valera, Morayta— encarecen el hecho de que sólo en un año, de diciembre de 1843 a diciembre de 1844, hubo 212 fusilamientos por motivos políticos en España, Según Raymond Carr, la base de su poder estaba en el ejército, bien pagado y

---

[9] *Op. cit.*, p. 59.

satisfecho desde 1849 frente a la miseria de los años anteriores [10]. Narváez obligó a dimitir al «abogado» Bravo Murillo [11] en 1852, cuando éste quiso reducir el presupuesto militar. También le gustaba el lujo y la ostentación: compró el palacio del duque de Montemar y daba espléndidas comidas, conciertos y bailes [12]. Hizo su fortuna jugando a la Bolsa; su mejor jugada fue la compra de bonos del gobierno cuando éstos habían bajado al recibirse la noticia del levantamiento de Zurbano en 1844. Narváez compró los bonos cuando sólo él y sus agentes sabían que la rebelión había sido sofocada [13].

En 1848 hubo brotes revolucionarios que fueron rápidamente sofocados por Narváez. Fue entonces cuando Austria, Prusia, Cerdeña y la Santa Sede decidieron reconocer el gobierno de Isabel II.

Al año siguiente surgió un nuevo partido político desgajado del ala izquierda del progresismo, que se llamó partido *demócrata.* En él convivieron republicanos y monárquicos, socialistas e individualistas; representaba los intereses pequeño-burgueses con inclinaciones populistas, defendía el sufragio universal y todas las libertades, incluyendo la de conciencia.

Aparte de sus enemigos en la variada gama de la izquierda, Narváez los tenía también en la extrema derecha clerical, y a veces lograba enfurecer a María Cristina. En enero de 1846 ésta lo destituyó porque se oponía al proyecto de casar a Isabel con su hermano, el conde de Trápani. El problema del matrimonio de la joven reina preocupó a las naciones vecinas, que se inmiscuyeron por ello en la política española. Francia e Inglaterra se habían puesto de acuerdo para que la reina no se casara ni con un

---

[10] RAYMOND CARR, *España, 1808-1939*, Barcelona, Ariel, 1969, páginas 230 y 237.
[11] Ver I, 10, II y II, 4, V.
[12] Lo dice FERNÁNDEZ DE CÓRDOVA en *Mis memorias íntimas*, Madrid, BAE, 1964, t. II, p. 149. También cuenta que Narváez llamaba *abogados* a todos los políticos no militares.
[13] RAYMOND CARR, *op. cit.*, p. 237, núm. 52.

Orleáns ni con un Coburgo y vetaron las candidaturas de los pretendientes hasta que sólo quedó en pie la del infante Francisco de Asís, hijo de la infanta Carlota y de Francisco de Paula. También se había convenido que María Luisa Fernanda sólo podría casarse con un Orleáns después de que la reina tuviera descendencia, pero esto no se respetó y el matrimonio de Isabel con Francisco se realizó el mismo día que el de su hermana con el duque de Montpensier, hijo de Luis Felipe (10 de octubre de 1846).

En 1849 Narváez fue sustituido —sólo durante veintisiete horas— por el llamado *Ministerio Relámpago*, formado, según creencia generalizada, por haber cedido la reina a presiones del rey consorte y de su camarilla, que odiaba a Narváez. Según Carmen Llorca [14], fue una hábil jugada de Isabel: en realidad destituyó a Narváez para complacer a su favorito, el marqués de Bedmar, pero hizo recaer las culpas en Francisco, sor Patrocinio, el P. Fulgencio, y el hermano de la monja, que fueron desterrados por Narváez.

Valle se refiere a los sucesos del año 49 en *La corte de los milagros*:

> Los Duendes de la Camarilla más de una vez juntaron allí [en el Coto de los Carvajales] sus concilios, y tiene un novelero resplandor de milagro, aquel del año 49, donde se hizo presente en figura mortal la célebre Monja de las Llagas. ¡Notorio milagro! Se comprobó que, cuando esto acontecía, la Santa Madre Patrocinio estaba rezando maitines en el Convento de la Trinità dei Monti, recoleta clausura de los Estados Pontificios, donde ejemplarizó día a día todo el tiempo del inicuo destierro a que la tuvo condenada el colérico Espadón de Loja. ¡Mucho sufrió entonces el cristiano sentir de la Reina de España! (I, 4, I).

Pero lo cierto es que Patrocinio no fue desterrada entonces a Italia, sino a Talavera de la Reina. Puede

[14] CARMEN LLORCA, *Isabel II y su tiempo*, Barcelona, Círculo de lectores, 1973, pp. 98 y 99.

ser que Valle confunda este destierro con el «forzoso viaje a Roma» que concertaron Bravo Murillo y el nuncio apostólico monseñor Brunelli en 1852 [15], ya que recuerda el hecho más adelante:

> González Bravo es hombre para desterrarla, como hizo Bravo Murillo (I, 6, xv).

En la misma novela hay otra referencia al *Ministerio Relámpago*: dice la reina, disgustada porque la monja se niega a hablarle en su visita al convento:

> ¡El feo de esta tarde no se lo paso! Por muy santa que sea, yo soy la Reina de España! Es muy mandona y quiere que siempre le haga caso, y siempre no puede ser. Con todas sus luces místicas también se equivoca. Acuérdate del Ministerio Relámpago. La verdad es que aquello no podía ser (I, 10, viii).

Después de este breve contratiempo, Narváez siguió gobernando hasta 1851. Le sucedió Bravo Murillo, que intentó sustituir el gobierno de los militares por una «autocracia civil» [16]. Valle se refiere a los vanos intentos de preponderancia civil que hubo en el siglo xix en el último libro de *La corte de los milagros* y en *Viva mi dueño* [17].

Bravo Murillo, inspirado en el golpe de estado de Luis Napoleón, intentó reducir al máximo el sistema político para extender las competencias de la Corona. Los moderados —que se colocaron en la oposición junto a los progresistas— opinaron que las reformas de Bravo Murillo significaban la abolición del régimen constitucional.

Bravo Murillo fue vencido porque no entendió que el constitucionalismo vigente era un instrumento apto, fácil de manejar por la oligarquía contemporánea. Dimitió en diciembre de 1852.

[15] Miguel Villalba Hervás, *Recuerdos de cinco lustros (1843-1868)*, Madrid, 1896, p. 131.
[16] Raymond Carr, *España...*, p. 242.
[17] Ver I, 10, ii y II, 4, v.

Durante los gobiernos siguientes (Roncali, Lersundi, Sartorius) los moderados siguieron en la oposición y durante el gobierno de Sartorius trataron de desbaratar el negociado de los ferrocarriles en el que eran socios Salamanca y la reina madre.

Sartorius, al que se acusaba de ser un político improvisado que había conquistado el poder por la intriga y la audacia, tenía un grupo de incondicionales a los que se llamaba los *polacos*. Aunque pretendió ganarse a los generales, éstos rechazaron los altos puestos, salvo Fernández de Córdova.

En las Cortes, Sartorius y Collantes sostuvieron que el Senado debía suspender la discusión sobre las concesiones ferroviarias. El Senado votó en contra y el gobierno respondió suspendiendo las Cortes (10 de diciembre de 1853). Aumentaron entonces las medidas represivas, y, en general, se cometieron los mismos errores que se iban a cometer en 1868. El 13 de enero de 1854 varios generales fueron desterrados. O'Donnell consiguió huir y permanecer oculto durante cinco meses, hasta el pronunciamiento de Vicálvaro. La fuerte censura de prensa no puede impedir la circulación de hojas clandestinas que se desatan en las denuncias de los negociados de la reina madre, Salamanca, Collantes, etc. El descontento económico, tanto de capitalistas como de obreros, se agrava con el decreto de un empréstito nacional obligatorio, hecho por el gobierno el 20 de mayo; a esto se suman la carestía de los cereales, debida principalmente a la mala cosecha y las exportaciones favorecidas por la guerra de Crimea, y las tensiones obreras en la periferia industrializada [18].

O'Donnell (moderado) y Dulce (progresista) se pronuncian en Vicálvaro el 30 de junio de 1854, pero después de un encuentro con las fuerzas del gobierno la situación queda indecisa. O'Donnell decide lanzar el 6 de julio el Manifiesto de Manzanares —redactado por Cánovas— en el que promete reformar la ley

---

[18] CLARA E. LIDA, *Anarquismo y revolución en la España del XIX*, Madrid, Siglo XXI, 1972, pp. 49-50.

electoral y la de imprenta, convocar Cortes generales y reorganizar la Milicia. El manifiesto comenzaba: «Nosotros queremos la conservación del Trono, pero sin la camarilla que le deshonra.»

La revolución se expande a Barcelona, Valencia, San Sebastián, Valladolid. En Madrid las tropas del gobierno lucharon durante cuatro días contra el pueblo, organizado en barricadas (16 al 19 de julio). En Barcelona se incendiaron fábricas y en Madrid las residencias de María Cristina, Salamanca, Collantes y Sartorius.

Los demócratas y los progresistas trataron de encauzar el levantamiento popular, y por fin la reina resolvió llamar a Espartero el 27 de julio; fue recibido en apoteosis por el pueblo.

Pero el pueblo, al decir de los dirigentes de izquierda, fue traicionado al día siguiente. Espartero formó el gobierno con O'Donnell como ministro de Guerra. ¿Podía hacer otra cosa, ya que estaba retirado del ejército? Es algo no dilucidado por los historiadores, como en general todo lo que se refiere a quiénes detentaron el poder en el bienio progresista. Sobre la Vicalvarada nos queda el punto de vista de Carlos Marx, expresado en los artículos escritos para el *New York Daily Tribune*, ya citados.

Uno de los primeros actos del gobierno fue convocar a Cortes Constituyentes para el día 8 de noviembre; en las elecciones surgió un nuevo partido: la Unión Liberal, formado por la derecha progresista y la izquierda moderada. Figuraban en la Unión Liberal Cortina, Madoz, Ríos Rosas, Pacheco, Ángel Fernández de los Ríos, González Bravo y los generales Concha, Serrano, San Miguel, Dulce y Ros de Olano [19], pero la popularidad de Espartero comenzó a disminuir rápidamente, porque permitió la huida de María Cristina después de haber prometido hacerla comparecer ante un tribunal especial.

---

[19] BALLESTEROS BERETTA, *Historia de España y de su influencia en la historia universal*, Barcelona, Salvat, 1936, t. VIII, página 47.

La izquierda revolucionaria es perseguida, son clausurados sus centros y prohibidos sus periódicos. Es decir, los demócratas, que con su esfuerzo lograron el giro de la Vicalvarada, habían sido instrumentados por progresistas y unionistas.

O'Donnell fue girando poco a poco a la derecha hasta desplazar a los progresistas; en julio de 1856 ya los conservadores eran dueños de la situación. Las Cortes Constituyentes, que tenían mayoría progresista, elaboraron una Constitución que nunca tuvo vigencia.

En la ultraderecha presionaba la camarilla del rey, que, como veremos, intentaba la fusión dinástica, y la reina y sus consejeros que luchaban contra la ley de desamortización de Madoz. Se dijo que en San Francisco el Grande un Cristo sudaba sangre y el gobierno resolvió exponerlo para probar la superchería, a la vez que desterrar a sor Patrocinio y otros miembros de la camarilla.

El 14 de julio la reina pide la dimisión a Espartero; entonces la Milicia Nacional decide combatir, pero, aunque tenía fuerzas importantes, es derrotada por falta de coordinación. Espartero no quiso ponerse al frente de los milicianos: «dicen que si se hubiera puesto al frente del movimiento, éste habría triunfado» [20]. Los milicianos (18.000 hombres) estaban dirigidos por Sixto Cámara y por Manuel Becerra, en tanto que las tropas del ejército (7.000 hombres) por el general Serrano, capitán general de Madrid.

O'Donnell restableció la Constitución moderada de 1845 con un *acta adicional* en la que trató de salvar algunos avances progresistas, como el juicio por jurado para los delitos de imprenta, la obligación de que las Cortes deliberaran como mínimo durante cuatro meses, etc. Pero tres meses después de la caída de Espartero, O'Donnell se vio obligado a dimitir (11 de octubre de 1856).

Lo sustituye Narváez, que vuelve las cosas a la situación anterior a la revolución de 1854, situación

[20] BALLESTEROS BERETTA, *Historia...*, t. VIII, p. 55.

que va endureciéndose con leyes represivas a lo largo de los años que conducen a la revolución de 1868 (Ley de Imprenta de 1857 y 1867; Ley de Orden Público, 1867; Leyes que regulan el Derecho de Reunión y Asociación, 1861, 64, 65 y 66 [21]). En las Cortes de 1857 sólo obtuvieron acta una media docena de progresistas. En una sesión, Narváez se vio obligado por O'Donnell a confesar su complicidad con la Vicalvarada.

Son de esta época las *cuerdas a Leganés* (v. Apéndice I), sistema represivo que pone de moda Narváez a raíz de la sublevación de Sixto Cámara en Andalucía.

Narváez dimite un año después (el 15 de octubre de 1857) por no ascender al favorito de la reina, Puigmoltó, personaje al que se atribuye la paternidad del príncipe Alfonso, versión que Valle-Inclán no deja de recoger:

> Los emigrados españoles [...] daban el remoquete [...] de Puigmoltejo al Augusto Heredero del Trono [...] Las cornejas palaciegas, de mucho antes que los emigrados, ya tenían en el pico la castañeta del Puigmoltejo (II, 1, XVI).

Después de los gobiernos de transición de Armero e Istúriz vuelve O'Donnell al poder durante casi cinco años (30 de agosto de 1858 al 2 de marzo de 1863). Según Ballesteros Beretta «el nuevo partido [...] fue el poderoso dique que contuvo la revolución incubada hacía tiempo. ... Sin la Unión Liberal, el régimen isabelino no hubiera podido prolongarse» [22]. Los progresistas que entran en el gobierno reciben el nombre de «resellados»; los de la oposición se llaman «puros» y se acercan a los demócratas.

O'Donnell no intenta hacer un gobierno fuerte, como Narváez. En las Cortes se permite una minoría pregresista [23], y otra moderada opositora, fabricadas

[21] Miguel Artola, *La burguesía...*, p. 229.
[22] Ballesteros Beretta, *Historia...*, t. VIII, p. 60.
[23] El jefe era Olózaga y las figuras más destacadas Madoz, Calvo Asensio, Aguirre, Sagasta, Patricio de la Escosura.

por «el gran elector» Posada Herrera, ministro de la Gobernación.

En 1863, los progresistas, desilusionados por el escaso juego político que les permitían los unionistas o los moderados, resolvieron practicar la abstención electoral. Olózaga fue el caudillo de esta posición y logró que el partido la mantuviera hasta la revolución de 1868.

También existía una ultraderecha —los absolutistas isabelinos o neocatólicos— que proponía restringir aún más el campo político, con lo que lograron crear la ilusión de que los moderados eran centristas. Eran más un sector de opinión que un partido político y tenían una prensa importante: *El Católico* (1840), *La Esperanza* (1844), *El Popular*, *La Regeneración*, *La Restauración*.

En 1860, O'Donnell inicia un plan de expansión que lo lleva a una serie de actuaciones en el exterior, de las cuales la más exitosa fue la expedición a Marruecos. En 1799, España había firmado un tratado de paz con el sultán de Marruecos. En 1859, tribus sobre las que el sultán no tenía jurisdicción destruyeron unos fuertes construidos por los españoles para reforzar la defensa de Ceuta. El gobierno exigió al sultán satisfacciones que éste no podía dar y le declaró la guerra el 22 de octubre de 1859. Según Valera, la guerra se hizo «no para vindicar el honor nacional, que no fue verdaderamente ultrajado, sino con otros fines manifestados sin rebozo a algunos por el mismo conde de Lucena [O'Donnell]. Proponíase distraer a los partidos políticos de las cuestiones que los destrozaban, y al país, reuniendo su pensamiento y su acción en un asunto nacional y popular» [24].

[24] MODESTO LAFUENTE, *Historia general de España*. Continuada por Juan Valera con la colaboración de Andrés Borrego y Antonio Pirala, t. XXIII, p. 261.

La guerra sirvió, sobre todo, para que los generales se cubrieran de gloria y de títulos nobiliarios; los éxitos militares despertaron un gran fervor popular. Verdad es que la propaganda estuvo muy bien organizada; bastaría citar la presencia en África de un cronista de la talla de Alarcón y del pintor Fortuny, entre otros de menor talento o fama. El *Diario de un testigo de la guerra de África* es citado por Valle-Inclán cuando hace decir a Prim:

> ¡Mi vida, señores, la respetan las balas! Soy providencialista, y creo que la respetan para abrir una nueva senda en los destinos de España. En Castillejos, el plomo que rasgaba la gloriosa enseña, que hería a mi caballo, que mataba a mis ayudantes, a mí me respetaba, como ha dicho el simpático Pedro Antonio (III, 4, II).

Verdad es que ni sus enemigos han dejado de admirar el arrojo y valentía de Prim, que se lanzaba el primero entre sus hombres y tenía tanta suerte que parecía invulnerable [25].

Desde la caída de O'Donnell en 1863 hasta 1868, los progresistas se abstuvieron de participar en las elecciones. Los gobiernos oscilaron entonces entre tratar de captar a los progresistas (Miraflores) y el autoritarismo militar o la autocracia civil. Miraflores (2 de febrero de 1863 al 16 de enero de 1864) quería establecer un turno con los progresistas, pero los unionistas se opusieron. Una circular permitía hacer reuniones electorales sólo a los electores, esto disgustó a progresistas y demócratas que resolvieron abstenerse; sólo un progresista, Juan Garrido, obtuvo una banca.

Narváez volvió al poder (16 de septiembre de 1864) prometiendo «ser más liberal que Riego» y dio un decreto de amnistía para los delitos de imprenta.

---

[25] El 1 de enero de 1860 se libró la citada batalla de los Castillejos, en la que Prim demostró su proverbial arrojo, sacralizado luego en una divulgada litografía que describe con toda exactitud Valle-Inclán. V. pp. 228 y 291 de este libro.

Pero poco después se produjo la violenta represión de la *noche de San Daniel* (10 de abril de 1865). Causas: la reina cede una parte de los bienes del Real Patrimonio para remediar el déficit del erario. Castelar publica en *La Democracia* un artículo titulado «El rasgo», donde dice que esos bienes pertenecen a la nación y la reina no puede disponer de ellos. Castelar es separado de su cátedra de Historia de la Universidad de Madrid; el rector lo apoya y también es destituido. Renuncian Salmerón, Morayta y Ferranz, por no ocupar las vacantes. El nuevo rector —el marqués de Zafra— es agredido por los estudiantes y cuando a la noche se reúnen frente al Ministerio de la Gobernación, González Bravo manda cargar contra el público (hubo, al parecer, nueve muertos y más de cien heridos).

Vuelve O'Donnell al poder en junio de 1865 y hace un programa para captar a los progresistas, sin conseguirlo: destierra a Roma a sor Patrocinio y reconoce el reino de Italia; repone en sus cátedras a Castelar, Ferranz, Morayta y Salmerón. Las sublevaciones se suceden y la crisis es cada vez mayor. Por eso se vuelve al hombre fuerte, a Narváez (10 de julio de 1866 al 20 de abril de 1868), que gobernó sin Cortes desde julio del 66 a marzo del 67 y luego con unas Cortes extremadamente digitadas.

La crisis que desembocaría en la revolución de 1868 se agudiza en 1866. En enero, Prim se pronuncia en Villarejo, fracasa y huye a Portugal. Su propósito es llevar a cabo una revolución política que hiciera innecesaria la revolución social, así lo dice en el manifiesto que dirige a los españoles después de Villarejo. En junio se sublevaron los sargentos de Artillería del cuartel de San Gil, y los demócratas aprovecharon la oportunidad para organizar una revuelta popular. O'Donnell se encargó de la represión —76 fusilados entre los militares— pero al poco tiempo tuvo que ceder el poder a Narváez. Se suspendieron las garantías constitucionales y entonces emigraron muchos progresistas y demócratas: Castelar, Becerra, García Ruiz, Martos, Sagasta, Carlos Rubio. Una circular firmada por González Bravo prohibió «la organización y manifestaciones públicas de la democracia y todas sus asociaciones, como tendencia disolvente y contraria a la ley y al orden» [26].

También en 1866, en julio, progresistas y demócratas se ponen de acuerdo en Ostende con un programa mínimo: derrocar a la reina y convocar a Cortes Constituyentes, por sufragio universal, para decidir sobre la forma futura de gobierno. Este programa, aunque finalmente se impuso, trató de ser modificado en muchas oportunidades por progresistas o unionistas, pero los demócratas se mantuvieron firmes en su defensa. Al año siguiente (30 de julio de 1867) el programa se ratificó en Bruselas —donde vivía Prim— contando esta vez con el apoyo de la Unión Liberal: ya había muerto O'Donnell, que impedía el pacto con los emigrados, y la jefatura del partido había pasado al general Serrano.

Los principales jefes republicanos —Castelar, Pi y Margall, E. Chao— se radicaron en París; allí tuvieron ocasión de ponerse en contacto con las corrientes más avanzadas del pensamiento europeo: con las doctrinas socialistas de la Asociación Internacional del Trabajo y con las sociedades secretas bakuninistas; Emilio Castelar asistió al Congreso que la AIT celebró en Ginebra en 1866; en París, Pi y Margall tradujo a Proudhon y se dejó ganar por el «principio federativo». Según Eiras Roel, en febrero de 1868 Orense lanza por primera vez el grito «Viva la República federal», que tanto éxito iba a tener entre las masas proletarias.

Como bien señala Valle a lo largo de la trilogía, la unión entre los emigrados era muy precaria. Los progresistas sabían que para hacer la revolución tenían que contar con los demócratas, pero que se

---

[26] ANTONIO EIRAS ROEL, *El partido demócrata español*, Madrid, Aguilar, 1961, p. 326.

desembarazarían de ellos apenas tuvieran el triunfo asegurado, como en efecto trataron de hacer; entre los demócratas mismos tampoco había unión: si bien la mayoría era republicana, también había monárquicos pactistas en sus filas. Como no se ponían de acuerdo, Valle dice, jocosamente, que todos repetían la frase de Baldomero Espartero:

¡Cúmplase la voluntad nacional! (II, 1, VIII).

CAPÍTULO 4

LOS HECHOS HISTÓRICOS
Y LA REELABORACIÓN NOVELESCA
EN *LA CORTE DE LOS MILAGROS*

Reconstruir un relato histórico de los sucesos que conmovieron a la opinión pública en los meses en que transcurre *El ruedo ibérico* es condición indispensable para entender el proceso de su reelaboración novelesca. Por eso cada uno de los tres capítulos siguientes constará de dos partes: en la primera, elaboro un relato que tiene como base relatos históricos de diversos tipos: textos, documentos, crónicas, testimonios, memorias y periódicos; en la segunda, trato de explicar cómo utilizó Valle-Inclán ese material en cada una de sus novelas.

No tendré en cuenta ahora el libro *Aires nacionales*, de *La corte...* ya que Valle-Inclán lo agregó en la edición de 1931; lo estudiaré en el capítulo 8.

Por los libros de historia, y especialmente por los periódicos de la época, podemos reconstruir la cronología interna de esta primera novela, que se cierra y se abre con dos hechos históricos fechables: la entrega a la reina de la condecoración papal *la Rosa de oro* (I, 2, I) y la despedida del féretro de Narváez (I, 10, XIV). Valle-Inclán no precisa ninguna fecha después de referirse al «año subversivo de 1868» al comienzo del libro, pero sabemos que estos hechos ocurrieron el 12 de febrero y el 27 de abril de 1868 [1].

A lo largo de la novela sólo hay dos referencias temporales: se habla de «aquellos días marzales» en *Ecos de Asmodeo* (capitulillo XXVI), y de «aquella primavera» en *Jornada regia* (capitulillo I).

1. LOS HECHOS HISTÓRICOS

EL PODER

La base de poder del trono de Isabel II se había estrechado tanto después de la sublevación del cuartel de San Gil —junio de 1866— que el trono se mantenía sólo por inercia. La respuesta del gobierno a esta situación tan deteriorada fue, según el general Fernández de Córdova, «la reacción más dura de cuantas se han iniciado en España desde Fernando VII» [2]. Se enmudeció a la prensa, se proclamó la ilegalidad absoluta de los partidos democráticos, se dictó un bando contra los propaladores de rumores.

En Bruselas, el 30 de julio de 1867, los principales partidos políticos —progresistas, unionistas y demócratas— habían decidido derrocar a Isabel II. El consenso sobre la legitimidad del poder estaba roto, faltaba sólo que la poderosa oposición se pusiera de acuerdo sobre cómo y cuándo se produciría el cambio.

El poder —ficticio— estaba en manos de la reina, los ministros y el parlamento, y era sustentado por el ejército. Pero a medida que la situación empeora, se producen crisis sucesivas en el mismo poder que

[1] Una lectura demasiado rápida hizo pensar a Guillermo Díaz Plaja que la novela comenzaba el día de Pascua de 1868, es decir, el 12 de abril (cfr. *Las estéticas de Valle-Inclán*, Madrid, Gredos, 1965, p. 253). Bermejo Marcos, *Valle-Inclán...*, página 310, corrigió el error.
[2] FERNÁNDEZ DE CÓRDOVA, *Mis memorias...*, t. II, p. 345.

aumentan el margen de los que niegan el consenso, hasta producir su ruptura.

LA REINA Y LOS MINISTROS

El presidente del Consejo de Ministros era Narváez, la figura política de más larga preponderancia del gobierno de Isabel II. Pero Narváez —sin duda el hombre fuerte del régimen, como había demostrado en muchas ocasiones— se enfermó a principios de abril (el diario *La Época* anuncia por primera vez su enfermedad el día 2) y tuvo una recaída después de asistir a una sesión de Cortes en la que condenó severamente los disturbios que hubo en Granada por el aumento del precio del pan.

Narváez murió el 23 de abril, sin que los periódicos hubieran prodigado mucha información sobre su gravedad, ya que se temía que la noticia alentara a los sediciosos. La sola figura de Narváez, uno de los cinco capitanes generales que tenía España en ese momento, había detenido el resquebrajamiento interno del régimen. A su muerte, uno de los problemas principales que se plantea a la Corona es cómo llenar la vacante dentro del ejército; el otro espinoso problema es a quién pasará el cetro de Narváez.

El 26 de abril se trasladó el cadáver de Narváez desde la iglesia parroquial de San José (por las calles de Alcalá y Paseo del Prado) al Santuario de Nuestra Señora de Atocha (*La Gaceta*, 25 de abril). El 27, el féretro fue conducido al ferrocarril del Mediterráneo para ser enterrado en Loja (*La Nueva Iberia*).

González Bravo había sido hasta entonces ministro de la Gobernación. Por *La Nueva Iberia* sabemos que el nuevo ministerio se formó apresuradamente, poco antes de la muerte de Narváez, y quedó constituido de la siguiente manera: Presidente del Consejo de Ministros y ministro de la Gobernación, Luis González Bravo; Gracia y Justicia e interino de Estado, marqués de Roncali; Hacienda, Manuel Orovio; Fomento, Severo Catalina; Ultramar, Carlos Marfori; Guerra, Rafael Mayalde; Marina, Martín Belda.

LAS CORTES

El marqués de Miraflores era presidente del Senado, y el conde de San Luis, presidente del Congreso. Los amaños electorales habían logrado un parlamento sin oposición. Abiertas las últimas Cortes del reinado isabelino en marzo de 1867, sólo tuvieron cuatro diputados unionistas en el Congreso; uno de ellos era Cánovas del Castillo. Esta mínima oposición no pareció suficientemente poca a González Bravo —ministro de la Gobernación—, ya que hizo votar en ambas cámaras una reforma del reglamento para limitar los derechos parlamentarios de los diputados y senadores. El conde de San Luis y algunos diputados de la mayoría moderada intentaron oponerse, sin éxito, a esta política suicida.

Cuando se había perdido ya toda esperanza de salvar a Narváez, Miraflores escribió una carta a los reyes, que Bermejo transcribe en *La estafeta de Palacio* [3]. En ella aconseja a Isabel que llame a una reunión «compuesta de algunas personas de reconocida responsabilidad de los restos de los grandes partidos monárquicos, conservadores, moderados y de la Unión Liberal» y les pida opinión sobre el futuro gobierno del reino. Pero la reina, con mucha prisa, llama a González Bravo para formar gabinete, siguiendo los consejos de quienes le decían que había que seguir gobernando «con la misma entereza con que había gobernado el difunto duque». Miraflores, como hábil político, sabía que sin una conciliación con la oposición era imposible salvar el trono, y aconsejaba una mayor apertura. Pero la reina decidió gobernar sólo con la presunta mayoría y nombró sucesor a González Bravo quien, en su

[3] ILDEFONSO ANTONIO BERMEJO, *La estafeta de Palacio. Historia del reinado de Isabel II*, Madrid, 1872, t. III, pp. 787-788.

discurso en las Cortes, expuso un programa de resistencia. Miraflores dejó entonces la presidencia del Senado y se marchó de Madrid.

EL EJÉRCITO

Los principales jefes militares eran moderados o unionistas, ya que los progresistas estaban en la emigración o habían sido desplazados después de las diversas intentonas de pronunciamiento.

Al quedar vacante la plaza de capitán general con la muerte de Narváez, se suscitó el problema de los ascensos, y la reina decidió ascender, por consejo de González Bravo, a José Gutiérrez de la Concha, marqués de La Habana, y a Manuel de Pavía y Lacy, marqués de Novaliches. Bermejo cree que estos ascensos se produjeron al querer González Bravo tener algunos aliados entre los militares «porque comprendió bien pronto que su prestigio en la milicia no era tan eficaz como lo había sospechado» [4]. Esto provocó un grave conflicto en el Ejército, ya que le correspondía ascender al general Zabala, que había mandado el segundo cuerpo en la guerra de África. Zabala era unionista.

Por estas mismas fechas se producen desplazamientos en el ejército: Pezuela, conde de Cheste, que era capitán general de Barcelona y había declarado allí el estado de guerra a causa de los desórdenes que ocurrieron el 15 de abril, llegó a Madrid el 26 para tomar posesión de la Capitanía de Castilla la Nueva; es nombrado en su remplazo Pavía y Lacy (RR. DD. del 23 de abril).

La Unión Liberal se había comprometido a colaborar con la revolución que derrocaría a Isabel II. Entre los principales militares unionistas figuraban Francisco Serrano, duque de la Torre, y Domingo Dulce, quienes conspiraban abiertamente.

---

[4] BERMEJO, *La estafeta...*, t. III, p. 794.

Serrano estaba en tratos con los emigrados; la noticia se filtra en los periódicos progresistas a pesar de la censura: el 4 de abril *La Nueva Iberia* dice que se concedió licencia a Serrano para viajar a San Sebastián y al extranjero. Los entendidos que leían entre líneas sabían que el general iba a establecer contacto con los emigrados en Francia.

El 27 y 28 de mayo, *La Nueva Iberia* informa que Serrano y Dulce viajan a Francia. Estos viajes eran para ultimar los detalles de la revolución, ya que unionistas y progresistas no acababan de ponerse de acuerdo, como se dice varias veces en *La corte de los milagros:*

> La conjura revolucionaria parece abortada. Se confirma que unionistas y progresistas andan a la greña, sin ponerse de acuerdo para designar candidato al Trono (3, III).

LA OPOSICIÓN EN PALACIO

El duque de Montpensier y el unionismo

El duque de Montpensier daba dinero a los unionistas para que la fuerza de la conspiración hiciera abdicar a la reina en el príncipe Alfonso y él quedar como regente del Reino. Este tema de *los dineros* de Montpensier es punto obligado en los relatos históricos, aunque algunos autores, refiriéndose a la avaricia del duque, sostienen que fue muy poco lo que éste aportó a la revolución [5].

Pero el duque de Montpensier era hijo de Luis Felipe de Orleáns, y Napoleón III vetó su condidatura por considerar peligroso para sus intereses que un Orleáns tuviera tanta preponderancia en España; Prim aceptó este veto.

[5] FRANCISCO PI Y MARGALL y F., PI Y ARSUAGA, *Historia de España en el siglo XIX*, Barcelona, 1902-3, t. IV, pp. 401 y ss.

El carlismo en Palacio

El rey Francisco aparece siempre vinculado de una u otra manera a todas las conspiraciones carlistas que se produjeron durante el largo reinado de Isabel II. El rey estaba dominado por sor Patrocinio y por su confesor, el padre Fulgencio, que siempre conspiraron a favor del pretendiente[6].

LA OPOSICIÓN EN EL EXILIO

El carlismo

A la muerte de Carlos VI, conde de Montemolín, que no tuvo sucesión, sus pretendidos derechos al trono recayeron en su hermano don Juan. Pero don Juan se declaró liberal y afirmó que el sufragio universal era la fuente de todo derecho (1861), por lo que fue repudiado por la princesa de Beira, por su propia mujer —la archiduquesa Beatriz— y por la mayor parte del partido carlista (*La Esperanza*, órgano del partido, lo declaró loco). Los ultras consiguieron que don Juan viviera separado de su mujer para que sus hijos se educaran en la más absoluta ortodoxia; más tarde lograron que abdicara los derechos en don Carlos.

El progresismo

Prim organizó la reunión de Ostende (15 de agosto de 1866), en la que progresistas y demócratas pactaron «para destruir todo lo existente en las altas esferas del poder». En la reunión de Bruselas se reconcilió con Olózaga; en esa ocasión se pusieron de acuerdo progresistas, demócratas y moderados para no declarar la República ni la Monarquía al ganar la revolución, sino para convocar a Cortes —por voto universal— que decidieran la futura forma de gobierno.

[6] V. pp. 370 y s.

Durante los meses previos a la revolución, Prim vivió en Inglaterra (núm. 6 de Saint James Terrace, Paddington), pero viajaba a Francia con permiso especial de Napoleón II.

Prim hizo tentativas con don Carlos para que aceptara ser rey constitucional, si las Cortes que se iban a convocar después de la revolución votaban su candidatura.

En la reunión de Bruselas, Olózaga defendió la candidatura al trono de España de Fernando de Coburgo, viudo de la reina María de Portugal. La idea era exigir que Fernando no volviera a casarse, y que su hijo, Pedro V, rey de Portugal, heredara a su muerte la corona de España, con lo que se lograría la Unión Ibérica.

La conjunción de las tres fuerzas conjuradas para iniciar la revolución de 1868 era harto precaria. Nicolás Estévanez —republicano— resume así la situación:

> No era Prim antidinástico; de buena gana hubiera mantenido la corona en las sienes de Isabel II; pero los progresistas eran ya antiborbónicos, aun siendo todavía los más perfectos monárquicos, y los demócratas contaban con grandes fuerzas que Prim no podía menospreciar. Demasiado sabía que sin los demócratas hubiera sido anulado por los montpensieristas. A los demócratas, pues, se debió el fracaso de los planes de los unionistas, como igualmente el que tanto descollara en la revolución la personalidad de don Juan Prim [7].

Como veremos más adelante, Valle-Inclán acepta este punto de vista.

LA OPOSICIÓN EN MADRID

En Madrid trabajaban por la revolución los progresistas y los demócratas organizados en clubes revolu-

---

[7] NICOLÁS ESTÉVANEZ, *Mis memorias*, Madrid, Tebas, 1975, página 149.

cionarios. Prim, desde el exilio, enviaba enlaces. Uno de ellos fue Luis Alcalá Zamora, sacerdote liberal, que en julio de 1868 viajó a Andalucía para establecer contactos.

Rivero, demócrata de derechas, tuvo la suficiente habilidad como para permanecer en Madrid hasta la revolución y dirigió una organización clandestina llamada *Los amigos del pueblo.*

Había también un Círculo Democrático, que dirigía Orense desde el destierro y un Círculo Republicano Antón Martín, dirigido por Adolfo Joaritzi.

Fernández de Córdova, en sus *Memorias*, resume la situación en un fragmento que tiene muchos paralelismos con lo que se describe en *El ruedo ibérico:*

> Volvióse a la conspiración con más bríos que nunca, cual si los últimos intentos no hubiesen recibido tan ejemplar castigo, y como si la sangre derramada fructificase el terreno en que aparecían nuevos sectarios, y todo fue ya agitación y movimiento en el campo revolucionario, cruzándose las cartas cifradas, aportando recursos y elementos, yendo y viniendo emisarios con los pretextos y disfraces más inesperados, y creciendo las listas de los que, sin abandonar el mando de las tropas y sin inspirar sospechas al gobierno, se afiliaban a la conspiración. El silencio de la prensa era suplido por el lenguaje violentísimo de las hojas clandestinas, que no vacilaban en anunciar la inmediata caída de la casa de Borbón, y para demostrar su necesidad absoluta, hacíanse circular todo género de noticias y versiones infamatorias que producían honda impresión en los espíritus, vendiéndose en los cafés y plazas públicas miles de caricaturas soeces y repugnantes, en las que aparecían escarnecidas las más altas personalidades del país [8].

La crisis económica

Desde 1866 se agudiza en España la crisis de subsistencias: había pocos alimentos y por lo tanto los

[8] FERNÁNDEZ DE CÓRDOVA, *Mis memorias...*, t. II, pp. 344-345.

precios subían. Esto produjo tumultos en aquellos lugares donde la situación era más crítica, como Andalucía. Así, el 25 y 26 de febrero de 1868 hubo disturbios en Granada pidiendo rebajas en el precio del pan (*La Nación*, 28), disturbios de tal magnitud que merecieron una sesión de las Cortes en la que Narváez informó sobre el problema (*La Época*, 28). También hubo disturbios en los Pirineos de Aragón, por lo que se estableció el estado de guerra en la región (*La Gaceta*, 1 de marzo).

Otra de las provincias más afectadas por la miseria era Valladolid, cuya situación se agravó por la sequía y la quiebra fraudulenta del Banco [9].

Los desórdenes en Barcelona *(La Nueva Iberia,* 15 de abril) se originan, en cambio, por la supresión de dos días festivos: el lunes y el martes de Pascua. Cheste declara el estado de guerra en Cataluña.

El conflicto entre la Iglesia y el Estado en Cuba

Durante los dos meses y medio que transcurren entre el 12 de febrero y el 27 de abril de 1868 los periódicos se ocupan de asuntos que Valle-Inclán incorporó a *La corte de los milagros.* Me refiero a ellos aquí, no tanto por su importancia histórica, sino más bien porque sirven para esclarecer ciertos pasajes de la novela.

Uno de estos asuntos es el conflicto de poderes suscitado en Cuba entre el capitán general de la isla, general Lersundi, y el obispo de La Habana, padre Jacinto Martínez.

La censura sólo permite decir a *La Nación* (30 de marzo) que «la desavenencia habida entre Lersundi y Martínez ha obligado al primero a remitir al segundo a Puerto Rico y al Gobierno a hacerle venir a la

---

[9] Volveré sobre el tema al ocuparme de *Aires nacionales* en el cap. 8. En ese libro recoge Valle los sucesos de Valladolid.

Península». La noticia de la inminente llegada del obispo aparece consecutivamente, hasta que el 21 de abril *La Nueva Iberia* anuncia su arribo a Madrid. Lo único que se sabe a través de los periódicos del desenlace de este episodio es que el obispo de La Habana no volvió a su diócesis, sino que fue nombrado para la de Segovia.

En *La Nueva Iberia* aparece en la misma época una curiosa noticia referida a un juguete llamado «la cuestión romana» que, como veremos, Valle-Inclán utilizó con la misma intención que el periódico.

La Nueva Iberia, amenazada por la censura, se permite ironizar de esta manera sobre el problema cubano:

> La *cuestión romana* es también otra de las cosas que preocupan la atención pública [...] la *cuestión romana* consiste en dos pedazos de alambre metidos uno dentro de otro. El *quid* está en desenlazarlos. Las niñas más encantadoras y los hombres más formales se ocupan de ello. El nombre del inventor del juguete permanece incógnito. Hay quien dice que se llama Carulla (6 de febrero).

La alusión a Carulla es un chiste malintencionado, ya que Carulla era neocatólico, zuavo pontificio, y autor de una disparatada *Biblia en verso*.

El 13 de febrero vuelve el diario a hablar del juguete, explica que tuvo su origen en Nueva York y que su autor ganó 20.000 dólares (400.000 reales de entonces) y que también París está inundado de *cuestiones romanas*, lo cual, de ser cierto, demuestra que el buen humor asociado con la política era en el siglo XIX tan buen negocio como en el XX.

La Asociación de Escritores

Otro problema de política menor que ocupó mucho la atención de las gentes en febrero y marzo de 1868 es el de la Asociación de Escritores. Los periódicos traen noticias casi diariamente sobre esta asociación, cuya junta directiva había sido elegida el 5 de febrero. Su finalidad principal era establecer una sociedad de socorros mutuos que protegiera a escritores y periodistas. En marzo se discuten los estatutos en el Ateneo y queda fijado el día 15 de ese mes para elegir a las personas que integrarán el Consejo. Pero esa reunión es suspendida por orden gubernamental. Según el diario oficialista *La Correspondencia* (17 de marzo) la orden de suspensión se fundó solamente en la infracción de varios artículos de la Ley de Orden Público sobre reuniones. Julio Nombela, uno de los promotores de la Asociación, cuenta lo sucedido en *Impresiones y recuerdos*. Dice que él se propuso «fundar en Madrid una Sociedad de Autores, lo más semejante posible a la de *Gens de Lettres* de París», pero que después de diez o doce reuniones para discutir los estatutos se celebró la reunión para elegir la Junta directiva, con el siguiente resultado:

A partir de aquel momento se injirió caprichosamente la política en el seno de aquella asociación exclusivamente literaria [...] El elemento conservador, inspirado y dirigido por González Bravo, apoyaba la candidatura del Rey consorte Don Francisco de Asís; el elemento liberal, capitaneado por el inquieto y perseverante Patricio de la Escosura, puso enfrente del melifluo e insignificante monarca al Duque de Montpensier, que ya conspiraba, como se vio después, contra su hermana política. Con este motivo se formaron dos partidos beligerantes; las pasiones, que ya estaban caldeadas se exacerbaron [...] se aplazó indefinidamente la sesión. Al final quedó en suspenso lo que estaba preparado y la naciente sociedad no volvió a dar señales de vida [10].

[10] Julio Nombela, *Impresiones y recuerdos*, Madrid, 1911, t. III, pp. 430-2. Sobre el tema hay un estudio moderno de J. F. Botrel, «Sobre la condición del escritor en la España contemporánea», en *Movimiento obrero, política y literatura en la España contemporánea*, Madrid, EDICUSA, 1974.

Sólo a partir de esta explicación entendemos lo que dice López de Ayala en la novela, expresándose con adjetivación verdaderamente gongorina:

> Don Francisco y el Duque de Montpensier son los candidatos para presidir una traducida y nonata sociedad de hombres de letras.

La prensa

En 1868 había una censura de prensa muy especial. El artículo 5.º de la llamada Ley de Imprenta obligaba al dueño del periódico a entregar dos horas antes de su aparición seis ejemplares del número del día a las autoridades (dos al gobernador, dos al juez de imprenta y dos al fiscal). Transcurridas esas dos horas el periodista podía poner en circulación su periódico, pero durante este lapso y también después, la autoridad tenía derecho a prohibir la venta y distribución del periódico, es decir, a «recogerlo». La ley, en sus artículos 7.º y 9.º, llama a este procedimiento «recogida».

El sistema hacía perder mucho dinero a los propietarios, ya que el periódico era prohibido después de impreso.

Los periódicos progresistas eran *La Nueva Iberia*, *Las Novedades*, *La Nación*, *El Universal* y *El Eco Nacional*. Los diarios de derechas más importantes eran *La Correspondencia de España* y *La Época* (conservador liberal).

Los periódicos neocatólicos eran *La Esperanza*, monárquico, carlista, fundado por Pedro de la Hoz; *El Pensamieneto Español*; *La Regeneración*; *La Lealtad* y *La Constancia*.

Sobre la prensa clandestina me he referido, pocas páginas atrás, al testimonio de Fernández de Córdova. Podrían agregarse muchos testimonios más, ya que a este tema se refieren escritores de todas las tendencias, pero citaré solamente unas líneas de Pérez Galdós:

[...] mostró y repartió papeles clandestinos que había traído, injuriosos versos, aleluyas indecentes, caricaturas en que aparecían las Personas Reales en infernal zarabanda con monjas y obispos [11].

2. LA REELABORACIÓN NOVELESCA

La ceremonia de la entrega de la condecoración papal la *Rosa de oro* a Isabel II, con la que Valle-Inclán inicia la trilogía, le permitió una «apertura a toda orquesta», con gran despliegue de escenarios y personajes. Puso en acción a la corte en pleno: la reina, el rey consorte, el heredero del trono, los ministros, los grandes de España, la servidumbre real, los obispos. Este centro de interés, alrededor del cual el autor agrupa la materia narrativa, le da ocasión para mostrar los entredichos políticos que desata la distinción papal entre las diferentes camarillas que luchan por el poder en Palacio, para mostrar, en fin, la vida espiritualmente miserable de la corte [12].

Con este acontecimiento Valle-Inclán realza también la importancia de las relaciones entre el Estado español y la Santa Sede, relaciones sobre las que insistirá a lo largo de las novelas. La entrega de la *Rosa de oro* fue criticada duramente por la oposición con criterios moralizantes. Véase, por ejemplo, el juicio de Villalba Hervás:

> Hay algo aún más insufrible que la violencia, y es el escarnio. En tanto que doña Isabel, literalmente hipnotizada por Marfori, el padre Claret y sor Patrocinio, seguía con su habitual placidez la política suicida de González Bravo, concibió el Pontífice Pío IX la idea de enviarle la *Rosa de Oro*, «para atestiguar (*textual*), y declarar pública y solemnemente, y con perenne monumento, el amor cordialísimo que te profesamos, carísima hija de Cristo,

11 Pérez Galdós, *La de los tristes destinos*, cap. IX.
12 Me refiero más ampliamente a la *Rosa de oro* en el capítulo 7.

así por los egregios méritos para con Nos, para con la Iglesia y esta Sede Apostólica, como por las altas virtudes con que brillas».

O Mastai Ferretti ignoraba lo que sucedía en tierra española o su concepto de la virtud no era el que suelen tener los hombres honrados [13].

En el besamanos que sigue a la ceremonia en la capilla están las figuras políticas más importantes del momento, González Bravo y Narváez. El Espadón de Loja aparece ya enfermo y siempre esperpentizado, en diálogo con los reyes:

El Espadón, puesto en medio, abría las zancas y miraba de través, bajando una ceja, a las Personas Reales (I, 2, VI).

El narrador insiste en destacar sus muecas y su origen andaluz:

El Espadón bajaba el párpado y abría el compás de las zancas, con aire de jácaro viejo (I, 2, VI).

... destacaba en medio del dorado salón su angosto talle de gitano viejo... (I, 2, VIII).

Y señala luego su manera de irse del salón con una frase que es necesario extrapolar para darle la exacta dimensión que va a tener en la novela y en la historia, ya que la muerte de Narváez señala el principio de la caída del trono:

El General Narváez, abriendo el flamenco compás de las zancas, desaparecía como un fantasma, entre el fatuo susurro de las camarillas (I, 2, VIII).

Para dar al jefe de gobierno esta dimensión fantasmal en la novela, Valle ha forzado la realidad histórica, ya que Narváez, después del 12 de febrero, tuvo muchas actuaciones públicas y antes de morir

---

[13] VILLALBA HERVÁS, Recuerdos..., p. 297.

sólo estuvo enfermo durante siete días. Pero durante todo el transcurso de *La corte de los milagros* se habla de la enfermedad de Narváez y de los males que acarrearía su muerte. Aunque el tiempo histórico real transcurre entre la entrega de la Rosa de oro (el 12 de febrero) y los homenajes de despedida al cadáver de Narváez en la estación de Atocha (el 27 de abril), el tiempo de la novela parece mucho más corto, a tal punto que en el último libro, ya muerto Narváez, se dice:

> La Santidad de Pío IX *acababa de premiar* tan altas y resplandecientes prendas, enviándole el preciado presente de la Rosa de Oro [el subrayado es mío] (I, 10, ɪɪ).

es decir, Valle condensa el tiempo histórico real en un tiempo novelesco mucho más restringido.

Valle-Inclán aprovecha el acto de la entrega de la condecoración para hacer notar que la camarilla de ultraderecha en Palacio no está de acuerdo con la política vaticana de premiar «las altas prendas y ejemplares virtudes de la Reina Nuestra Señora», ya que se teme que Isabel pueda pactar con las facciones liberales emigradas en Francia. Más adelante veremos que la ultraderecha palaciega conspira a favor de la abdicación de la reina en la rama carlista, mientras que el Vaticano cree que debido a la escasa salud del príncipe Alfonso, podría reinar su hermana mayor, la infanta María Isabel Francisca, por lo que aconseja y logra el casamiento con Girgenti.

En este libro se muestra la importancia y los alcances de la conspiración. La reina no puede confiar ni en su marido, ni en su servidumbre —ni siquiera en doña Pepita Rúa, «dueña del tiempo fernandino», ni en la duquesa de Fitero, «estantigua del credo apostólico»— ni tampoco en su hermana:

> Nací buena, como nació marraja Luisa Fernanda. ¡Mira que conspirar para quitarle a su hermana el Trono! (I, 2, v).

En una conversación con su sumiller de corps, el marqués de Torre-Mellada, la reina demuestra estar enterada de que también el general Serrano conspira:

> ¡El General Bonito se ha vuelto contra mí! ¡Le hice cuanto es, no he podido hacerle caballero! (I, 2, VII)

frase que le sirve a Valle-Inclán para recordar indirectamente que Serrano fue amante de la reina, lo que más adelante se reitera de manera menos delicada (v. p. 353).

Después del besamanos sigue en la novela el baile de gran gala donde la reina baila una habanera «meciendo las caderas al compás de la música criolla, gachoneando los ojos» (I, 2, XI) con Adolfito Bonifaz, el futuro *pollo real*. Valle-Inclán envuelve la escena en la lánguida y sensual atmósfera de la «habanera», baile lento que permitía sostener una conversación sin peligro de perder el compás y que era el preferido por entonces tanto en los salones como en los bailes populares [14].

Valle-Inclán inicia así una secuencia que tendrá su desenlace en *Baza de espadas* y cuyo tema son los amores entre la reina y Bonifaz. Creo que este personaje ha sido inventado por Valle-Inclán, ya que al parecer, la reina tuvo como único amante a Marfori durante los últimos años de su reinado y éste la acompañó en el destierro. Puede ser que bajo el nombre ficticio de Adolfito Bonifaz se oculte un personaje real [15], pero si no es así, hay que pensar que Valle-Inclán decidió crear un personaje prototípico en el que pudiera reunir todos los vicios de un joven Grande de España sin que esto le acarreara ulteriores problemas con sus herederos. Bonifaz es borracho, mujeriego, jugador, asesino, valentón, consciente de que sus títulos lo amparan y de que todos sus delitos quedarán impunes.

[14] Es lo que dice CARLOS CAMBRONERO, entre otras sabrosas apreciaciones en «Crónicas del tiempo de Isabel II», *La España Moderna*, Madrid, noviembre de 1913, p. 39.
[15] V. p. 217 de este libro.

La misma función cumple otro personaje ficticio: el marqués de Torre-Mellada, que reúne todos los rasgos negativos de la nobleza española. Tanto él como su cuñado, el marqués de Redín, son portavoces de las ideas políticas de los palaciegos y reaparecen, con sus problemas familiares, a través de la trilogía [16].

El libro *La Rosa de oro* transcurre apretadamente en un día, un día muy especial, ya que es el del recibimiento de la condecoración papal. Entre la misa de la mañana y el adormecimiento de Isabel después del baile de gran gala, se presenta a la reina, personaje central; se la describe física y espiritualmente: su obesidad, su lujuria, sus supersticiones, su desprecio por el protocolo, su «desgarro», su presunto desinterés, su debilidad ante los manejos de los clérigos [17]. No faltan alusiones a su pasado: a las intrigas que se desataron con motivo de sus bodas, a sus antiguos amores. Finalmente, se adelantan acontecimientos futuros: Isabel presiente la muerte de Narváez. Al retirarse éste, «apagó el celaje de los ojos bajo el vuelo de un presentimiento que la llenó de pavorosa inquietud» (I, 2, VIII).

En *La Rosa de oro* se inicia una secuencia narrativa que quedó interrumpida en la trilogía: es la que tiene como protagonista al Conde Blanc o príncipe Luis María César de Borbón, presunto nieto ilegítimo de Fernando VII [18], colaborador en las intrigas que la camarilla de ultraderecha teje contra la reina.

En este libro, pues, conocemos los problemas del trono, y las miserias de Palacio: las conspiraciones,

[16] Aunque el marqués de Torre-Mellada es un personaje ficticio, está emparentado con personajes históricos: es primo de Fernando Fernández de Córdova (II, 4, VII).

[17] V. Apéndice II, *La reina Isabel II en la historia y en la novela.*

[18] V. pp. 238 y 241.

los amoríos de la reina, la figura femenina e intrigante del rey, la debilidad enfermiza del príncipe y la hipocresía de la real servidumbre.

El libro siguiente está especialmente destinado a mostrar las miserias de los nobles.

Ecos de Asmodeo fue el nombre de la sección de «noticias sociales» del diario *La Época*. Asmodeo era el seudónimo que usó Ramón de Navarrete en el diario de Escobar [19], pero la sección todavía no se publicaba en la época en que transcurren las novelas. Es el primero de los muchos anacronismos voluntarios que comete Valle-Inclán.

Como el título sugiere, se presentan en el libro los aspectos más frívolos de la corte. El escenario pasa al palacio de Torre-Mellada, donde se repiten, en pequeño, las conjuras e intrigas del Palacio Real: el marqués y la marquesa tienen opiniones políticas diferentes y se dedican a sus propias tertulias y amistades. En el salón de la marquesa se conspira a favor del duque de Montpensier. He aquí los entretenimientos de las señoras:

> Todas aquellas señoras intrigaban. Para ellas, la política era el botín de las bandas, de las grandes cruces, de los títulos de Castilla: Amaban los besamanos y los enredos de antecámaras: Curiosas y noveleras, procuraban descubrir entre los caballerizos y gentileshombres al futuro favorito de aquella reina tan española, tan caritativa, tan devota de la Virgen de la Paloma. El Salón de Carolina Torre-Mellada fue famoso en las postrimerías del régimen isabelino, cuando rodaba en coplas de guitarrón la sátira chispera de licencias y milagros (I, 3, III [20]).

[19] V. ALFREDO ESCOBAR, marqués de Valdeiglesias, *70 años de periodismo. Memorias*, Madrid, 1950.

[20] El fragmento es refundición de otro de *Una tertulia de antaño*, V. SPERATTI-PIÑERO, *De «Sonata...»*, p. 253.

Una de las noticias de la noche es que unionistas y progresistas «andan a la greña sin ponerse de acuerdo para designar candidato al trono». Este es un tema clave, ya que, finalmente, cuando los dos grandes partidos se pongan de acuerdo gracias, como veremos, a un impolítico paso de la Corona, la revolución estallará. (La disputa sobre el candidato al trono seguirá sin resolver, sin embargo, hasta que las Cortes de 1870 designen a Amadeo.)

En *Una tertulia de antaño* Valle-Inclán ya había satirizado una tertulia de nobles, y ahora utiliza algunos fragmentos de su texto para refundirlo en esta otra tertulia, en la que también aparece —como en aquélla— el marqués de Bradomín y el duque de Ordax. La sátira está acentuada: la marquesa, «escéptica de las ilusionadas peregrinaciones en busca del amor», se dedica a la política. Dolorcitas Chamorro, «vejancona nariguda, con ojos de verdulera, negros y enconados, era sangre ilustre de aquel famoso aguador camarillero y compadre del difunto rey Narizotas». Con este personaje trae otra vez Valle-Inclán el recuerdo de la época de Fernando VII, ya que Dolorcitas es descendiente del famoso aguador de la fuente del Berro, Pedro Collado, conocido por el apodo de Chamorro, que supo ganar la confianza del veleidoso rey, transformándose en su favorito. Todas las otras señoras son igualmente frívolas, dedicadas a los amoríos y a las diversiones chabacanas, como las representaciones del *Teatro de los Bufos* de Arderíus.

En la tertulia se conversa sobre la imposibilidad de la candidatura de Montpensier al trono de España, ya que «pone el veto a su candidatura para rey el trasto de Pringue» (I, 3, IV). *(Pringue* es uno de los calificativos que los unionistas daban a Prim, pero lo cierto es que no es él el que ha vetado a Montpensier, sino que ha aceptado el veto de Napoleón III y se ha comprometido a no sostener al cuñado de Isabel.) También se conversa sobre la posible unión carlista-progresista («¿Se confirma que los carcas se entienden con Pringue?»), tema que persiste a lo

largo de las novelas y que será objeto de un tratamiento especial en *Viva mi dueño* y en *Baza de espadas.*

Entre los personajes que asisten a la tertulia de la
marquesa Carolina figura el poeta López de Ayala,
a quien Valle-Inclán da mucha importancia en la
novela porque es el redactor del Manifiesto de la
Junta Revolucionaria, firmado en Cádiz el 19 de setiembre de 1868, que acaba con el grito *¡Viva España
con honra!* «López de Ayala, el figurón cabezudo y
basto de remos, autor de comedias lloronas que celebraba por obras maestras un público sensiblero y
sin caletre» (I, 3, VI) era, también, un blanco fácil
para la sátira, por su grandilocuencia y vacuidad.

De la tertulia de los mayores pasamos a la biblioteca, donde los jóvenes se reúnen en torno a un gitano
que da clases de cante con acompañamiento de guitarra. Los jóvenes están tan acanallados como los
padres, pero proceden con menor disimulo.

A lo largo de la novela hay diferentes testimonios
del *flamenquismo,* uno de los tópicos literarios del
siglo XIX. Es significativa la contraposición flamenquismo / krausismo que hace Valle-Inclán para caracterizar la moral de la época:

> El autor de mis días también tiene ojeriza al gé-
> nero flamenco, y no hay posibilidad de que uno se
> divierta sin que lo achaque a la vagancia. Estos
> tiempos le ha dado por leer filosofía krausista, y
> está insoportable: Se le ha puesto entre cejas
> la austeridad, que consiste en andar a pie con unas
> botas muy gordas y comer bellotas en el Pardo.
> Antes, aunque poco, me daba algún dinero, pero
> con el krausismo le ha entrado regalarme libros
> y aconsejarme que estudie (I, 3, VIII)

donde hay una burla sonriente a las costumbres que
iban a caracterizar a los alumnos de la Institución
Libre de Enseñanza, creada en Madrid el 29 de octubre de 1876.

Luego los señoritos salen de juerga e idean una
fechoría tras otra: robar capas a los viejos que tran-

sitan por la calle y tirar por una ventana a un policía que hace averiguaciones. Este hecho desencadena otros, ya que el policía muere a consecuencias del golpe. Los culpables pertenecen a la aristocracia —Gonzalón Torre-Mellada y Adolfito Bonifaz, «un Grande de España que bordea el Código penal»— y, por lo tanto, el crimen quedará impune, pero da ocasión al novelista a trasladarnos a los barrios bajos madrileños, cuando la madre y la hermana de los señoritos deciden acallar su mala conciencia llevándole dinero a la viuda [21].

El episodio del guardia asesinado por los juerguistas podría parecer totalmente novelesco, pero sin embargo está inspirado en episodios contemporáneos del autor. Así lo documenta Almagro San Martín en un libro de memorias titulado *Biografía del 900* cuando se refiere a muchachos calaveras de familias ilustres o bien relacionadas que recorren las calles aporreando las puertas, riñendo con los serenos, apedreando gatos, defenestrando prostitutas y desacatando a la policía» y a veces «vuela por los aires un pobre guardia» [22]. Añade luego el cronista el juicio del diario *La Época:* «No es sólo el temor a la influencia de los alborotadores lo que coarta a los agentes de la policía, sino un ambiente de simpatía y benevolencia hacia los juerguistas de toda laya, cuyos excesos se miran como gracias.»

Para caracterizar a la nobleza Valle-Inclán elige como escenario las tertulias de los salones, donde todos hacen política con la misma frivolidad con que van al teatro, o tienen amoríos, o cultivan la última moda: lo francés, lo inglés o lo flamenco. Los jóvenes buscan emociones fuertes: el robo, el asesinato, la compañía de las mujeres de mala vida. Así como las

[21] Valle-Inclán amplió este episodio en *El trueno dorado.* V. p. 244.
[22] MELCHOR ALMAGRO SAN MARTÍN, *Biografía del 900,* (Madrid, Revista de Occidente, 1943), anotación corespondiente al 13 de enero.

mujeres hacen política en la tertulia de salón, los hombres la hacen en los cafés. La acción se traslada al escenario del famoso Café Suizo, al que Valle-Inclán llama irónicamente «uno de los círculos más depurados de la sensibilidad española».

En él volvemos a encontrar al Pollo de los Brillantes, ya presentado en el capitulillo VIII como amigo de Adolfito Bonifaz, detalle que es necesario recordar porque este personaje reaparece en *Alta mar*, como cabeza visible de una conspiración para asesinar a Prim, y en *El trueno dorado*.

La novela cambia otra vez de escenario para llevarnos al Teatro de la Cruz, donde se representa una refundición de *El alcalde de Zalamea*, de Calderón, hecha por López de Ayala.

Este capitulillo es un ejemplo de los anacronismos en que le gustaba incurrir a Valle, ya que, por un lado, el Teatro de la Cruz había sido demolido (V. Apéndice I), y por otro, la representación a que se refiere fue el gran acontecimiento teatral del año 1865 [23]. Los detalles son reales: José Valero representó a Pedro Crespo y Julián Romea a don Lope; López de Ayala fue aclamado como un nuevo Calderón. En la novela el paralelo lo hace el crítico Epidemia:

—Nuestro Adelardo se ha parangonado, se ha parangonado con el genio de Calderón. ¡De Calderón!

[23] Dice CARLOS CAMBRONERO en *Isabel II, íntima. Apuntes histórico-anecdóticos de su vida y de su época*, Barcelona, 1908, pp. 277-278: «La representación de *El Alcalde de Zalamea* fue un gran acontecimiento del año 1865. Refundida por López de Ayala, se representó el 27 de setiembre, con los papeles principales a cargo de José Valero (Pedro Crespo), Julián Romea (don Lope) y Teodora Lamadrid (Isabel)». V. también la crónica de Galdós en *La Nación*: «Inaugurada la presente temporada en los días en que el cólera comenzaba a hacer estragos, nos ofreció el Príncipe *El Alcalde de Zalamea*, admirable obra de Calderón, que interpretaron con gran inteligencia los primeros actores de España» (B. Pérez Galdós, *Madrid*, Madrid, Afrodisio Aguado, 1957, p. 167).

Ayala no ha refundido; ha colaborado. Como Calderón había antes colaborado con Lope. ¿Con Lope!
El tema inicial pertenece al Fénix. Ayala ha igua-
lada la versión calderoniana en sus más felices
momentos. ¡En los más felices de Calderón! ¡Igualado! (I, 3, XXII) [24].

Valle-Inclán aprovecha la representación para presentar en el camarín de Romea a su cuñado González
Bravo, ministro de la Gobernación y futuro sucesor
de Narváez. En la visita que le hace Torre-Mellada
para conseguir que no trascienda el asesinato del guardia (I, 3, XXIV), González Bravo empieza a urdir la
intriga por la cual intenta apoderarse de la voluntad
de Adolfito Bonifaz, para poder a través de él influir
sobre la reina.

En espera de que se arregle lo relacionado con el
crimen —que las «fuerzas del orden» transformarán
en accidente— la pequeña corte que conocimos en el
salón de Torre-Mellada se traslada a las tierras de
señorío que éstos poseen en el límite entre Castilla y
Andalucía: *El coto de Los Carvajales*. El sur es la
zona típica de latifundio en España, y es allí donde
las luchas sociales han sido más encarnizadas, precisamente porque se produjeron las mayores injusti-
cias. No es casualidad que Valle traslade el escenario
de su novela para desarrollar el argumento de los cuatro libros centrales, ya que el coto limita con Andalucía, tierra de bandoleros, tema que siempre atrajo al
autor. Así nos encontramos con el tercer centro de
interés de la novela: el secuestro de un joven de familia adinerada para «rebajar caudales» a la familia,
o sea «para igualar fortunas» con fines de justicia
social. Para tratar el tema Valle-Inclán tomó como
fuente el libro de Zugasti *El bandolerismo. Estudio
social y memorias históricas* [25] (v. p. 200 de este libro).

[24] «Epidemia» podría ser caricatura de Hartzenbusch, porque se le ha atribuido el paralelo entre López de Ayala y
Calderón. (V. p. 317.)
[25] Madrid, 1876-1880.

En *La jaula del pájaro* Valle-Inclán expone la ideología de los terroristas por medio de matones de oficio como Pinto Viroque, «desertor de presidio, contrabandista y cuatrero»:

> —Un mundo bien gobernado no permitiría herencias. Allí todos a ganarse la vida, cada cual en su industria. ¡Ya subirían los más despiertos! Dende que se acabase la herencia, se acababan las injusticias del mundo. Y como el dinero agencia el gobernar, los ricos que truenan en lo alto, todo lo amañan mirando su provecho, y hacen de la ley un cuchillo contra nosotros y una ciudadela para su defensa. ¡Si a los ricos no les alcanza nunca el escarmiento, por la fuerza tienen que ser más delincuentes que nosotros! ¡Con la salvaguardia de su riqueza se arriesgan donde nosotros no podemos [26] (I, 5, VIII).

Me parece evidente que Valle no simpatiza con los terroristas, son todos personajes siniestros, «carne de presidio» y «de cañón», que actúan sin saber que son instrumentos de una alianza entre los jefes de la organización y la nobleza [27]. Esta alianza —documentada históricamente— está denunciada en la novela en los diálogos que sostienen don Segismundo Olmedilla —el administrador de Los Carvajales— y el marqués de Torre-Mellada, su propietario:

[26] Iris Zavala ha señalado que Pinto Viroque expone «algunos puntos esenciales de la ideología anarquista: la supresión de la herencia, la igualación de clases y el levantamiento popular», y que estos tres puntos provocaron la escisión entre marxistas y bakuninistas en el Congreso de La Haya. Cfr. «Historia y literatura en *El ruedo ibérico*» en CLARA E. LIDA e IRIS M. ZAVALA, *La revolución de 1868. Historia, pensamiento, literatura*, Nueva York, 1970, pp. 435-436.

[27] Comparto la opinión de Bermejo Marcos (*Valle-Inclán...*, página 319), cuando dice que Valle-Inclán en ningún momento idealiza a los bandidos, «sino que los hace ver en toda su salvaje mediocridad». Pero, por otro lado, MADELEINE DE GOGORZA FLETCHER, en *The Spanish historical novel (1870-1970)*, London, Tamesis, 1974, p. 101, dice acertadamente: «it should be pointed out that there are innumerable passages in which the Andalusian peasants of the *Ruedo Ibérico* are shown to be fully conscious of their degradation and the injustice of their society, and they speak of necessity of revolution».

Se escaroló el beato palaciego:
— [...] El bandolerismo por estas tierras es endémico.
Asintió Don Segis:
—Y algunas veces, muy conveniente, Señor Marqués. Lo que se llama un mal necesario (I, 6, XIV; v. tb. I, 4, V).

En estos cuatro libros centrales Valle-Inclán agrega varias secuencias totalmente novelescas:

1. la secuencia de la enfermedad, muerte, velorio y entierro de Dalmaciana.

La enfermedad de la campesina aparece en contrapunto con la enfermedad de Fanny, la yegua inglesa, que es atendida por un veterinario y está «rodeada del cariño» de los nobles. La atención prodigada a Fanny también contrasta con la historia de Juco el Chirolé, baleado por la Guardia Civil por viajar sin billete en el tren, y que luego busca también la asistencia del veterinario.

En esta secuencia Valle vuelve a incurrir en la temática macabra tan de su gusto. Como hay una crecida del río, no se puede enterrar el cadáver de la campesina, que hiede después de varios días. La marquesa se queja, y se decide entonces hacer el entierro con soguilla, es decir, pasar el cadáver de una orilla a otra con una cuerda. El libro recibe el sugestivo título de *La soguilla de Caronte*.

2. la secuencia del enamoramiento de Feliche y Bradomín, también en contrapunto con los amores salvajes de Juana de Tito y Blas de Juanes.

Aunque esta secuencia quedó incompleta en la trilogía, podemos predecir el final, ya que Valle eligió reescribirse a sí mismo. Feliche es un arquetipo decadentista, es la víctima inocente perseguida por un habilísimo seductor y no tiene otra posibilidad literaria que caer en sus redes, pese a (o quizás por) su pureza y bondad.

3. la secuencia de la «pasión y muerte» del Tullido, uno de los personajes más duros entre los bandoleros, ya que quiere matar al secuestrado porque la familia no paga el rescate convenido, pero que delatará a sus compañeros aún antes de que lo apremien. Por otra parte, éstos provocan su muerte: como va detenido por la Guardia Civil, simulan un ataque y la Pareja mata al Tullido apenas presume que van a liberarlo; esto es precisamente lo que sus cómplices querían, para que no «cantara».

La novela tiene una estructura circular [28]: la acción comienza y termina en Palacio, previo viaje de ida y vuelta en tren a Los Carvajales. El tren es la gran novedad de la época isabelina. Por eso Valle lo usó como escenario, y también porque advirtió sus posibilidades dramáticas como lugar propicio de encuentro entre personajes de diversas esferas. El marqués de Torre-Mellada y Adolfo Bonifaz —que vuelven a la corte a requerimiento de González Bravo— se ven obligados a compartir el vagón con un rústico mayoral («El asiento en el tren, como todo en el mundo, es de quien lo paga» [I, 8, II]) y con un coronel liberal y anticlerical. El militar acaba de regresar de Cuba con toda su familia, la servidumbre y el infaltable loro antillano, con lo que Valle introduce uno de sus tópicos —el tema de Cuba— y el problema entre la Iglesia y el Estado que reseñamos en la primera parte de este capítulo.

El coronel Sagastizábal —«alto y flaco, enfermo de calenturas, del hígado, de los remos, maniático, polemista, republicano, hereje, masón y poeta» (I, 8, IV)— expone a los demás viajeros el conflicto que tiene como protagonistas al capitán general de la isla, Lersundi, y al obispo, padre Martínez.

En Cuba se repiten, según el coronel Sagastizábal, los eternos problemas de España:

[28] V. cap. 9.

Se ha puesto la cogulla el soldado y las botas de montar el fraile. ¡Toda la historia del país en el siglo XIX! (I, 8, VI).

Valle-Inclán hace que el militar ilustre su opinión con el juguete de ingenio llamado *la cuestión romana*, cuya gracia consistía en separar dos alambres, aparentemente inseparables, que tenían forma de báculo. Como dije arriba, Valle-Inclán repite las noticias malintencionadas de *La Nueva Iberia*, que se publicaron el 6 y el 13 de febrero de 1868, al mismo tiempo que se anunciaba la llegada a Madrid del obispo de La Habana.

Réquiem del Espadón nos traslada a la problemática política del momento, que se centra en la posible desaparición del general Narváez. Valle-Inclán utiliza diversos escenarios para la exposición de este conflicto: otra vez el salón de Torre-Mellada, la calle, el Ateneo, la casa de Redín, la habitación donde agoniza Narváez, una rebotica, el café de Platerías.

Uno de los problemas políticos que Valle-Inclán eligió exponer con amplitud es el que se suscita con la Asociación de Escritores, problema al que ya nos referimos. Los miembros de la Asociación están reunidos en el Ateneo, del cual hace Valle una breve descripción (capitulillo VII); el escenario es el mismo que eligió Galdós en *La de los tristes destinos* para que los personajes expusieran sus ideologías.

En este capitulillo se reúnen figuras políticas y literarias de la época; entre ellas está Julio Nombela, cuyas memorias usó Valle como fuente. Por eso se hace más significativa la omisión de un importante personaje que, según Julio Nombela, estaba en la reunión: Gustavo Adolfo Bécquer. Esta omisión no puede ser involuntaria, ya que Bécquer era amigo de González Bravo y disfrutaba en ese momento de una prebenda otorgada por él: fue censor de novelas desde el 10 de julio de 1868 hasta que la revolución suprimió el cargo. El poeta romántico era también amigo de Narváez y estuvo junto a su lecho de muerte [29]. La ausencia de Bécquer en el esperpento puede interpretarse como una muestra de cariño y admiración por parte de Valle-Inclán, quien, aparentemente, no quiso mezclarlo en los tejemanejes de la sucia política del momento. En cambio, se burla de Juan Valera:

> Rasgueaba una larga carta libidinosa con citas latinas del vate mantuano, Juanito Valera (I, 9, VII).

Quizás Valle-Inclán conociera estas «cartas libidinosas» de Valera a través de Manuel Azaña, quien, como es sabido, trabajó en la biografía del escritor. Me refiero a este tema y a la verosimilitud de la presencia de Valera en el Ateneo en el Apéndice I *(s. v. Valera)*.

El capitulillo XIII de este libro tiene como protagonista al general Narváez, cuya agonía está narrada sin piedad:

> El Espadón de Loja, con garrafas en los pies, cáusticos en los costados, y en las orejas cuatro pendientes de sanguijuelas, íbase de este mundo amargo, a todo el compás de sus zancas gitanas (I, 9, XIII).

Luego Valle anota frases de su delirio que, paradójicamente, son menos terribles o menos esperpénticas que las que traen los historiadores. Compárese, por ejemplo, el texto de *La Corte:*

> ¡Que les pongan un cencerro! ¡Revolución demagógica! No hemos sabido acabar la guerra civil. El abrazo ha sido más falso que el beso de Judas. España pedía una sola política y se la hemos negado. ¡Carlismo sin sotanas! ¡Carlismo de Car-

---

[29] Es afirmación de Julia Bécquer, quien también dice que el poeta concurría a las tertulias de Narváez. V. RUBÉN BENÍTEZ, *Bécquer tradicionalista*, Madrid, Gredos, 1971, p. 21.

los III! ¡España, mi España! ¡Negro todo y sin saber adónde vamos ninguno de los dos! ¡Bodega, si me hubiese equivocado, qué enorme culpa! *(ibid.)*

con el de Bermejo en *La estafeta de Palacio:*

No hay remedio, se necesita un grande empuje... si la reina desconfía de mí estamos fuera del caso... Ni la guerra ni la paz... Si pudiese verse el corazón como se ve la cara, a más de cuatro tunantes les habría dado pasaporte... No se asuste Vuestra Majestad, que aquí estoy yo... En cuanto yo vuelva la espalda, verán ustedes a España con más disonancias que el órgano de Móstoles... (III, pp. 785-6).

En la escena siguiente vemos la reacción del pueblo ante la noticia de la muerte del Espadón: chistes, coplas irreverentes y artículos satíricos de la prensa clandestina. Valle-Inclán elige como escenario para la exposición de los temas políticos una rebotica, lugar tradicional de conspiraciones. Los liberales reunidos allí son un corrector de *La Nueva Iberia* —periódico progresista—, un capitán retirado entusiasta de Prim y otros personajes de clase media que conversan sobre la subliteratura política del momento.

Valle-Inclán incluye varias poesías satíricas, cuyo origen no conozco, pero cuya abundancia certifica Nicolás Estévanez:

A las pocas horas de haberse divulgado la noticia de su muerte, corrió por casinos y cafés un telegrama impreso que decía:

«Infiernos, 23

Llegó el duque de Valencia
se le está poniendo el rabo;
se aguarda con impaciencia
a don Luis González Bravo.

O'Donnell» [30].

---

[30] Nicolás Estévanez, *Mis memorias*, p. 143.

Continúa Estévanez:

> Lo que decían, lo que escribían, lo que pregonaban los cortesanos de oficio y los realistas rabiosos era bastante para justificar no una, cien revoluciones. De buena gana recordaría sonetos sangrientos, letrillas indecentes y cantares venenosos, que no eran debidos a plumas democráticas [31].

Otro escenario apropiado para la exposición de ideologías políticas es el café. En el de Platerías, donde también se reúnen intelectuales de clase media, nos encontramos con un «clérigo sin licencias» en el que tenemos que adivinar a Alcalá Zamora, ya que con su nombre y esta aposición se lo nombra en II, 1, IV y en III, 3. Éste se declara, como progresista, partidario de la candidatura de don Fernando de Portugal. El grupo discute la adhesión real o fingida de don Enrique de Borbón a las ideas liberales.

Con las discusiones políticas Valle entrelaza episodios novelescos. En la trilogía de La guerra carlista había introducido un personaje demente —Agila—, uno de esos tipos decadentistas a los que tan aficionado se sentía en su primera época. En La corte de los milagros encontramos a Agila cuatro años más joven, pero ya con las características de la demencia precoz. Es hijo de los marqueses de Redín, «una criatura anormal», con «cierto predominio del sistema nervioso», que intenta suicidarse tirándose desde la ventana del segundo piso para no verse «en la mazmorra del colegio» (I, 9, X). También aparece su hermana Eulalia, que tenía una actuación importante en La guerra carlista. Otro personaje del mismo grupo, Jorge Ordax, reaparece también, con una evolución interesante, ya que en Viva mi dueño vemos los motivos por los que se inclina al republicanismo (en II, 6, VIII).

Otro episodio novelesco de este libro es el relacionado con don Segismundo Olmedilla— el Niño de Benamejí— al que encontramos disfrazado de cura para huir de la autoridad, porque ha sido descubierto

31 NICOLÁS ESTÉVANEZ, op. cit., p. 144.

todo lo relacionado con el secuestro del joven de Los Carvajales, y encarcelados algunos de los responsables.

El último libro —*Jornada regia*— comienza con la noticia de la muerte de Narváez:

> Aquella primavera, como tantas otras, trajeron orla de luto las brisas del Guadarrama [...] Así, de un aire, acabó sus empresas políticas y sus bravatas de jácaro, el Excelentísimo Señor Don Ramón María Narváez (I, 10, I).

Inmediatamente sigue la exposición del conflicto de los ministros preocupados por las noticias de los revolucionarios. La reina —que no los recibe— se atormenta entretanto tratando de buscar un sucesor a Narváez: sus soluciones son, primero, consultar la baraja, y segundo, a sor Patrocinio. Luego se entrevista con González Bravo, quien aconseja hipócritamente llamar a Miraflores y seguir la política de Narváez: «Una línea equidistante de los dos fanatismos, el liberal y el apostólico» (I, 10, XII). Sólo un lector que conozca muy bien los hechos históricos puede darse cuenta de que el consejo de González Bravo no es sincero: el narrador no da ninguna clave para una interpretación no literal de las palabras del ministro de Gobierno (v., más adelante, pp. 122 y 308).

Al final del capitulillo XII la reina confía a González Bravo el gobierno, y en el capitulillo XIII el flamante presidente del Consejo va a visitar al rey, cumpliendo deberes de etiqueta. Entonces tenemos ocasión de comprobar una vez más la original manera de componer de Valle-Inclán, ya que pone en boca del rey un discurso que éste había pronunciado muchos años antes, en circunstancias muy diferentes. Me refiero en especial a este discurso en el capítulo 7.

La novela acaba en un andén de la estación de Atocha, adonde es conducido el féretro de Narváez para ser trasladado a Loja. Entre los personajes que ven pasar el cortejo hay uno prototípico: un zapatero progresista.

> Un mirlo, viejo solista, silba el trágala en la tienda del zapatero, héroe de barricadas, que se ha puesto, con desafío, el morrión de miliciano (I, 10, xiv).

Es interesante señalar que este personaje es heredado del folletín y proviene del zapatero revolucionario francés. En España podemos citar referencias a este prototipo en *La bruja de Madrid* de Wenceslao Ayguals de Izco (cap. II), en *Impresiones y recuerdos* de Julio Nombela (II, p. 23), en Pérez Galdós [32]. Veamos un ejemplo de su apoyo en la realidad histórica, según una noticia publicada en el periódico *El Restaurador* el 24 de agosto de 1823: «Ayer a las once de la mañana un zapatero y su mujer, en la calle del Barco y casa llamada del *Pecado mortal*, estaban cantando *El Trágala* y otras canciones de las tituladas patrióticas. Una mujer de la vecindad, por desquite, se puso a cantar *La Pitita* y demás realistas. El zapatero se levantó y le dio un fuerte martillazo, con el que le hizo una gran contusión en la cabeza. Por diligencias que hizo para escaparse cayó en manos de la justicia, a causa de haberse refugiado en una casa donde estaban de posada tres milicianos de Logroño, que sólo salían de noche, y oyendo el alboroto de la gente, y temiendo fuese por ellos, se salieron del cuarto, echaron a correr, y con el zapatero fueron presos. La mujer herida parece que está de mucho peligro» [33].

Valle-Inclán repite el tópico del zapatero progresista en *Viva mi dueño:*

---

[32] Pérez Galdós, *O'Donnell*, cap. II: «A un primo mío, Simón Angosto, zapatero en un portal de la calle de la Lechuga, que los lunes solía ponerse a medios pelos y cantaba coplas en la calle, con música del *izno* de Espartero...»

[33] Citado por Luciano de Taxonera, *González Bravo y su tiempo (1811-1871)*, Barcelona, Juventud, 1941, p. 22.

Rompe a cantar el zapatero remendón que va en la cuerda:

> —¡Tanto cura, tanto cura!
> ¡Tanto relajado fraile!
> ¡Tanta monja sin convento¡
> ¡Tanto chiquillo sin padre! (II, 1, VI).

y también en *El trueno dorado:*

> Salieron al patio donde el remendón progresista silbaba el Himno de Riego (capitulillo XVIII).

CAPÍTULO 5

LOS HECHOS HISTÓRICOS
Y LA REELABORACIÓN NOVELESCA
EN *VIVA MI DUEÑO*

Viva mi dueño empieza sin precisión temporal, aunque todo hace suponer que no hay un salto cronológico grande entre *La corte de los milagros* y esta segunda novela de la serie.

En el libro segundo se hace referencia al mes de mayo («Era la noche clara y tibia, noche madrileña del mes de mayo», capitulillo XI), que se repite en el libro séptimo («Mayo no acaba sin tremolina», capitulillo XIV). No hay en la novela otras referencias cronológicas, pero hay, naturalmente, sucesos históricos fechables.

Uno de ellos es la sesión de Cortes (Senado y Congreso) en la que se leyó la Real Orden comunicando la boda de la infanta Isabel con el conde de Girgenti. Esta sesión tuvo lugar el 30 de abril a las dos y cuarto de la tarde (La *Gaceta*, 1 de mayo). La sesión se cita por primera vez en la novela en 2, XIX, cuando Torre-Mellada recibe el comunicado con el orden del día.

Luego asistimos (libro cuarto) a la reunión de clausura de las Cortes, que tuvo lugar el 19 de mayo. En esta sesión se habla del futuro ascenso de Concha y Novaliches, y González Bravo afirma: «El Gobierno responderá llevando los decretos a la *Gaceta*» (capitulillo V). Con esto comete Valle-Inclán un anacronismo que quizás sea deliberado, ya que dichos ascensos habían aparecido en esa publicación oficial el día 28 de abril (los decretos fueron firmados el 24 del mismo mes, pero se publicaron en *La Nueva Iberia* el 30).

Otro suceso fechable es la salida de Madrid de Serrano hacia sus posesiones de Arjona, para no estar presente en la boda de la infanta, hecho que se produce el 7 de mayo, según *La Nueva Iberia*. En *Viva mi dueño* la reina dice (4, VII) que Serrano «se ha comprometido a no hallarse ese día en Madrid [...] Con el pretexto de no asistir al ceremonial palatino de la boda, se irá de cacería a sus posesiones». La reina se tranquiliza con esta ausencia porque se decía que algunos militares iban a hacer una manifestación de simpatía a los Montpensier, cuando éstos llegaran a Madrid para asistir a las bodas [1].

Otro hecho fechable por los periódicos de la época es la llegada a Madrid del nuevo nuncio apostólico, monseñor Franchi, anunciada por *La Nueva Iberia* el 5 de mayo. En la novela la recepción a monseñor Franchi —«con un concierto sacroprofano»— se produce en 4, VIII.

En el libro séptimo, capitulillo XVIII, asistimos al paso del tren que conduce desde Sevilla a Madrid a los duques de Montpensier y, en el libro siguiente (capitulillo XIV), al homenaje que los unionistas les ofrecen en sus habitaciones de Palacio. Ahora bien, según *La Nueva Iberia*, los duques llegaron a Madrid el 11 de mayo: otro acontecimiento fechable para establecer una posible cronología interna de la obra.

Viva mi dueño se cierra con un telegrama que González Bravo envía a los gobernadores civiles comunicándoles que han sido detenidos varios militares y expulsados los duques de Montpensier, hechos que se produjeron el 7 de julio.

---

[1] BERMEJO da otra razón para el viaje de Serrano: dice que «se ausentó de Madrid para no comparecer en sus fiestas [se refiere a las bodas de la infanta] y con el fin de investigar si el movimiento que debía verificarse en Sevilla iba a ser puramente progresista», *La estafeta...*, t. III, p. 826.

Es decir, *Viva mi dueño* transcurriría entre los primeros días de mayo y el 7 de julio, pero Valle-Inclán no se preocupa mucho por el verismo realista en cuestiones de cronología, ya que, por ejemplo, cita a Carlos María Coronado como ministro de Gracia y Justicia desde el principio de la novela, y este personaje ocupó dicho cargo el 15 de junio; lo mismo sucede con Roncali, que fue ministro de Estado también a partir del 15 de junio (aparece citado ya en 6, XVII).

Algo semejante ocurre con Méndez San Julián, a quien se nombra como gobernador civil de Córdoba en 3, II, cuando —como Valle-Inclán no podía ignorar— fue nombrado gobernador de Sevilla el 6 de agosto (Real Decreto aparecido en la *Gaceta* del día 8).

Al referirse a la gestión Cascajares en 9, VII, Valle-Inclán vuelve a alterar deliberadamente la cronología. En su afán por «llenar el tiempo» en los meses que transcurren entre febrero y agosto de 1868, introduce en este período las conversaciones entre progresistas y carlistas, que habían comenzado casi un año antes. Pero para dar una cierta impresión de simultaneidad temporal trata el tema desde el principio de la trilogía. Así, en I, 3, VI, en la tertulia de Torre-Mellada se dice:

¿Se confirma que los carcas se entienden con Pringue?

El tema se repite a lo largo de *La corte de los milagros*.

En *Viva mi dueño* se alude a «los tratos de Cascajares con Don Carlos» en 1, XII, pero éstos ocupan su lugar en la narración en el último libro. La visita, que se narra en 9, VII, tuvo lugar históricamente en noviembre de 1867, en Gratz.

En el capitulillo anterior (9, VI) Valle-Inclán había presentado, en cuadro familiar, a los infantes don Jaime y doña Blanca jugando con su madre, doña Margarita, lo que es un anacronismo que sólo obedece al deseo de presentar al futuro heredero de la causa carlista, ya que don Jaime nació en 1870.

1. LOS HECHOS HISTÓRICOS

Veamos ahora los hechos históricos que tienen lugar en la novela.

EL PODER

La reina y los ministros están prácticamente solos frente a la oposición de izquierdas y de derechas. González Bravo y sus ministros juraron seis horas después de la muerte de Narváez. El gabinete estaba integrado en su totalidad por personas del grupo llamado neoabsolutista. González Bravo, civil, intentó, como Bravo Murillo, imponerse a los militares. Para tener a algunos de su lado, favoreció los ascensos de Concha y Novaliches, como dijimos en el capítulo anterior.

Hay desplazamientos de ministros el 15 de junio, quedando Roncali como ministro de Estado; Carlos María Coronado, de Gracia y Justicia y Tomás Rodríguez Rubí, de Ultramar.

EL VALIDO

Marfori es nombrado intendente general del Patrimonio, decisión que fue muy criticada. Hay que destacar que la mayoría de los errores de la reina y su excesivo apoyo en la derecha se atribuían tanto a la influencia de Marfori como a la injerencia clerical representada por Roma, y en el ámbito local por el P. Claret y sor Patrocinio.

En cuanto al primero, dejamos la palabra a Ildefonso Antonio Bermejo, quien en una de sus cartas de *La estafeta de Palacio* —carta dirigida al príncipe Alfonso y fechada el 26 de noviembre de 1873— dice:

El puesto que ocupó don Carlos Marfori en Palacio fue motivo para que la crítica arreciase, porque todos le consideraban con demasiado favor al lado de la Corona, favor que muchos juzgaban inmerecido porque no lo obtuvo por servicios importantes a la nación, sino a un accidente afortunado más inherente a la forma exterior de la persona que al merecimiento verdadero de la individualidad [2].

Por otra parte, el 3 de julio la corte se traslada al Real Sitio de San Ildefonso, hecho que no está registrado en la novela.

El 7 de julio es nombrado capitán general de Andalucía el teniente general Francisco Vasallo, y el 6 de agosto, Romualdo Méndez San Julián (v. Apéndices I) pasa, de ser gobernador de Barcelona, a ser gobernador de Sevilla (la *Gaceta)*.

LAS CORTES

El presidente del Congreso, conde de San Luis, se oponía al programa de resistencia que pretendió imponer González Bravo, propugnando uno de conciliación. Lo mismo sucedía con el presidente del Senado, marqués de Miraflores, quien dimitió el 16 de mayo y se retiró a sus posesiones cercanas a Madrid, desde donde enviaba cartas a los periódicos aclarando su oposición. Varios senadores se solidarizan con Miraflores y dejan de acudir a las Cortes. El 18 de mayo la reina aceptó la dimisión de Miraflores y suspendió las sesiones de Cortes (la *Gaceta*, 21 de mayo).

EL EJÉRCITO

Los ascensos a capitanes generales de los marqueses de Novaliches y de La Habana provocaron una crisis en el ejército, ya que le correspondía ascender al general Zabala, por méritos y antigüedad. Según

---

[2] BERMEJO, *La estafeta...*, t. III, p. 794.

cuenta Ricardo Muñiz en sus *Apuntes históricos so-bre la revolución de 1868*, los militares decidieron hacer una manifestación en el Prado y se entrevista-ron luego con Augusto Ulloa, tal como lo relata Valle-Inclán. Reproduzco la cita de Muñiz porque parece ser la fuente directa que sirvió de inspiración al libro *Barato de espadas:*

La muerte de Narváez dejaba vacante un puesto de capitán general de ejército y súbitamente se le presentan [a González Bravo] dos exigencias a cual más fuerte, una a favor del marqués de Nova-liches y la otra por el marqués de La Habana; duda el presidente del Consejo, puesto que no había más que una plaza; pero don José Salamanca sacó de apuros al ministro, aconsejándole que nombrara a los dos, como así lo hizo. El efecto que estos decretos produjeron entre los militares de alta graduación fue el mismo de una chispa eléctrica aplicada a una mina cargada de dinamita. Aquella tarde bajó al prado don Juan Zabala, que, sobre ser más antiguo que los dos nombrados, ha-bía mandado cuerpo de ejército en África, única guerra extranjera que desde la paz de 1813 ha sostenido España. Reuniéronse hasta dieciocho ge-nerales en torno suyo para ir desde allí a casa de don Augusto Ulloa, con el objeto de ponerse de acuerdo, y éste fue unánime, aceptando todos la revolución y la inteligencia con Prim. Pusieron a Ulloa en grande aprieto, pues en el cuarto prin-cipal vivía un personaje que recibía todas las tar-des la visita de don Martín Belda, ministro de Marina y el blanco de los odios de toda la armada, y Ulloa no tenía baile ni bautizo y se mantuvieron a la puerta de su casa durante dos horas una multitud de coches [3].

González Bravo creyó, como dijimos, que podía imponerse al ejército. Ayudado por el conde de Ches-te, capitán general de Madrid, encerró en las prisio-nes militares a los generales Serrano, Dulce, Serrano Bedoya, Zabala, Córdova y al brigadier Letona, y

[3] RICARDO MUÑIZ, *Apuntes históricos sobre la revolución de 1868*, Madrid, 1884-1885, t. 1, pp. 209-210.

mandó prender a Echagüe en San Sebastián y a Caballero de Rodas en Zamora. A este último y a los tres primeros los envió desterrados a Canarias; a Zabala, a Galicia; a Córdova, a Soria; y a Letona, a las Baleares.

La detención de los militares se produjo el 7 de julio: «Según los datos recogidos por el gobierno, estos personajes estaban en connivencia con los revolucionarios y preparaban un movimiento con objeto de destruir el orden de cosas existente» (*El Pensamiento Español*). Fernández de Córdova cuenta en sus *Memorias* cómo lo detuvieron un capitán de la Guardia Civil y un subalterno y fue conducido preso a San Francisco. Y agrega: «en las Prisiones rechazamos [con Serrano, Dulce, Serrano Bedoya, Zabala y el brigadier Letona] los vehementes ofrecimientos que nos fueron hechos por varios generales y muchos jefes y por don Nicolás María Rivero, que nos ofrecieron venir con las tropas y con el pueblo a ponernos en libertad» [4].

LA CONSPIRACIÓN

El general Prim recibió permiso de Napoleón III para viajar a Francia con el pretexto de tomar baños en Vichy para curar su dolencia crónica del hígado. Así puede tener contacto con otros conspiradores. Serrano y Dulce viajan otra vez al extranjero, del primero se dice concretamente en *La Nueva Iberia* que sale para Francia el 28 de mayo. Quince días después, Serrano llega apresuradamente a la corte por presunta enfermedad de su mujer (*La Nueva Iberia*, 16 de junio).

Mientras tanto, Nicolás Rivero es detenido y llevado a la cárcel del Saladero, pero es liberado el 4 de junio (*La Nueva Iberia*).

Por fin, los progresistas y los unionistas se ponen de acuerdo, lo que se concreta y anuncia a través de

---

[4] FERNÁNDEZ DE CÓRDOVA, *Mis memorias...*, t. II, p. 351.

un artículo de Francisco Javier Carratalá titulado «La última palabra», que se publicó en *La Nueva Iberia* el 3 de julio. De hecho, el artículo sólo resume las razones por las cuales debían ponerse de acuerdo los dos grandes partidos, pero es y se interpreta como una declaración de guerra al gobierno. Un párrafo de este artículo dice:

> La ley del progreso es caminar adelante. Adelante podemos ir todos; y para ello, y coincidir en puntos capitales de política, no es necesario que la Unión Liberal abdique. La ley del progreso es predicar la unión de las fuerzas y elementos afines. Unidos podemos ir todos, y sin embargo, nosotros aceptamos con orgullo nuestro pasado y no figuramos en la Unión Liberal.

El diario conservador *La Época* afirma el 4 de julio que «el progreso de las tendencias reaccionarias favorecidas por las circunstancias, explica y justifica la unión de progresistas y unionistas que estamos presenciando».

Sellada la unión de los dos partidos, sólo quedaba esperar un momento favorable para iniciar la revolución.

Los Montpensier

Los duques de Montpensier residían habitualmente en su palacio de San Telmo, en Sevilla. El 10 de mayo parten en tren hacia Madrid para asistir a la boda de la infanta. Y según *La Nueva Iberia*, el 22 salen otra vez para Sevilla. En su palacio de San Telmo el duque sigue conspirando contra su cuñada y compra documentos que comprometen al trono. Así dice Bermejo:

> Uno de los que aspiraban a ser ministro bajo el dominio montpensierista, y que compartía con Moreno López la influencia civil, se atrevió a hablar de unos documentos que él decía atestiguaban

la ilegitimidad de la Reina Isabel. Añadía que los duques no poseían estas probanzas, porque existían en Inglaterra en poder de Solís, que había sido el agente para estas inquisiciones, y que los duques sólo tenían unas copias, que ellos mismos habían leído a cuantos habían querido conocer este asunto [5].

El general Fernández de Córdova viajaba por entonces por Andalucía (en la novela aparece en Solana del Maestre, en II, 5, XXVI); servía de enlace entre los generales Serrano y Dulce y el duque de Montpensier [6].

El gobierno decidió la expulsión de los duques de Montpensier. González Bravo les envió la comunicación el 7 de julio de 1868 y los duques salieron de Cádiz en la fragata *Villa de Madrid* hacia Lisboa, adonde llegaron el 3 de agosto.

LA BODA DE LA INFANTA

El hecho público más importante de este período es el anuncio del casamiento de la infanta María Isabel Francisca con su primo Cayetano María Federico de Borbón, conde de Girgenti. El 30 de abril, como dijimos, se celebró una reunión de Cortes (Senado y Congreso) en la que se leyó la Real Orden comunicando el casamiento de la infanta. Pocos días después Girgenti es condecorado con el Toisón de oro, la Cruz de Carlos III y la Cruz de Isabel la Católica. El día 9 se le conceden honores y prerrogativas de infante.

Esta boda la había sugerido el infante don Sebastián, lo que provocó una ruptura con su madre, la princesa de Beira, quien temía que Girgenti se convirtiera en rey consorte si moría el príncipe Alfonso. Girgenti contaba con el apoyo del Papa. Según dice el mismo Valle-Inclán en uno de sus artículos de

[5] BERMEJO, *La estafeta...*, t. III, p. 829.
[6] FERNÁNDEZ DE CÓRDOVA, *Mis memorias...*, t. III, cap. XIX.

Ahora (11 de julio de 1935), «el infante don Sebastián, que tenía vínculos muy estrechos con el príncipe napolitano, había recibido instrucciones pontificias para conseguir la conformidad de la Serenísima Infanta». La princesa de Beira pretendía el trono para Carlos VII.

Los periódicos se permiten ironizar sobre la pobreza del conde de Girgenti. *La Nueva Iberia* (8 de mayo) dice:

> *La Epoca* comunica a todos sus lectores la siguiente noticia: «El príncipe conde de Girgenti es heredero del archiduque Reniero, tío del emperador de Austria, habiéndole adoptado aquél por hijo, al carecer de sucesión directa. El archiduque tiene unos 100.000 duros de renta».

Al día siguiente, *La Nueva Iberia* comunica que el conde de Girgenti tiene diez hermanos.

La princesa de Beira, en una de las indignadas cartas que dirige al infante don Sebastián, recoge la pulla con que el pueblo nombra a Girgenti: «a quien en Madrid llaman el Conde Indigente»[7].

Las bodas de la infanta dieron lugar a una pomposa ceremonia que mereció estupenda crónica de Galdós publicada en *La Nación* el 13 de octubre de 1868, crónica agresiva y casi esperpéntica. Un fragmento:

> ¡Qué familia, santo Dios! En la fisonomía de todos ellos se observaban los más claros caracteres de la degradación. Ni una mirada inteligente, ni un rasgo que exprese la dignidad, la entereza, la energía, el talento. No se ven más que caras arrugadas y ridículas, deformes facciones cubiertas de una piel herpética, sonrisas y saludos afectados que indican la mala educación de los niños y el cinismo de los mayores. La indiferente y glacial figura del despreciable Paco forma armoniosa simetría con la efigie del serenísimo mamarracho don Sebastián,

---

[7] V. Apéndice I, *s. v. Indigenti.*

sultán de los tuertos, arqueólogos y pintamonas por añadidura [8].

Valle-Inclán se inhibió de describir la ceremonia y abandonó su relato de los sucesos de la corte antes de celebrarse el casamiento (libro 8, capitulillo xv), aunque luego dio un salto en el tiempo e insertó el telegrama de González Bravo que podemos fechar presumiblemente el 7 u 8 de julio. Tampoco se refiere Valle-Inclán, como dijimos, a la salida de la corte para el real sitio de San Ildefonso (3 de julio) y a sus posteriores traslados.

LOS EMIGRADOS

Después del intento revolucionario fracasado del 22 de junio de 1866, los jefes principales del mismo que pudieron ser identificados, fueron condenados a muerte.

Los militares condenados a ser pasados por las armas fueron, entre otros —cito sólo los nombres de los que aparecen en *El ruedo ibérico*— «el ex general D. Blas Pierrad, D. Baltasar Hidalgo de Quintana, ex capitán [...] y el ex oficial D. Eleodoro Barbáchano [...] acusados del delito de sedición contra el Gobierno de Su Majestad». Fueron condenados a garrote vil «los paisanos D. Emilio Castelar, D. Carlos Rubio, D. Manuel Becerra, D. Práxedes Mateo Sagasta, D. Francisco de Paula Montemar» (la *Gaceta*, 23 de setiembre de 1866). Todos lograron emigrar y en su mayoría permanecieron en Francia.

Ruiz Zorrilla, Sagasta y Carlos Rubio vivían en una modesta casa de la isla de Saint Denis (calle de Bocage) hasta que se marcharon a Londres para unirse a Prim. Las dificultades económicas por las que atravesaron se hicieron legendarias, como así también las discordias que los separaban. Los pro-

---

[8] Reproducido por WILLIAM SHOEMAKER, *Los artículos de Galdós en «La Nación»*, Madrid, Ínsula, 1972.

gresistas no podían perdonar a los unionistas la represión que siguió al fracaso del 22 de junio de 1866, y los unionistas estaban divididos a causa del nombramiento de Becerra para el Directorio; en cuanto a los progresistas, tanto Olózaga como los incondicionales de Espartero se resistían a admitir la jefatura de Prim [9].

2. LA REELABORACIÓN NOVELESCA

En *Viva mi dueño* Valle-Inclán entra más directamente en el tema de la revolución. En *La corte de los milagros* los personajes hablan de las conspiraciones y de algunos posibles candidatos al trono. En *Viva mi dueño* se presenta a los conspiradores y a los candidatos mismos, actuando y hablando; además, en esta novela el narrador toma partido de manera más franca y directa.

En *Almanaque revolucionario* se anuncia de diferentes modos la llegada de la *Niña* (v. Apéndice I), es decir, de la revolución. Los ministros, «siete fantoches de cortas luces, como por tradición suelen serlo los Consejeros de la Corona en España», responden acentuando la represión y encarcelando a los conjurados (II, 1, III y IV).

Valle-Inclán pasa de la exposición de problemas individuales de los emigrados pobres, que «engañaban sus atribuladas privaciones con las bengalas de los manifiestos revolucionarios» (1, VII), a problemas de alta política promovida por los grandes emigrados. Entre ellos, «el más señalado caudillo de la revolución liberal, que prometía convertir a la patria española en feliz Arcadia» (1, VIII), Juan Prim conspiraba desde Londres y quería «sacar a puja la Corona de Castillos y Leones». Luego presenta a los candidatos: Fernando de Coburgo (v. Apéndice I), quien gozaba de gran popularidad por su filantropía, sus

[9] Cfr. CONDE DE ROMANONES, *Sagasta*, cap. V.

mecenazgos y las reformas liberales hechas durante los dos años en que había ejercido la regencia en Portugal. En II, 1, xi, Valle-Inclán lo presenta indeciso y enamorado:

> Al Don Fernando de Coburgo, obeso elefante tudesco, no dejaban de encandilarle las mirillas, los abalorios de la Corona de España. Pero el destino histórico que enfáticamente le brindaban, dábale pesadumbre. Don Fernando, muy cuerdamente, temía los enojos ingleses y, con aquel veto, perder la ocasión de coronarse: Don Fernando miraba el reloj: Era la hora del tapadillo y la cena con una bailarina de la Ópera.

Con estas palabras anticipa el desenlace de las gestiones que se hicieron para que aceptara el trono (v. p. 304 de este libro).

Más adelante presenta la «corte paralela» del palacio de San Telmo en el momento en que los duques de Montpensier reciben la invitación para asistir al casamiento de María Isabel Francisca. No falta la referencia a los dineros de San Telmo:

> El Infante de Orleáns, zamacuco y burgués, con la pluma en la oreja, repasa sus libros comerciales y suspira el tango cañí del Adiós mi Dinero (II, 1, ix).

Mientras, los emigrados contaban por el mundo «licencias y desafueros de las Personas Reales: Nombraban a la Señora con muy feas expresiones y daban el remoquete de Paquita al Rey Consorte; y de Puigmoltejo al Augusto Heredero del Trono» (1, xvi), por alusión a su presunto padre, Puigmoltó (v. Apéndice I).

Todas las grandes figuras, ministros, reyes, infantes, militares, políticos, parecen moverse al ritmo del can-can. La idea no es nueva, ya que muchos autores han señalado la coincidencia entre el apogeo de este tipo de música y la crisis de la monarquía en Europa. Así, Ballesteros Beretta dice que en España «el trono se derrumbaba a los acordes de la música de Offenbach» [10]. Valle-Inclán vuelve sobre el mismo tema en el libro siguiente, *Espejos de Madrid.*

En el libro II —*Espejos de Madrid*—, se vuelve a presentar el boato de la Corte como pura apariencia y falsedad, esta vez reunida en el teatro de los Bufos, imitación española de las novedades francesas. En *La corte de los milagros* los aristócratas del salón de Torre-Mellada ya aparecían fanáticos de los Bufos. Con un claro sentido de crítica político-social, Valle-Inclán parece adherirse a la opinión del diario progresista *La Nueva Iberia,* que no desperdicia oportunidad para denigrarlos. En una ocasión el periódico dice: «ya se sabe con qué obra emprenderán los Bufos su tercera campaña contra el sentido común» (24-V-1868).

En el teatro está reunida toda la alta sociedad que conocimos en *La corte de los milagros* [11] y dos personajes nuevos: el cubano Fernández Vallín y el coronel Ceballos de la Escalera. No es casualidad que el autor los presente juntos: aunque *El ruedo ibérico* no avanzó lo suficiente como para que podamos conocer a través de las tres novelas el fin del cubano, Valle-Inclán escribió aparte *Fin de un revolucionario*, donde cuenta la trágica muerte de Vallín a manos del loco Ceballos» (v. cap. 8 y Apéndice I).

También en este libro hay capitulillos destinados a una intriga sumamente novelesca: se trata aquí de la enfermedad de Gonzalón Torre-Mellada, «un tarambana vicioso», heredero de los títulos de su casa. Luego Valle enlaza con *La guerra carlista* a través de la mención de Agila y los amores frustrados de Ordax y Eulalia, y con *La corte de los milagros*

[10] BALLESTEROS BERETTA, *Historia de España,* t. IX, p. 370.
[11] Este pasar revista a la alta sociedad que está en los palcos de un teatro, tiene antecedente importante —porque se cita casi a los mismos personajes— en *Cánovas* (cap. 1) de Pérez Galdós.

por la referencia al indulto de los *reos de Solana*, es decir, los implicados en el caso del secuestro del joven.

Después pasamos al capitulillo más importante del libro, el XII, ya que aquí se sintetiza la idea sobre la personalidad de Prim que Valle-Inclán quiere transmitir en la trilogía: ocurre con motivo de una reunión que Fernández Vallín tiene con millonarios cubanos para comprometerlos a favor de la revolución y ofrecerles —aunque es agente de Montpensier— la garantía de que Juan Prim no abolirá la esclavitud en la Isla. Para acabar de convencerlos les lee el célebre «bando negro» que Prim publicó cuando era capitán general de Puerto Rico para reprimir supuestos levantamientos de los negros y que Valle transcribe casi textualmente [12].

En otros capitulillos asistimos a conversaciones entre F. Vallín y Segismundo Olmedilla —el primero oficia de mediador para comprar Los Carvajales a Torre-Mellada— conversación que se prolonga cuando van a tomar chocolate con buñuelos a la Pradera de San Isidro, lo que da ocasión a Valle-Inclán para presentar los tipos populares que circulan por los tenderetes y baratillos del lugar, y para enlazar con la intriga que tiene como víctima a Fernández Vallín, tramada por los celos del coronel Ceballos.

El libro tercero, titulado *El Yerno de Gálvez*, nos lleva otra vez a Andalucía, ahora con motivo de las aventuras de Fernández Vallín, el «Yerno de Gálvez». La policía lo persigue por sus actividades revolucionarias y se refugia en un convento de Córdoba gracias a la mediación de una monja parienta. Entonces comienzan las tareas de los comprometidos en la revolución para liberarlo, ya que la policía rodea constantemente el convento. Los demócratas de Cór-

---

[12] V. p. 178 de este libro.

doba se comprometen a ayudarlo pese a que Fernández Vallín es monárquico. El presidente del Comité Democrático de Córdoba pide colaboración a su sobrino:

—... Estamos en la obligación de ayudar al amigo y correligionario.
—¡Jamás correligionario de menda! Ese niño es de los de Antón Perulero.
—Hoy todos trabajamos por lo mismo. ¡Cúmplase la voluntad nacional! Hasta los republicanos convienen en hacer la revolución con ese lema (II, 3, VI).

Luego la acción sigue con un interés casi exclusivamente folletinesco centrada en la fuga de Fernández Vallín y los inconvenientes que encuentra en su camino. Huye de Córdoba —después de estar escondido en el convento de las Madres Trinitarias— disfrazado de mendigo (3, XVIII). Encuentra la primera dificultad al querer tomar algo en un ventorrillo del que lo echan tras quedarse con su dinero. Se encuentra luego con un familión de gitanos en el que están una mujer «flaca, culebrina, morena, con un ojo velido» y el Tío Ronquete [13] (3, XX) y más tarde tiene problemas con un calderero, ex soldado de Garibaldi [14], que había sido testigo de lo ocurrido en el ventorrillo. De pronto, lo atacan el mozo y el viejo del ventorrillo y, con el calderero, lo convencen de que ellos podrán ponerlo en Gibraltar a cambio de dinero. Como Vallín no lo tiene, convienen en que lo llevarán

[13] Estos personajes son, presumiblemente, Juana de Tito y Blas de Juanes, los secuestradores de *La corte de los milagros*. El retrato de la mujer es el mismo: «flaca, morena, caprina, un ojo velido» en I, 6, II; y «flaca, culebrina, morena, con un ojo velido» en II, 3, XX. Por otra parte, al hablar del crimen de Solana, en II, 3, XXV, se dice que la culpable se escapó de la cárcel tras matar al carcelero; y luego: «La Tuerta del Molino se llama esa mujer [...] Fernández Vallín, oscuramente, recordó a la faraona del gitano aduar...»
[14] IRIS M. ZAVALA, *Historia y literatura en «El ruedo ibérico»*, nota 18, señala que este personaje está inspirado en el bandido garibaldino cuya historia narra Zugasti en *El bandolerismo...*, I, p. 195.

a Córdoba. Pero el cubano se les escapa, uniéndose primero a unos caminantes que van a la feria y luego subiendo a una diligencia. En la diligencia viaja Pedro Antonio [de Alarcón], quien habla con otros pasajeros de la próxima revolución.

Este episodio totalmente novelesco de la fuga de Fernández Vallín, que abarca casi todo el libro tercero, anuncia la importancia que el autor iba a dar a su última aventura en Alcolea, narrada en *Fin de un revolucionario*.

García de la Torre [15] notó que las aventuras de Vallín —estructuradas, por otra parte, como un relato tradicional con salida del héroe, tres encuentros desgraciados y regreso— están inspiradas en las que protagoniza el capitán Hidalgo, según el relato de Bermejo [16].

Las aventuras de los dos revolucionarios se asemejan en lo siguiente: Hidalgo sale de Madrid —después del fracaso de la sublevación del cuartel de San Gil— disfrazado de menestral, pero despierta desconfianza con su apariencia, se encuentra con un gitano que lo embauca y le saca dinero, pide ayuda —que le es negada— en una venta y luego se encuentra con dos hombres que dicen querer ayudarlo, pero en realidad lo amenazan («Este encuentro, o fue delación del gitano o narración del posadero» —dice Bermejo). Hidalgo les promete dinero si lo llevan sano y salvo a Madrid, pero consigue desprenderse de ellos, entrar en Madrid mezclado con otros caminantes y refugiarse en casa de unas señoras. Creo, en efecto, que las semejanzas son muchas y que Valle-Inclán se inspiró en el relato de Bermejo.

En su regreso a Córdoba, como dijimos, Vallín viaja casualmente con Pedro Antonio de Alarcón, personaje que estuvo como él con las tropas de Serrano en Alcolea, de modo que este pequeño episodio

---

[15] GARCÍA DE LA TORRE, *Análisis temático de «El ruedo ibérico»*, Madrid, Gredos, 1972, p. 353.
[16] BERMEJO, *La estafeta...*, t. III, p. 783.

aparentemente banal iba a enlazarse más adelante
con otra actuación en común más importante.

El libro cuarto *Las reales antecámaras*, transcurre
íntegramente en Madrid y está referido casi en su
totalidad a problemas políticos. Asistimos primero
a la sesión de clausura de las Cortes, en la que se
anuncia «la concesión de honores y haberes de Infante» al conde de Girgenti, circunstancia que Valle
aprovecha para hacer una goyesca descripción del
escenario:

> Los ujieres saludaban. El Embajador de Su Gra-
> ciosa Majestad, en medio de los dos acólitos, ocupa
> la tribuna diplomática. Diputados en los rojos es-
> caños: En el banco azul, el retablo ministerial.
> Uniformes y cruces, levitas y calvas. El Conde de
> San Luis dormita en la Presidencia: Velan a los
> costados anacrónicos bigardones con porras de
> plata y dalmáticas de teatro (4, IV).

Valle-Inclán recoge luego el apodo de «Indigenti» que
el pueblo de Madrid brindó a Girgenti (v. nota 7). En
el capitulillo siguiente agrega un breve discurso de
González Bravo en el que éste expresa su convicción
de poder imponerse a los militares [17], discurso que
Valle-Inclán tomó de una carta personal del presidente del Consejo, como veremos en el cap. 7.

En el capitulillo VI se presenta a la reina y a sus
ministros. Estos se enteran de la real decisión de
ascender a Concha y Novaliches y de reconocer como
miembro de la familia real al príncipe Luis María
César de Borbón o Conde Blanc.
La familia real aparece en pleno al asistir a un
concierto sacroprofano con el que se agasaja al nuevo

---

[17] GONZÁLEZ BRAVO repite casi exactamente lo que había
dicho en I, 10, II.

nuncio apostólico, monseñor Franchi. En la corte se traman dos intrigas principalmente:

1. el bando «contaminado por las ideas del siglo» era partidario de que la reina abdicara en el príncipe Alfonso. Pero el papa, que también aceptaba esta solución, pretendía imponer la regencia mancomunada de los condes de Girgenti;

2. el otro bando pretendía el reconocimiento de los derechos de la rama carlista y a él pertenecían el rey, el padre Claret y sor Patrocinio:

> Asomaba entre cortinas la vieja tramoya, con el reconocimiento de los derechos que representaba la rama de Don Carlos María Isidro. Era la Causa de Dios, y no podía faltarle en la tierra el dulce influjo de la Seráfica Madre Patrocinio:
> —¡Amor con amor se paga!
> El Padre Claret también acogía con crasas vocales payesas la inteligencia con la rama sálica:
> —¡El Vaticano volverá de su acuerdo! ¡Dios es muy grande! (4, IX).

Tras el esbozo de otras intrigas que van a tener mayor desarrollo en libros posteriores, pasamos a las habitaciones privadas de la reina, y por supuesto, también a sus problemas privados. Así nos enteramos de que su valido —Adolfito Bonifaz— «en ningún momento olvida santiguarse. ¡Aun al pecar! Si te digo que me da a mí ejemplo» (4, XIII), según confiesa la reina a su azafata. Asistimos luego a la entrevista:

> —Una semana vas a dejar de ocuparte en mi real servicio... Ya ves, no quiero quitarte el gusto de que vayas a Los Carvajales. Lo he pensado... Aprovecho la ausencia para hacer limpia de cuerpo y de alma la Semana de la Purísima (4, XIV).

En el capitulillo siguiente, Adolfito Bonifaz y el Conde Blanc salen juntos para Los Carvajales y mientras se encaminan a la estación de Atocha hablan como lo harían dos estafadores de profesión; la conversación estaría destinada a entrelazarse con novelas posteriores que Valle no llegó a escribir, ya que al lector sólo le queda la sospecha, al terminar de leer *Viva mi dueño*, de que los dos han colaborado en el robo de la carta que la reina envía al papa consultándole sobre sus escrúpulos de conciencia [18].

El libro quinto, *Cartel de ferias*, nos lleva otra vez al escenario de Andalucía, con las ferias de Santiago el Verde en Solana del Maestre. Entonces se mezcla el Trueno madrileño —como lo llama el autor— con toreros, gitanos, caballistas, en fin, toda la grey que puede acudir a una fiesta taurina en un pueblo andaluz. Con una técnica que ya ha usado antes, Valle-Inclán nombra a personajes que luego el lector tendrá que identificar por alguna característica o por el apodo; a veces, mucho más adelante hace el retrato y después de varios capítulos nos cuenta su historia. Tal es el caso de Juan Caballero, que aparece en el capitulillo VIII; se habla de él en el IX con alusiones que sólo quedarán claras siguiendo la lectura; al llegar al capitulillo XVI sabemos «que había sido en los años mozos segundo de Joselito María, Rey de Sierra Morena», y los gitanos lo atacan para vengar una antigua afrenta; se alude en diversos capitulillos a los motivos del ataque, y en el XXX se cuenta una anécdota de su juventud. Como hemos dicho, en este libro se mezclan con el pueblo los señoritos y señoras madrileños, con motivo de la fiesta, que acabará en gresca con muertos y heridos. A la intriga relativa a Juan Caballero y la historia de su vida pasada se superpone otro episodio puramente novelesco que protagoniza Adolfo Bonifaz al seducir a la sobrina del cura, de quien, nos enteramos al final del libro, estaba enamorado Juan Caba-

[18] La intriga sobre esta carta robada continúa en *Un bastardo de Narizotas*. V. p. 238 de este libro.

llero. También llegan a Solana del Maestre las noticias políticas, sobre todo a través del general Fernández de Córdova, enfurecido por los ascensos a que hemos hecho referencia. Éste anuncia que impondrán la dimisión al gobierno diecinueve oficiales generales.

Cartel de ferias tiene el raro privilegio de ser el primer libro que publicó Valle-Inclán en los folletos previos a la edición en forma de libro de *El ruedo ibérico*. Jean Franco sostiene en un sugeridor artículo [19] que *Cartel de ferias* tiene una función simbólica, lo mismo que el libro central de *La corte de los milagros*, llamado *La soguilla de Caronte*. Sin duda, el hecho de haberse publicado este libro en 1925 y de haberse incorporado en la segunda novela de la serie como libro central podría consolidar la tesis de Jean Franco, quien, al formularla, desconocía la prioridad de la publicación. Según la autora, este libro —en el que se expone una reiteración de una discordia privada— simboliza la reiteración de las discordias civiles en España.

Pero *Cartel de ferias* adquiere también una dimensión especial por tener como personaje al *señor Juan Caballero,* y convertirse, por lo tanto, en una relectura de las aventuras de este personaje como héroe folletinesco [20].

El libro sexto, *Barato de espadas,* está cargado de acontecimientos políticos. El título alude a la manifestación silenciosa que los diecinueve generales ofendidos por los ascensos de Concha y Novaliches resolvieron hacer en el Paseo del Prado. El pueblo los mira entre asombrado e irónico. Pero en Palacio no saben bien qué actitud tomar: desde poner velas a los santos hasta ridiculizar la manifestación («la

---

[19] JEAN FRANCO, «The concept of time in the *Ruedo Ibérico*», *Bulletin of Hispanic Studies,* XXXIX, 1962, pp. 177-187.

[20] Tengo en preparación un trabajo sobre las relaciones entre *El ruedo ibérico* y el folletín del siglo XIX.

Parranda de Marte» la llama el marqués de Alcañices); desde reforzar las guardias hasta intentar un pacto con los generales unionistas...

Los militares quieren una política de conciliación que acabe con la preponderancia abusiva de las camarillas ultramontanas. Ulloa presenta una lúcida exposición de la ruptura del consenso en torno al poder:

> La Corona sigue un camino equivocado, un camino que conduce fatalmente al destierro: Pavorosa tormenta cierra la noche de la Historia. ¿Cuál es nuestro deber? Sin duda en el corazón de todos palpita la misma respuesta: Sostener el Trono. Ganar las últimas trincheras del carlismo en la Cámara Regia. ¿Qué veis en lontananza? [...] Esa vasta lontananza, poblada de sombras, es el campo de las Camarillas Ultramontanas. La Guerra Civil que habéis ganado con tanto denuedo renace en la Regia Cámara... (6, x).

El problema planteado por los militares está visto desde distintas perspectivas: lo comentan «el terceto de cesantes» (capitulillo III); los cortesanos (capitulillo IV); la reina, con lucidez: «el paso de hoy marca un cambio de frente en los Espadones Unionistas: Si pactan con los del progreso, hay que desbaratarles el pacto... La revolución, si estallase sería para algo más que para un cambio de Gobierno. ¡No me hago ilusiones! Sería para imponerme la abdicación y arrancarme de las sienes la Corona» (capitulillo V); el rey, con miedo; los periodistas del *Gil Blas*, con el humor que corresponde a los redactores de un periódico satírico; los mismos militares juzgan su actuación en el capitulillo x.

En el escenario de la redacción del *Gil Blas* presenta Valle-Inclán a Manuel del Palacio —que acababa de volver del destierro en Puerto Rico, pena que se le había aplicado por la divulgación de un soneto soez sobre la situación contemporánea. En la escena —capitulillo XI— Palacio recuerda un famoso soneto al que nos referiremos más adelante, en la p. 175.

En los capitulillos XIV, XV y XVI se narra un episodio novelesco, pero de verosimilitud histórica: el «milagro» de sor Patrocinio, quien consigue aterrorizar a la reina y logra de esta manera que ésta firme una carta en la que plantea al papa problemas de conciencia derivados de la legitimidad del príncipe Alfonso. Esta intriga se entrelaza con la relativa a la identidad del Conde Blanc, ya que éste es el encargado de llevar la carta a Roma.

En el libro séptimo, *El Vicario de los Verdes*, el escenario pasa otra vez a Andalucía. Esta vez a Córdoba, para referirse al problema de Fernández Vallín, para quien llega el salvoconducto. La acción se entrelaza con lo acontecido al Zurdo Montoya, apaleado por la Guardia Civil en represalia por haber herido a Bonifaz en la pelea narrada en el libro quinto. («Si es habido tendrá algo más que una solfa» —II, 5, XXIII).

También va a Córdoba el cura vicario de los Verdes con su sobrina, para recluirla en el convento de las Madres Trinitarias, y así une Valle-Inclán las tres acciones, ya que el cura será el encargado de comunicar a Fernández Vallín que el Zurdo Montoya no puede sacarlo del convento porque agoniza en un hospital. En este libro, varios capítulos nos muestran cómo es el cura: despótico con las mujeres, pero también vulnerable, caritativo con el gitano, y por fin, revolucionario, cuando comprueba la perversidad de las autoridades:

> —¡Se abusa tanto, que uno no sabe ya a qué carta quedarse! ¡Bandolerismo arriba y bandolerismo abajo! Pobretes y potentados, ilustres personajes y tunos de presidio operan con los mismos procedimientos [...] ¡Me alisto en las filas revolucionarias! ¡Me junto con los excomulgados! ¡Desoigo los mandatos de Roma! ¡Me futro en el Syllabus!... (7, XV).

Finalmente, llega la noticia del salvoconducto otorgado a Vallín, y el libro acaba —entrelazado con el siguiente— con la noticia del paso por Córdoba del tren de Sevilla que lleva a los duques de Montpensier al casamiento de la infanta Isabel.

El libro octavo, *Capítulo de esponsales*, se inicia en el palacio del nuncio, para informarnos que «una secta luciferina que mantiene relaciones con la demagogia española» ha secuestrado al Conde Blanc y se ha adueñado de la carta secreta de la reina, amenazando entregarla a la masonería española si no se paga una importantísima suma. La reina, preocupadísima, trata de mostrarse firme:

> Con esa carta y sin esa carta, la demagogia jamás entrará en Palacio. Salvaré mi alma si no alcanzo a salvar el Trono. ¡La Iglesia nunca podrá reprocharme el perjurio de entregar mi pueblo a las logias masónicas! A este respecto había escrito al Santo Padre. ¡Se ha extraviado mi carta, pero no se ha extraviado mi palabra real! (8, v).

Asistimos luego a una escena (capitulillo VII) en la que Valle presenta con toda crueldad el tipo de educación hueca y memorista dada al príncipe; el futuro rey recita un resumen del contenido de los libros del padre Claret y éste, alegremente, le dice:

> Por los países de extranjis se habla mucho de la educación que debe dárseles a los colegiales, y no es raro, en estos tiempos tan decaídos, que se les pervierta poniendo en sus manos inocentes a los autores griegos y latinos, que difunden los más crasos errores del paganismo. Afortunadamente, Vuestra Alteza ha encontrado conductores que saben preservarle de esta cizaña y darle la saludable educación que debe tener el futuro Rey de España.

Sobre la educación del príncipe Alfonso, tenemos también nada menos que casi cuatro capítulos enteros en *La de los tristes destinos*, de Pérez Galdós (caps. XII a XV). Ambos novelistas denuncian lo mismo, la ceguera y la estupidez de los encargados de algo tan importante como dar instrucción al soberano. Claro que la burla de Pérez Galdós es menos sangrienta y está hecha desde la perspectiva de un personaje cortesano, el marqués de Beramendi:

> ... para el modelado espiritual de nuestro Rey no hay en aquella casa más que un Cura teólogo y poeta que tiene el encargo de administrar diariamente al Príncipe una dosis de Religión indigesta y de Moral abstracta que el pobre niño aprende a lo papagayo. Con escoplo y martillo, el don Cayetano va metiendo en el cerebro de Alfonsito sus lecciones [...] Sácale de ese ambiente de ñoñerías, rezos y lecturas de libritos devotos del Padre Claret... (cap. XIV),

En los capitulillos siguientes, la familia real acude a los toros, con lo que Valle-Inclán expresa más rotundamente su simbolismo de asociar a la sociedad española con el «ruedo»[21]. En el capitulillo x ofrece una serie de reflexiones de narrador en las que expresa sus ideas sobre la historia española y el tema de las dos Españas. El marqués de Torre-Mellada, por su parte, expone a Bradomín la ideología carcunda. En Palacio siguen los comentarios sobre

---

[21] BERMEJO MARCOS ha visto en la estructura circular de *La corte de los milagros* y *Viva mi dueño* una representación simbólica de una plaza de toros: «Los tres capítulos centrales [de *La corte...*], que tienen, como se recordará, por escenario al coto de Los Carvajales, están consagrados casi en su totalidad al «honrado pueblo», víctima de la fiesta la mayoría de las veces, y forman lo que un escritor sensacionalista hubiera llamado «las arenas sangrientas»; los capítulos 3.º y 7.º están como de «callejón de la plaza» o barrera separadora entre el ruedo propiamente dicho y los «tendidos» que ocupan los capítulos 2.º y 8.º y que forman el soporte de la masa burguesa [...], menestrales y representantes del sufrido pueblo, que también disfruta de un buen espectáculo taurómaco; todos llenan lo que en la plaza de toros serían las barreras y tendidos. Por último, los capítulos 1.º y 9.º están formados por los «palcos reales», que son como los miradores que lo dominan todo desde las alturas» (*Valle-Inclán...*, p. 325).

las intrigas políticas, y los Montpensier —que habían acudido a las bodas de la infanta— «recibían en sus habitaciones el homenaje del bando unionista, que conspiraba sin recato» (capitulillo XIV). La duquesa, al leer una copia de la carta de Isabel al papa, reacciona:

> Mi hermana es muy dueña de insinuar reparos a la legitimidad de sus hijos... Cumple, sin duda, con un deber de conciencia. Pero mis derechos nadie ha osado ponerlos en duda, y para sostenerlos, si es preciso, montaré a caballo.

Mientras Girgenti, al leer también «una copia del regio autógrafo que tarifaban los carbonarios italianos desde la herética sede de Londres» quiere anular el casamiento, se dice explícitamente cuál era la política papal: unir las dos ramas de los Borbones, la española y la napolitana destronada, para poner un dique a la política del rey piamontés, Víctor Manuel.

Con el título del último libro de *Viva mi dueño* —*Periquito gacetillero*— Valle-Inclán pone en evidencia una idea que domina *El ruedo ibérico*: que para conocer una época es tan importante la historia como la subliteratura, expresada en panfletos, romances de ciego, coplas, etc.:

> A la Historia de España, en sus grandes horas, nunca le ha faltado acompañamiento de romances. Y la epopeya de los amenes isabelinos hay que buscarla en las coplas que se cantaron entonces por el Ruedo Ibérico (9, II).

El título del libro —*Periquito gacetillero*— trae el recuerdo de un conocido ciego de la época isabelina, que Pérez Galdós había incorporado en el relato de su novela *Prim*:

> Anoche me paré en los corrillos que rodean a *Perico el ciego*, que es un magnífico trovador, para

que te enteres. Al son de su guitarra, canta, no
las proezas de los héroes, porque no los hay, sino
las vivas historias de bandoleros y ladrones. Atento público le escucha con simpatía y emoción. Yo
me he sentido medieval agregándome a ese público. Anoche hicieron furor dos o tres coplas de
Perico, harto ingeniosas. O me engaño mucho o
eran alusivas a nuestra Reina, que anda ya en já-
caras de los cantores callejeros. Desengáñate, Manolo: aquí no hay más cronista popular que *Perico
el ciego*, ni más poetisa que la *Ciega de Manzanares*
(cap. XIX).

Perico el ciego se llamaba Pedro Delfa, y fue «el ciego guitarrista más popular de los últimos años del
reinado de Isabel II»[22].

En este libro se dedica bastante espacio al problema del carlismo. El general Prim quiere poner en el
trono de España a Carlos VII, pretendiente carlista,
siempre que éste acepte jurar la Constitución. En el
capitulillo v Valle-Inclán «pone en escena» una entrevista entre Prim y Cabrera —sobre cuya verosimilitud han discutido los historiadores[23]— para tratar precisamente sobre este tema. Cabrera cree que
el mejor candidato es el infante don Juan, porque
con él puede lograrse «el propósito de unir la revo-

---

[22] Lo dice CAMBRONERO (*Isabel II, íntima*, p. 295), quien agrega: «La historia de Mariana Pineda, la vida de Juan Soldado,
las canciones llamadas patrióticas y las coplas de color subido
llenan sus bolsillos de cuartos y ochavos en las plazas de Madrid durante las primeras horas de la noche, y en las de estío
le dan las dos de la madrugada cantanda coplas delante de
las casas alegres.» Debe tenerse en cuenta que *Perico* es apodo tradicional aplicado a los transmisores de la literatura
de cordel.
[23] Valle-Inclán acepta la versión de Bermejo, quien cuenta
la entrevista entre los dos caudillos (t. III, p. 817). Pero Natalio Rivas, que tenía el testimonio directo de Sagasta, afirma
que la entrevista de Prim con Cabrera no se realizó. V. NA-
TALIO RIVAS SANTIAGO, *Los presidentes del Consejo de la
Monarquía española (1874-1931). Sagasta. Conspirador. Tribuno.
Gobernante*, Madrid, 1946, p. 156.

lución liberal con los derechos de la rama carlista».

En los capitulillos VI y VII Valle-Inclán hace una idealizada presentación de la corte de don Carlos en Gratz. Tanto el pretendiente como doña Margarita son presentados positivamente:

> Don Carlos era un bello gigante mediterráneo, con soles en los ojos y barbas endrinas de pirata adriático [...] Doña Margarita era rubia, menuda, la boca grande, los ojos alegres, el peinado en dos conchas, la frente casta, generosa la curva del seno (9, VI).

Es un bello retablo familiar que se separa del conjunto esperpéntico y tiene la luminosidad de un libro de horas. (Me referiré a estos capitulillos con más detalle en la p. 189 y ss.)

En *La corte de los milagros* Valle-Inclán aludía a un hecho que tiene cumplimiento en los capitulillos finales del libro que estamos considerando: la «venta» que don Juan hace de sus derechos como pretendiente al trono de España. Así, en la primera novela de la trilogía: «Don Juan es un contagiado de liberalismo, y merece ser depuesto por su heredero y primogénito, el Duque de Madrid. Don Juan, según parece, ha puesto precio a la abdicación. Dos millones, y el trato está hecho. Los dos millones los ha ofrecido el Padre Maldonado» (I, 9, XII).

En *Viva mi dueño* la abdicación de don Juan se explica en una conmovedora escena que tiene como protagonistas al débil pretendiente y a Bradomín. La escena está precedida de una discusión que Bradomín sostiene con un capellán de la casa de Luyando, en la que el marqués, penosamente, toma conciencia de la intriga que están tejiendo los ultras de su partido:

> El clérigo, que había cruzado las manos sobre el pecho, se compungía con aviesa mansedumbre:

—El Don Juan, con sus manifestaciones de liberalismo, se ha puesto en pugna con la doctrina del
Syllabus.
Acentuaba el viejo dandy su amable displicencia:
—Eso nos ocurre a todos cuando hemos rodado
un poco por el mundo. Don Juan no se ha liberali-
zado más que Don Ramón Cabrera (9, ix).

Bradomín, que se encamina con el clérigo a una
reunión de la Junta carlista, poco a poco comprende
que la reunión ha sido desbaratada por quienes intri-
gaban para conseguir la abdicación de don Juan. En
la escena siguiente, el propio don Juan se preocupa
por informar a su adicto Bradomín de que, víctima
de «una secta carbonaria o masónica que opera por
el magnetismo» le han sustraído importantísimos
papeles cuya publicación sería una catástrofe. Don
Juan sigue diciendo que el precio que deberá pagar
significa, además, la renuncia a su primogenitura.
Veamos el desenlace:

> El Marqués de Bradomín experimentaba un asom-
> bro humorístico oyendo aquellos lances de melo-
> drama. Jugaba el Señor su papel con magnífico
> desparpajo. Complicando la intriga, el clérigo na-
> rigudo salióse de un rincón y cayó de rodillas ante
> la Augusta Persona:
> —La Banca Bilbaína oponía reparos, y hasta hoy
> no ha podido negociarse la letra sobre Londres.
> Tengo en mi poder el resguardo. El General Luyan-
> do, en nombre de todo el partido, se impone ese
> adelanto. Luego se verá cómo cada uno contribuye.
> La abdicación de vuestro derecho es requisito in-
> dispensable (II, 9, xii).

Es evidente que Valle-Inclán acepta la versión según
la cual don Juan habría renunciado a sus derechos a
cambio de dinero cedido por los carlistas. El retrato
que hace de don Juan es despiadado:

> Salió Don Juan de Borbón, muy dramático, estru-
> jando un moquero humedecido en agua de Colonia.
> Era pequeño, rubio, bien formado, con aire de
> bailarín francés, compuesto y petulante, que tiene

> para todas las cosas un guiño en el ojo y una
> sonrisa bajo el mostacho, cuando no la gola inflada
> con arias y declamaciones de Manfredo... (II, 9, xii)

similar al que hará en su artículo del 11 de julio
de 1936 en la revista *Ahora:*

> Este príncipe alegre, ligero, incrédulo, burlón y
> tarambana, siempre mal avenido con el resto de
> la familia borbónica, ostentaba un liberalismo de
> opereta, que le ponía al margen de todas las cába-
> las para restaurar la pureza del dogma monárquico
> contenido en la cifra de Dios, Patria, Rey.

Creo que Valle-Inclán ha dado mucha importancia a
este episodio en su trilogía y que se destaca de entre
los demás porque el autor hace a Bradomín partidario de don Juan y luego testigo de su defección.
Tanto en *Sonata de invierno* como en la trilogía de
La guerra carlista Bradomín participa en la guerra
de 1872 como fiel partidario y fervoroso admirador
de Carlos VII.

El libro termina con una escena en la que aparece
«un caballero jaquetón, enfermo de los ojos, andaluza
fachenda» a quien se le augura que pesará sobre él
la acusación de la muerte de Prim. Debemos reconocer a Paúl y Angulo, que aparecerá como protagonista en *Baza de espadas.*

CAPÍTULO 6

LOS HECHOS HISTÓRICOS
Y LA REELABORACIÓN NOVELESCA
EN *BAZA DE ESPADAS*

Viva mi dueño termina con el anuncio del destierro de los generales unionistas y de los duques de Montpensier (hecho histórico que se produjo el 7 de julio de 1868). Cuando comienza el primer libro de *Baza de espadas* se dice: «Los Espadones de la Unión esta mañana habrán llegado a Cádiz» (capitulillo IV), de modo que hay estrecha continuidad temporal con la segunda novela de la serie.

La corte se había marchado de Madrid el 3 de julio, y tras sucesivas estancias en los sitios reales se trasladó a Lequeitio el 10 de agosto, hechos que Valle-Inclán registra indirectamente cuando en III, 1, V el marqués de Salamanca le dice a Bonifaz que lo creía «de jornada en San Sebastián».

El 10 de julio, los generales habían llegado a Cádiz, ya que *La Época* de ese día anuncia que el general Dulce «al llegar a Cádiz se encontraba un poco mejorado de su indisposición».

El mismo periódico anuncia el 13 de julio que «según telegrama de Cádiz ayer se embarcaron y anoche emprendieron su viaje para Canarias los generales Serrano, Dulce, Serrano Bedoya y Caballero de Rodas en el vapor Vulcano». En la novela asistimos al embarque de los generales en los últimos capítulos de

La venta de los enanos, de modo que los dos primeros libros transcurren en tres o cuatro días.

Sabemos que el libro *Alta mar* transcurre en el mes de julio, porque al principio se dice que el vapor *Omega* sale hacia Inglaterra «una noche de aquellos idus julianos». El artículo indefinido —*una noche*— demuestra que Valle-Inclán no pensó en el 15 de julio, sino en el valor evocativo de otros *idus*, los de marzo, en la mente del lector: otra vez se trama el asesinato del hombre político más importante del momento.

El libro cuarto está enlazado con el anterior por la relación causal con que se desarrollan los hechos, de modo que la cronología debería ser lineal y progresiva, pero hay una ruptura que sólo puede explicarse por una errata. Me refiero a la carta de Carlos VII a Cabrera (capitulillo VII), que en las dos versiones del libro[1] aparece fechada en Londres, el 23 de junio de 1868.

Esta carta, según la cronología real histórica, fue escrita en Gratz, el 23 de mayo de 1868, pero como Valle-Inclán decidió incluirla en *Baza de espadas*, tuvo que cambiarle las fechas. *Tratos púnicos*, libro cuarto de *Baza...*, sigue al anterior, que transcurría en julio; por eso lo lógico es que la carta se feche en julio y no en junio. Por otra parte, en la carta histórica, Carlos VII proponía la celebración de un consejo en Londres entre el 20 y el 30 de julio, dejando dos meses para la preparación de la reunión.

En la novela, Valle-Inclán corrige la fecha y pone «del 20 al 30 de agosto» para dejar un margen de tiempo verosímil entre la convocatoria y la reunión. Si *junio* es errata por *julio*, se deja —en la cronología novelesca— un mes para la preparación del Consejo, y no se altera la relación cronológica causal de los acontecimientos narrados en esta primera parte de la novela.

[1] La primera versión de este libro fue publicada en *La Novela de hoy* con el título *Vísperas de la Gloriosa*, el 16 de mayo de 1930. V. p. 224 de este libro.

El libro *Albures gaditanos* se refiere al fracasado levantamiento del 9 de agosto, fecha que aparece mencionada tres veces en el texto. La novela acaba unos días después.

1. LOS HECHOS HISTÓRICOS

EL PODER

Durante el mes en que transcurre la novela —10 de julio a 9 de agosto— la actividad política se centra en los disidentes moderados que, por ser los políticos más hábiles, tratan de imponer un cambio para frenar la revolución.

El marqués de Salamanca viaja a Lequeitio para convencer a la reina de que abdique en el príncipe Alfonso y confíe la regencia a Espartero.

En este tiempo, según Bermejo[2], la reina María Cristina trataba de convencer a Prim y a otros progresistas para que entrasen «en vías legales, prometiéndoles que se formaría un gobierno presidido por el conde de San Luis, que no solamente daría una amnistía, sino que retiraría la ley de imprenta y la de orden público».

Más adelante afirma Bermejo[3] que Concha preparaba un nuevo ministerio —por encargo de Isabel— y que Alejandro de Castro había aceptado formarlo.

Mientras tanto, el primero de agosto, Novaliches destituyó del cargo de gobernador de Barcelona a Romualdo Méndez San Julián (ver Apéndice I) por creerlo conspirador. Esto produjo un conflicto en el gobierno, ya que San Julián era pariente de Belda, ministro de Marina. En *El ruedo ibérico* Valle-Inclán deforma estos acontecimientos, anticipando el conflicto en II, 4, VI y fundiendo las personalidades de Méndez San Julián y Zugasti, según se explica

---

[2] BERMEJO, *La estafeta...*, t. III, p. 841.
[3] BERMEJO, *op. cit.*, t. III, p. 856.

en el Apéndice I. A partir del 6 de agosto, y no antes, como sugiere la novela, San Julián fue gobernador de Sevilla (y no de Córdoba, como dice Valle-Inclán).

LA CONSPIRACIÓN

Los Montpensier y los unionistas

El general Lasala —capitán general de Sevilla— fue comisionado para entregar la orden de destierro de los duques de Montpensier. Bermejo cuenta la escena tomándola de unos apuntes del duque: «Y entonces, escribe el mismo duque de Montpensier: Enternecido Lasala, y quebrantado por el dolor, nos comunicó la real orden para que apresurásemos nuestra partida [...], al general le vinieron lágrimas a los ojos», y luego de reproducir el conmovedor diálogo con la infanta Luisa Fernanda, Bermejo agrega: «Sin duda don Antonio de Orleáns aspiraba a que esta escena pasase a la historia y lo ha conseguido» [4].

Valle-Inclán se refiere a la escena en el libro segundo, capitulillos II y V, pero cambia el nombre de Lasala por el de Quesada.

Cuando los generales desterrados llegaron a Cádiz, Fernández Vallín se ofreció para acompañar a Dulce, que estaba enfermo, y este pedido fue aceptado por el gobierno por mediación de José de la Concha.

En Madrid, después de la partida de los generales, se constituyó un comité revolucionario compuesto de cuatro progresistas y cuatro unionistas, pero, después de la salida del país de Montpensier, volvieron a comenzar las desinteligencias entre uno y otro grupo.

Los progresistas

Los progresistas continuaban preparando la sublevación en Madrid y en todos los demás puntos en

---

[4] BERMEJO, *op. cit.*, t. III, p. 847.

que se movían los enlaces de Prim. Solís y Campuzano, que se presentó ante el comité revolucionario de Madrid para averiguar si los progresistas res-
paldarían la candidatura de Montpensier, no obtuvo
respuesta favorable, sino la promesa de que Muñiz,
que salía para Londres, consultaría a Prim.

Prim, por su parte, consiguió permiso del emperador para tomar baños en Vichy, pero al cuarto
día salió apresuradamente para Londres. Su amigo,
el marqués de Lavalette, lo entrevistó en la estación
de París para decirle que el emperador se mantendría neutral mientras no se intentara proclamar a
Montpensier. Prim contestó que mantendría su com-
promiso con los revolucionarios, es decir, llamar a
Cortes Constituyentes y aceptar lo que éstas decidieran.

La situación en Cádiz

Veamos ahora por qué Valle-Inclán ha dado tanta
importancia a Cádiz en la novela. Nicolás Sánchez
Albornoz, en una monografía titulada *Cádiz, capital
revolucionaria en la encrucijada económica* [5], explica
el apogeo y decadencia de este puerto y por qué
se convirtió en capital revolucionaria tanto en 1812
como en 1868. Durante el siglo XVIII Cádiz había
sido el puerto más importante para el envío de los
«productos de Castilla» a Hispanoamérica, a la vez
que recibía los metales preciosos de las colonias.
Surgió entonces en la ciudad «uno de los grupos
de burgueses más esclarecidos y más liberales del
país». Después se utilizó el puerto de Cádiz para la
exportación de los vinos jerezanos y para el comercio con las Antillas; da una idea de su importancia
el hecho de que hasta 1857 no fue desplazado por

5 NICOLÁS SÁNCHEZ ALBORNOZ, «Cádiz, capital revolucionaria
en la encrucijada económica», en *La revolución de 1868. Historia, pensamiento, literatura*, Nueva York, 1970. Ed. por Clara
E. Lida e Iris M. Zavala.

Barcelona en valor y volumen del intercambio. Sánchez Albornoz acaba diciendo:

> Hasta 1864 Cádiz había podido vivir de expectativas sucesivas, pero, a partir de entonces, su horizonte fue cerrándose gradualmente y sus esperanzas desvaneciéndose. Tras la declinación de su comercio, colonial u otro, vino la caída de sus instituciones financieras, la contracción de sus industrias, la necesidad de malbaratar sus vinos, y para remate, la crisis de subsistencias de 1866. [...] Aparte de que allí cerca estaba la marina, de inclinaciones liberales, no había ciudad más chasqueada que fuera a adherir de mejor grado a quien propusiera un cambio de régimen. Asegurado el dominio de plaza periférica, el cálculo era que el gobierno, víctima de su descrédito, caería de su propio peso. Y así fue.

Al ser enviados a Cádiz los generales de la Unión, hubo diversos intentos para impedir que salieran desterrados hacia Canarias. Pero el temor a que los patriotas demócratas se impusieran hizo que se retrasaran estos movimientos. En Cádiz se habían congregado Fernández Vallín y Ayala, quienes, según Carlos Rubio, permanecieron allí más de cuarenta días para preparar la evasión de los generales, pero éstos «se dejaron llevar al destierro tranquilamente» [6].

Pérez de la Riva, agente de Prim, había preparado las guarniciones de Ceuta, Sevilla, San Fernando, Cádiz y otras poblaciones, con el auxilio de Carrasco, Cala, Guillén, Salvochea, La Rosa y Paúl y Angulo.

Más tarde el gobierno interceptó la correspondencia de Pérez de la Riva y éste fue desterrado a Canarias; entonces Paúl y Angulo se convirtió en agente de Prim.

Las historias difieren en cuanto al número e importancia de la participación de los demócratas en la revolución, pero esto depende, por supuesto, de la

[6] CARLOS RUBIO, *Historia filosófica de la revolución española de 1868*, Madrid, 1869, pp. 29 y ss.

ideología del historiador. Valle-Inclán siguió en los libros segundo y cuarto de *Viva mi dueño* el relato de Paúl y Angulo en sus *Memorias íntimas de un pronunciamiento*[7], por lo que da mucha importancia a la participación de los demócratas. Según Paúl y Angulo, los demócratas contaban con la fuerza de carabineros, con oficiales del regimiento de Cantabria, con la guarnición de Ceuta y con el pueblo.

Hennessy[8] afirma que es totalmente falso hablar de una participación «republicana» en la revolución de setiembre, y que sólo puede darse importancia a la participación de las masas después del triunfo de la revolución. Natalio Rivas ve la situación de esta manera:

> Cuando en el verano de 1868 se trazaron los últimos planes para la revolución ni los demócratas monárquicos ni los demócratas republicanos intervinieron. Castelar, en carta al marqués de Grijalbo, le dice que había oído hablar de un nuevo alzamiento, pero que él se dedicaría a la literatura. Fue esa exclusión de los republicanos del planeamiento de la revolución la que los hizo deudores de Paúl y Angulo, un señorito fanfarrón y jactancioso de Jerez quien, aunque no tenía filiación política alguna, ofreció sus servicios a Prim para preparar el terreno en Andalucía, donde los agentes de Prim habían demostrado que no eran dignos de confianza. Pero después de la revolución, Paúl, frustrado en sus esperanzas, se volvió contra Prim y se hizo violento republicano. Sólo por su actuación podían proclamar los republicanos haber cooperado activamente en la revolución[9].

Lo cierto es que hubo intervención demócrata en la revolución gracias a la participación de los republicanos andaluces.

---

[7] Estudio esta fuente con más detalle en el cap. 7.
[8] C. A. M. HENNESSY, *La República federal en España. Pi y Margall y el movimiento republicano federal (1864-1874)*. Madrid, Aguilar, 1966, p. 65.
[9] NATALIO RIVAS, *Anecdotario III*, Madrid, 1945, p. 213 y ss.

En el último libro de *Baza de espadas*, Valle-Inclán narra —siguiendo a Paúl y Angulo— cómo los unionistas se negaron a iniciar el levantamiento del 9 de agosto por temor a que progresistas y demócratas coparan el movimiento al no estar presentes los generales desterrados en Canarias. Temían que Prim se les adelantara, hecho que efectivamente sucedió el 17 de setiembre, gracias a la colaboración de los demócratas, tal como narra Valle-Inclán en sus artículos de *Ahora* [10].

2. LA REELABORACIÓN NOVELESCA

Valle-Inclán elige para título del primer libro de *Baza de espadas* la frase: «¿Qué pasa en Cádiz?», que se hizo popular en toda España con motivo de la revolución del 68 [11]: la primera proclama revolucionaria se firmó el 19 de setiembre, pero hasta el 30 los periódicos de Madrid no anunciaron el triunfo de la revolución. Es fácil suponer que en todo este período la frase, aparentemente inocente, sería repetida humorísticamente de boca en boca.

Valle-Inclán la utiliza como título de un libro que transcurre en Madrid, en casa del banquero Salamanca, y considera que es la pregunta de los «círculos bursáticos», preocupados por la baja de valores ocasionada por la situación revolucionaria, y agrega que, en las bocas populares, la pregunta se hacía «timo chulesco». La pregunta se refiere también a la prisión de los generales en Cádiz; éstos iban a ser trasladados a Canarias, pero se esperaba hacer innecesario el traslado adelantando la revolución, como se narra en el libro segundo, *La venta de los enanos*.

[10] «Sugerencias de un libro (Amadeo de Saboya)», *Ahora*, 19 y 26 de julio de 1935.
[11] V. JUAN ANTONIO CABEZAS, «*Clarín*», *el provinciano universal*, Madrid, Espasa-Calpe, 1962, p. 41; también JOSÉ MARÍA IRIBARREN, *El porqué de los dichos*, Madrid, Aguilar, 1974 página 276.

La reunión en casa de Salamanca se hizo para propiciar un cambio que impidiera la revolución. Este cambio, aconsejado por la reina madre María Cristina —según repite Valle-Inclán en su artículo de *Ahora* del 19 de julio de 1935— consistía en destituir a González Bravo y nombrar un ministerio Cánovas-San Luis:

> La reina madre —ya puesta anteriormente de acuerdo con el general Prim— encarecía la urgencia de un ministerio Cánovas - San Luis.

En este libro Valle-Inclán no explicita las razones por las cuales Cánovas se niega a participar en el ministerio, pero lo hace en el artículo que estamos citando:

> Cánovas exige el previo extrañamiento de la corte de don Carlos Marfori, intendente de Palacio; del apuesto don Miguel Tenorio, secretario de su católica majestad; del pollo Meneses, favorito del augusto consorte; de la seráfica sor Patrocinio y del bendito padre Claret, confesor de la reina.

Valle-Inclán enlaza estos hechos políticos con el final de la intriga novelesca que tiene como protagonistas a la reina y a Adolfito Bonifaz. El «pollo real» es despedido del real servicio por sus disidencias con el «Gran Camarillón Ecuménico» [12] y recompensado con un cargo en Ultramar [13].

Otra intriga novelesca que se continúa de alguna manera en este capítulo es la que protagonizan Bradomín y Feliche, ya que Adolfito, para ocultar las verdaderas razones de su regreso a Madrid, le dice a Asmodeo que ha vuelto por razones de familia y

---

[12] La expresión está en Galdós y debió de ser popular: «Por encima de la Camarilla de la Reina está el *Supremo Camarillón Ecuménico*, que funciona en el cuarto del Rey» (*La de los tristes destinos*, cap. III).

[13] En *Farsa y licencia de la reina castiza* el amante rechazado que vende cartas comprometedoras (como Adolfito en III, 5, xv) es gratificado con el cargo de arzobispo de Manila.

le hace lanzar la falsa noticia de la boda de su hermana (capitulillo VI).

En este libro, Cánovas, retratado esperpénticamente —«la expresión perruna y dogmática», «de una fealdad menestral, con canas y patas de gallo»— expone el programa que pondrá en práctica años después, durante la Restauración:

> ... la indisciplina de los cuarteles solamente puede representar la subversión de todas las normas constitucionales que aseguran el turno pacífico de las diferentes comuniones políticas y la controversia doctrinal que presupone el Régimen Parlamentario (III, 1, IX).

Es significativo que en esta reunión aparezcan el conde de San Luis y Alejandro de Castro, dos personajes a los que Valle-Inclán nombra juntos en su artículo de *Ahora*, del 18 de junio de 1935, para señalarlos como favorables a la abdicación de la reina en el príncipe de Asturias, intriga a la que, según Valle-Inclán, no era ajeno Prim.

De hecho ¿*Qué pasa en Cádiz?* muestra el fracaso de toda tentativa de conciliación intentada por la disidencia moderada y la marcha irreversible hacia la revolución.

En el libro segundo, *La venta de los enanos* (juego de palabras sobre «el enano de la venta»), Valle presenta a los generales unionistas, prisioneros en el fuerte de Santa Catalina. Mientras esperan ser deportados a Canarias, los conjurados discuten la posibilidad de iniciar el movimiento revolucionario antes de que se embarquen los veteranos. Cada uno de los personajes presentados por Valle en Cádiz representa una idea diferente:

— El general Dulce, unionista, quiere adelantar la revolución por temor de que Prim les gane de mano: «Si nosotros no hacemos la revolución la hará el Pueblo» (capitulillo III).

— Serrano no demuestra tener prisa alguna por iniciar el movimiento: «Con esta gente, ni a la gloria. Pasaríamos a ser prisioneros de las masas. Si Cantabria no inicia el movimiento, quédense las cosas como están... Ya volveremos del destierro» (capitulillo III).

— Topete, jefe de la escuadra surta en Cádiz, evidentemente no quiere iniciar el movimiento, e incluso pone sobre aviso al gobernador civil sobre las actividades de los revolucionarios.

— López de Ayala, al que los militares confieren poder para tratar con los demócratas, es fanático de Montpensier y fiel a la palabra empeñada (capitulillo VIII).

— Vallín lleva a Cádiz la opinión del duque de Montpensier sobre la «conveniencia de precipitar el movimiento y hacerlo sin el conde de Reus» (capitulillo v).

— El coronel Merelo propone a los militares unionistas sublevar al pueblo para oponerse a su embarque para Canarias, pero éstos no quieren «comprometerse en la aventura de un motín demagógico». Merelo era un «furibundo republicano» que andaba disfrazado por Cádiz, dice Valle en su artículo del 26 de julio de 1935 en *Ahora* [14].

_____

[14] Valle-Inclán sigue, tanto en los artículos de *Ahora* como en II, 2, III, el relato de Paúl y Angulo: «hallándome yo a la sazón enfermo, y el coronel Merelo imposibilitado de salir de sus escondites a causa de la terrible persecución de que era objeto, hubo éste de escribir a los generales presos en el castillo de Santa Catalina un carta, *quizá demasiado ingenua*, detallando el estado de nuestros trabajos revolucionarios. En ella se aseguraba que *el pueblo de toda la provincia estaba perfectamente dispuesto a la Revolución;* que el estado del regimiento de Cantabria era muy dudoso; y por último, que contábamos con la artillería. Además, la carta llevaba la firma de Merelo, lo cual no era buena recomendación, ni mucho menos, para los ilustres desterrados, que nada pudieron o nada quisieron hacer, dejándose llevar tranquilamente al destierro.» *(Memorias íntimas...,* pp. 25-26.) V. p. 206 de este libro.

— Paúl y Angulo, de acuerdo con Merelo, cree tener la fuerza necesaria para levantar, con los demócratas gaditanos, al pueblo y al regimiento de Cantabria.

— El regimiento de Cantabria tenía oficiales y sargentos comprometidos en la sublevación. Valle dice en el artículo citado arriba que este cuerpo estaba formado por infantes «salidos del estado llano».

Entre los que quieren lanzarse a la revolución y los que quieren retrasarla está el juego doble del contraalmirante Topete, que en realidad no es revolucionario, y hace que los generales sean embarcados hacia Canarias. El título del libro, *La venta de los enanos*, alude a la traición de la marina: «Afortunadamente los marinos juegan con dos barajas y han puesto sobre aviso al Gobernador Militar» (capitulillo VIII).

El tercer libro, *Alta mar*, es el más largo de *Baza de espadas*. Adivinamos la delectación de Valle por los personajes que viajan desde Gibraltar hacia Inglaterra en el vapor *Omega*: nada menos que Bakunin y su discípulo Boy, Fermín Salvochea, Paúl y Angulo, Nicolás Estévanez..., y, junto a estas grandes figuras revolucionarias, personajes pintorescos como la Sofi, su amante y la hija de Larra, con sus dramas pasionales. Un tinglado perfecto y verosímil aunque los datos históricos no sean precisos. Bakunin no pudo haber realizado el viaje en el *Omega*: en el verano de ese año estaba en Suiza preparando el Segundo Congreso de la Liga de la Paz y la Libertad. Nunca estuvo en España, por otra parte. En cuanto a «Boy», cuyo verdadero nombre era Sergei Nechaev, Bakunin lo conoció en la primavera de 1869, en Ginebra.

La caracterización de Bakunin es completamente ambigua. Valle insiste en su inocencia de niño grande:

> A la sombra del foque, un gigante barbudo, impre-
> cador, enorme la boca desdentada, los ojos azules
> arrebatados de alocada inocencia, reunía un grupo
> de franceses e italianos: Hablaba gesticulante,
> con grandes ademanes (capitulillo II).

Como cree que la propiedad privada no debería existir, reparte el dinero del fondo colectivo y luego
acepta con naturalidad las ofertas de los demás, tanto en el caso del tabaco de Indalecio («vaya un tío
frescales», piensa Indalecio, capitulillo XIV) como con
el dinero y el pasaje en primera clase que le ofrece
Paúl y Angulo.

Salvochea, en cambio, tiene escrúpulos que «son
orgullo de burgués» (capitulillo XIV) para Bakunin.
La figura de Salvochea se presenta más pura, pero
también excesivamente afeminada, y con los mismos
escrúpulos —u orgullo de revolucionario burgués—
que le hacen desechar la libertad que su familia le
consiguió por influencias, mucho después de la acción
de la novela, cuando estuvo preso en África (fue
durante ese presidio en África cuando se hizo anarquista).

Es verdad que en 1868 Salvochea sólo tenía veintiséis años, y quizá por su juventud podemos justificar sus «vagos sueños de revolucionario», su «tími-
da expresión», sus «manos pulidas». Valle lo retrata
contraponiéndolo con Boy:

> El marinero permanecía silencioso, cohibido por
> aquel sentimiento de repulsión que surgía en su
> alma y al cual se entregaba pasivamente, con un
> oscuro disgusto de sí mismo. No era hombre de
> rencores, y hubiera querido mostrarse amistoso;
> pero incapaz de simulaciones, sentía los ojos co-
> bardes, irresolutos (capitulillo VIII).

Este retrato coincide poco con el que dejó Anselmo
Lorenzo en *El proletariado militante*:

> ...conocí a Salvochea, que se presentó a mi con-
> sideración con los prestigios del heroísmo y de las

virtudes revolucionarias, aumentado desde entonces hasta el día con los del sufrimiento y a la
constancia [15].

Antes de la revolución de 1868 Salvochea no era
anarquista; esta ideología entró en España después
del triunfo de la Gloriosa. Iris Zavala afirma que
«El Fermín Salvochea descrito por Valle es el anarquista influido por Kropotkin, a quien traduce entre
1900 y 1901. En 1868 el andaluz era republicano federal y nunca conoció a Bakunin» [16].

Arsenio Petrovich Gleboff, aquel mozalbete des-
medrado, de ojos brillantes, de ademanes bruscos,
tenía el alma envenenada y heroica. Maníaco de la
destrucción universal, era de una singular rigidez
de costumbres, cruel para sí mismo y para los
demás: Intrigante por doctrina, díscolo por temperamento, capaz de soportar las mayores privaciones, de mantenerse con un mendrugo y de dormir sobre una piedra, de una sequedad calvinista,
de un renunciamiento absoluto, amaba y odiaba al
Maestro (capitulillo VIII) [17].

En el relato de Bakunin, Boy y Salvochea, Valle-
Inclán vuelve a formas de expresión y de contenido
similares a las de *La guerra carlista*. Estas figuras
rudas y revolucionarias, inocentes pero crueles, de
un heroísmo primitivo, capaces de grandezas y miserias son, de alguna manera, una regresión a los
viejos tópicos decadentistas tan cotizados a principios de siglo. Véase, por ejemplo, otra caracterización de Salvochea: «pasó por el mundo austero y
candoroso, como los pescadores que escucharon la

[15] ANSELMO LORENZO, *El proletariado militante. Memoria
de un internacional*, Madrid, Zero, 1974, p. 231.
[16] IRIS M. ZAVALA, *Historia y literatura...*, p. 449, nota 28.
[17] La larga caracterización de Boy que hace Bakunin en el
capitulillo XI no es inventada por Valle-Inclán. Fiel a su
costumbre de «insertar documentos», el autor extracta una
carta del líder anarquista dirigida a Talandier. V. pp. 183
y ss. de este libro.

sagrada palabra, a la sombra roja de las velas, en el lago Tiberíades» (capitulillo xv), en la que se acerca, tanto en el fondo como en la forma, a modos expresivos de su primera época.

En cambio el retrato de Paúl y Angulo es más realista y más ajustado al que nos ha dejado la historia. Paúl y Angulo era un andaluz disparatado, capaz de amores y odios violentos. Valle-Inclán ha captado muy bien su fervorosa adhesión a Prim en la época en que el andaluz lo conoció en Londres, y dedica mucho espacio a las razones de su desilusión en los artículos de *Ahora.*

Otro pasajero es Nicolás Estévanez, una de las figuras más puras del republicanismo federal; sus *Memorias* han sido utilizadas como fuente tanto por Pérez Galdós como por Valle-Inclán [18].

Estévanez, Paúl y Angulo y Salvochea, reunidos como por casualidad en este viaje, seguramente iban a ser protagonistas de algunos capitulillos de la segunda serie de *El ruedo ibérico,* cuando Valle-Inclán narrara la sublevación federal de 1869. En estas luchas participaron Paúl y Angulo y Salvochea, quienes organizaron el levantamiento en Jerez y en Arcos; Rafael Guillén (que aparece junto a ellos en *Albures gaditanos*) tomó el mando de la partida y fue muerto en combate; Estévanez intentó levantar Béjar pero fue detenido.

También tenemos en este fantástico viaje del *Omega* a cuatro personajes que viajan para asesinar a Prim; son pintorescos —como Sofía Aranguren e Indalecio Meruéndano— o siniestros —como Teodolindo Soto y el Pollo de los Brillantes. El Pollo de los Brillantes había aparecido como amigo de Adolfo Bonifaz en *La corte de los milagros,* por lo que seguramente Valle-Inclán iba a referirse más adelante al atentado contra Prim. Estos personajes reaparecen en *El trueno dorado* [19].

---

[18] V. pp. 186 y ss. de este libro.
[19] V. pp. 244 y ss. de este libro.

A la intriga histórica, Valle-Inclán agrega la intriga novelesca del enamoramiento de Sofía por Salvochea y las ridículas derivaciones de los fingidos celos de Indalecio.

Es curioso que Valle-Inclán agregara la desopilante figura de Baldomera Larra, en diálogo evidente con los *Episodios Nacionales*. En *Amadeo I* Galdós había dedicado mucho espacio a las actividades erótico-políticas de la otra hija de Larra, Adela, y también alguna referencia a las actividades financieras de Baldomera, en *Cánovas*. En *Alta mar* (capitulillo xxx) se dice que es «un Salamanca con faldas» y se alude a su versatilidad política, por lo que quizás Valle-Inclán le iba a conceder más espacio y actuación una vez avanzada la novela. También podemos hacer conjeturas sobre las razones de su viaje a Inglaterra, ya que Baldomera era pariente de Francisco de Paula Montemar, conspirador amigo de Prim. Presumiblemente Baldomera iba a actuar como enlace entre el caudillo y Montemar.

En el libro cuarto, *Tratos púnicos*, Valle-Inclán se refiere a los «tratos de mala fe» que sostuvo Prim con todos los revolucionarios españoles, cualquiera fuese su ideología.

Después del viaje en el *Omega* los revolucionarios van a entrevistar a Prim en su casa de Paddington. Uno a uno van desfilando en sus conversaciones con el caudillo y en cada actuación éste descubre una parte de sus pensamientos; por otro lado, el narrador se ocupa de presentar todos sus aspectos negativos en el capitulillo x. Prim es el antihéroe de todo el libro: es oportunista, ambicioso, cobarde, traidor. Hace pactos con María Cristina, quien busca —con los disidentes moderados— la abdicación en el príncipe Alfonso. Esta solución no conviene del todo a Prim:

> Solicitado por la conjura alfonsina, fluctuaba en medias palabras, encapotado con la suspicacia de

verse pospuesto si la minoría del Príncipe de Asturias aparejaba la política personal de un regente. ¿Acaso el naranjero de San Telmo? ¿Acaso, por segunda vez, el tresillista de Logroño. España no escarmentaba (capitulillo x).

Al mismo tiempo «persistía en los propósitos de una alianza con el Pretendiente», alianza que según Valle-Inclán, Prim buscaba sinceramente:

> Autoritario, imbuido del fuero marcial, poco afecto a las utopías democráticas, cautelaba que la revolución española fuese monárquica, y como presumía el desafecto nacional por las candidaturas extranjeras, ocultas voces de su instinto le aconsejaban pactar con la causa de Don Carlos (capitulillo x).

Mientras lograba el fin de sus propósitos, «mentía promesas a las ilusionadas democracias», a las que, aunque Valle-Inclán no lo explicita, utiliza para no atarse demasiado a las derechas.

En el capitulillo II asistimos a la presentación de Nicolás Estévanez, a quien Prim demuestra recordar con toda fidelidad por su actuación en la guerra de Africa [20].

El capitulillo III presenta a Prim en la compañía de Paúl y Angulo y La Rosa, representantes de la Junta Republicana de Cádiz. Valle-Inclán hace su retrato fiel —el color verde de la tez de Prim, debido a su enfermedad hepática, los tacones altos para aumentar su estatura— y no desperdicia oportunidad para señalar la falsedad de su aspecto exterior: «cosméticas la barba y la guedeja», «botas de charol con falsos tacones».

En el diálogo con los republicanos, referido principalmente al frustrado levantamiento de Cádiz que se narra en el libro segundo y a la táctica que piensan seguir en el futuro, Valle-Inclán utiliza la narra-

[20] V. nota 18.

ción de *Memorias íntimas de un pronunciamiento* de Paúl y Angulo [21].

Los capitulillos IV a IX están dedicados a exponer las tratativas de los progresistas con el pretendiente carlista. El diálogo que sostienen Prim y Sagasta en el capitulillo IV evidencia que Sagasta no comparte la opinión de Prim en cuanto a la posibilidad de que Carlos se convierta en un rey democrático. En el fondo, lo mismo piensa Cabrera y de ahí que en la entrevista del capitulillo VI se posterguen las tratativas, ya que ni Cabrera ni Sagasta —cada uno por distintas razones— confía en don Carlos. En la exposición de estos capítulos Valle-Inclán siguió la versión de Emilio Arjona en su libro *Carlos VII y la cuestión Cabrera* [22].

El capitulillo X, que ya hemos citado varias veces, es anómalo dentro de la trilogía, ya que no hay otro ejemplo en el que el narrador exponga tan largamente la ideología de un personaje y su opinión sobre él. Evidentemente, al acercarse la revolución, Prim tenía que pasar a primer plano. Valle-Inclán decidió tratar al mismo tiempo sus sucesivas «traiciones» y el tema de su asesinato, originado, claro está, en una de estas traiciones. Así, cuando en el último capitulillo del libro, el XIII, Paúl y Angulo dice: «¡Don Juan está condenado a muerte por esos hijos de mala madre! [...] ¡Don Juan no verá la revolución!», La Rosa le contesta: «¡Porque no querrá hacerla! Algunas veces me parece que está representando una farsa. ¡Que hubo negociaciones con los carlistas es notorio, y todavía no sé si están rotas! ¡Juega con muchas cartas! Probablemente tampoco serán cuento los compromisos que le cuelgan con la Reina Madre.»

El libro quinto, *Albures gaditanos*, lleva otra vez la acción a Cádiz, donde se proyecta comenzar la revolución el 9 de agosto, pero la gestión fracasa, nue-

[21] V. nota 14.
[22] V. p. 191 de este libro.

vamente, por culpa de los militares: «Los Señores Topete y el General Primo de Rivera, reunidos con otros revolucionarios en la morada del marino Señor Pastor, manifestaron la imposibilidad de dar el golpe con los elementos hasta entonces hacinados» —cuenta Bermejo en *La estafeta de Palacio* (III, p. 816). Valle-Inclán pone en esta reunión a Topete, López de Ayala, Fernández Vallín, Paúl y Angulo, La Rosa, Carrasco, Guillén, Salvochea; en cambio, está deliberadamente ausente Primo de Rivera, quien procura, de acuerdo con Topete, postergar el alzamiento.

Paúl y Angulo ha explicado patéticamente, en su folleto *Memorias íntimas de un pronunciamiento*, los apuros de los patriotas que habían acudido a Cádiz con pretexto de una corrida de toros y luego, a la hora de recogerse, debían esperar por las calles el pronunciamiento que no se produjo.

Estos «patriotas», sin embargo, no cuentan con la simpatía de Valle-Inclán:

> Patriotas de pelo en pecho, contrabandistas y ternes de almadraba, matantes de burdel y de colmado, jaques de playa y cumplidos de la trena, tomaban sobre su conciencia mantener el orden dando mulé a las señoras autoridades. Apóstoles de la España con Jonra, encarecían el vino en las tabernas, jurando amenazas al Trono de la Isabelona (capitulillo II)

aunque sigue en todos los otros pormenores el folleto de Paúl y Angulo, y da una buena versión de las actitudes del revolucionario.

Más adelante hay una figura pintoresca: el infaltable militar de las colonias —el coronel Fajarnés—, casado con la cubana salerosa que conocimos en el libro tercero de *Viva mi dueño*. Este capitulillo V se enlaza con aquel libro porque vuelve a aparecer en casa de los Fajarnés el Gran Pompeyo y la coronela le pregunta por Vallín; se vuelve a hablar de la cotorra y de la conocida canción «Boga, boga, batelera...»

Tanto en la historia como en la novela, Paúl y Angulo se empeña en conseguir que Prim llegue antes que los generales unionistas a Cádiz. Por eso le envía un telegrama con la noticia del pronunciamiento que juzgaba inminente. Veamos la versión novelesca:

> Llega el Capitán Hidalgo, condenado a muerte por pasadas trifulcas, y ofrece un telegrama a Don Juan:
> —Pleito para sentencia. Es la clave convenida con Paúl.
> El General permaneció encapotado:
> —¡No me es posible volar a Cádiz! (capitulillo VII)

Y la versión de Paúl y Angulo:

> ... es muy cierto que contra el deseo y la *condición impuesta* por algunos de que al general Prim no había de avisársele, me apresuré yo a hacerlo por medio del telégrafo... [23]

Según Valle-Inclán, Prim, que se hallaba en Vichy «atendiendo su ataque hepático» —cosa que hacía todos los años, según su biógrafo Olivar Bertrand [24]— no quiso acudir al reclamo de los revolucionarios: «Jamás arriesgaré el triunfo de nuestros ideales en una aventura romántica» (capitulillo VII).

Por fin el levantamiento se aplaza hasta que pudieran volver a Cádiz todos los «ilustres desterrados».

[23] PAÚL Y ANGULO, *Memorias íntimas...*, p. 39.
[24] OLIVAR BERTRAND, *El caballero Prim*, Barcelona, Miracle, 1952.

CAPÍTULO 7

UTILIZACIÓN DE FUENTES
EN *EL RUEDO IBÉRICO*

INCRUSTACIÓN DE DISCURSOS

Uno de los recursos de que se vale la novela histórica consiste en incluir en el discurso narrativo otros discursos de diversa procedencia: libros de historia, memorias, cartas, periódicos, etc.; luego el autor introduce o no modificaciones en estos documentos con objeto de acomodarlos a su universo novelesco. Valle-Inclán se refiere a este procedimiento en una entrevista publicada en *ABC* el 3 de agosto de 1930:

> En esta clase de obras históricas la dificultad mayor consiste en incrustar documentos y episodios de la época. Cuando el relato me da naturalmente ocasión de incrustar una frase, unos versos, una copla, un escrito de la época de la acción, me convenzo de que todo va bien. Pero si no existe esa oportunidad no hay duda de que va mal. Eso puede ocurrir en toda obra literaria. Cuando escribía yo la *Sonata de primavera,* cuya acción pasa en Italia, incrusté un episodio romano de Casanova para convencerme de que mi obra estaba bien ambientada e iba por buen camino. El episodio se acomodaba perfectamente a mi narración. Shakespeare puso en boca de Coriolano discursos y sentencias tomados de los historiadores de la antigüedad; su tragedia es admirable porque, lejos de

rechazar esos textos, los exige. Ponga usted en cualquiera de esas obras históricas de teatro que se estrenan ahora, palabras, discursos y documentos de la época, y verá usted cómo les sientan... [1]

Discurso del rey Francisco

El primer «documento de la época» que vamos a considerar está insertado en el capitulillo XIII del último libro de *La corte de los milagros*. Se trata de un discurso que el rey consorte de Isabel II dirige, en la novela, a González Bravo —flamante presidente del Consejo de Ministros tras la muerte de Narváez. Cuando González Bravo, cumpliendo deberes de etiqueta, va a visitar al rey don Francisco, escucha asombrado lo siguiente:

> Me alegro que seas tú quien recoja la herencia del pobre Narváez. Yo estoy muy contento porque conozco tu lealtad y sé que siempre has querido mucho a Isabelita. Mi Persona también ha recibido de ti señaladas muestras de afecto... Además, no soy rencoroso... Si lo fuese, es posible que en estos momentos tuviese de ti alguna queja muy grande: Me la reservo y no quiero reconvenirte... Se ha omitido consultarme para la provisión de cargos en Palacio. Se ha querido, sin duda, con esa actitud, ultrajar mi dignidad de esposo, mayormente cuando mis exigencias no son exageradas. Que Isabelita no me ame es muy explicable... Yo la disculpo, porque nuestro enlace no dimanó del afecto y ha sido parto de la razón de Estado. Yo soy tanto más tolerante cuanto que yo tampoco he podido tenerla cariño. Nunca he repugnado entrar en la

---

[1] Según dice FERNÁNDEZ ALMAGRO en su *Vida y literatura de Valle-Inclán* (Madrid, 1943), el autor expresó conceptos semejantes en 1922, en un banquete celebrado en Fornos para agasajarlo. Entonces se decidió a contestar a la acusación de plagio que le había lanzado Julio Casares muchos años antes: «Si aproveché unas páginas de las *Memorias* del caballero Casanova en mi *Sonata de primavera* fue para poner a prueba el ambiente de mi obra. Porque de no haber conseguido esto, la interpretación desentonaría terriblemente...» (p. 220).

senda del disimulo, y siempre actué propicio a sostener las apariencias para evitar un desagradable rompimiento... Pero Isabelita, o más ingenua o más vehemente, no ha podido cumplir con este deber hipócrita, con este sacrificio que exigía el bien de la Nación. Yo me casé porque debía casarme... Porque el oficio de Rey lisonjea... Yo entraba ganando en la partida y no debí tirar por la ventana la fortuna con que la ocasión me brindaba, y acepté con el propósito de ser tolerante para que lo fueran igualmente conmigo. ¿Y qué consideración se me guarda? No hablo sólo por mí. Esos nombramientos van a escandalizar en la Nación. ¡La Nación no puede tolerar dignamente el espectáculo y el escarnio que se hace del tálamo! ¡Godoy ha guardado siempre las mayores deferencias a mi abuelo Carlos IV! En ningún momento ha olvidado que era un vasallo. ¡Cierto que son otros los tiempos! Pero el respeto a las jerarquías debe ser una norma inquebrantable. Es la clave del principio monárquico. Mi abuela María Luisa no sé lo que haya tenido con Godoy. ¡Allá su conciencia! Lo que todos sabemos es el profundo respeto y amor que siempre mostró a su Soberano el Príncipe de la Paz. Pero mi situación es muy otra, y con ser tan bondadoso el abuelo dudo que la hubiera soportado. La reina, con su conducta, se hace imposible a mi dignidad y a la del pueblo español.

Ahora bien, lo asombroso es que Valle-Inclán utiliza en esta ocasión un discurso que —según los historiadores— el rey había pronunciado muchos años antes en circunstancias muy diferentes. Después de su casamiento, Isabel II y Francisco vivieron separados, con gran escándalo de la corte, porque la reyerta real se hizo pública y provocó varias crisis de gabinete. El rey dicidió vivir en El Pardo mientras Isabel estaba en La Granja o Aranjuez. El escándalo trascendió y Francisco puso condiciones para el reencuentro, que se produjo, por fin, el 13 de octubre de 1847, después de muchas idas y venidas de mensajeros [2]. El más importante de ellos fue el entonces

[2] V. pp. 369 y ss.

ministro de la Gobernación, Benavides, quien mantuvo una entrevista con el rey, que Ildefonso Antonio Bermejo narra de esta manera en *La estafeta de Palacio*:

Entrados en diálogos confidenciales, el Rey no tuvo empacho en manifestar sus sentimientos. Pero aquí conviene saber en qué forma se expresaron los interlocutores. Hablaba Benavides en esta sustancia: «Esta separación no puede prolongarse, porque ni favorece a la Reina, ni favorece a V. M.» —«Lo comprendo, respondía D. Francisco; pero se ha querido ultrajar mi dignidad de marido, mayormente cuando mis exigencias no son exageradas. Yo sé que Isabelita no me ama, y yo la disculpo, porque nuestro enlace ha sido hijo de la razón de Estado, y no de la inclinación; y soy tanto más tolerante en este sentido, cuanto que yo tampoco he podido tenerla cariño. Yo no he repugnado entrar en el camino del disimulo; siempre me he manifestado propicio a sostener las apariencias para evitar este desagradable rompimiento; pero Isabelita, o más ingenua o más vehemente, no ha podido cumplir con este deber hipócrita, sacrificio que exigía el bien de la Nación. Yo me casé porque debía casarme, porque el oficio de Rey lisonjea; yo entraba ganando en la partida, y no debí tirar por la ventana la fortuna con que la ocasión me brindaba, y entré con el propósito de ser tolerante, para que lo fueran igualmente conmigo; para mí no habría sido nunca enojosa la presencia de un privado.» En eso le interrumpió Benavides para decirle: «Permítame V. M. que observe una cosa: lo que acaba de afirmar relativamente a la tolerancia de un valido, está en contradicción manifiesta con vuestra conducta de hoy, porque según veo, la privanza del general Serrano, es lo que más le retrae para entrar en el buen concierto que solicitamos.» Entonces el Rey, con singular entereza, respondió: «No lo niego; ese es el obstáculo principal que me ataja para llegar a la avenencia con Isabelita. Despídase al favorito, y vendrá seguidamente la reconciliación, ya que mi esposa la desea. Yo habría tolerado a Serrano; nada exigiría si no hubiese agraviado mi persona; pero me ha maltratado con calificativos indignos, me ha faltado el respeto, no ha tenido para mí las debidas consideraciones, y por lo tanto le aborrezco. Es un pequeño Godoy, que no ha sabido conducirse, porque aquél, al menos, para obtener la privanza de mi abuelo, enamoró primero a Carlos IV.» Escuchaba el ministro de la Gobernación y quedaba estupefacto. Conociólo D. Francisco, y quiso corregirse, y añadió: «El bien de quince millones de habitantes exige estos y otros sacrificios. Yo no he nacido para Isabelita ni Isabelita para mí, pero es necesario que los pueblos entiendan lo contrario. Yo seré tolerante, pero desaparezca la influencia de Serrano, y yo aceptaré la concordia» [3].

Al comparar los textos vemos que Valle-Inclán ha repetido frases enteras del presunto discurso del rey, tal como la trae Bermejo. Pero si bien *La estafeta de Palacio* es una de las obras más utilizadas por Valle —ya lo señaló Fernández Almagro— en este caso lo importante no es descubrir la fuente, ya que estas palabras del rey figuran en casi todas las historias del siglo XIX [4], sino ver cómo el autor ha utilizado un texto «de época».

Es evidente que Valle-Inclán retuvo el singular discurso y decidió utilizarlo en un momento oportuno de su novela: la visita protocolar de González Bravo tras el cambio de gobierno. Colocado casi al final de *La corte de los milagros* —y en un final climático— el texto adquiere más relevancia, y se utiliza, dentro de la economía novelesca, para redondear la figura del desgraciado rey. Valle tuvo que suprimir las referencias a la privanza del general Serrano, pero dejó el término de comparación —la conducta de Godoy con Carlos IV— e introdujo modificaciones *dignifi-*

---

[3] ILDEFONSO ANTONIO BERMEJO, *La estafeta...*, t. III, pp. 786-7.
[4] MIGUEL MORAYTA, en su *Historia general de España*, reproduce la entrevista y aclara que sigue la «sabrosa narración del monárquico conservador Bermejo» (ed. de 1896, t. VII, páginas 1198-9). Pirala también la reproduce y se excusa diciendo que lo hace porque ya ha sido publicada y ha tenido tan amplia difusión.

cando el discurso del rey, que en Bermejo suena más chabacano y ridículo. Quizás Valle pensó que sus lectores no encontrarían verosímil la frase que tanto entusiasmó a los historiadores: «Godoy [...] para obtener la privanza de mi abuela, enamoró primero a Carlos IV». Éste es uno de los casos en que Valle-Inclán no ha deformado grotescamente la realidad, como podría esperarse en un esperpento, sino que ha seleccionado estéticamente, para no caer en el panfleto.

González Bravo y la revolución

Veamos otro ejemplo de incrustación de un documento de época que figura también en *La estafeta de Palacio* y en varias historias del siglo XIX [7].

Según Bermejo (III, p. 795), González Bravo decía a sus amigos cuando estuvo seguro de suceder a Narváez:

> A la tercera va la vencida. Ni Bravo Murillo ni el conde de San Luis lograron sobreponerse al elemento militar. Yo haré ver que también puede en España ejercer la dictadura un paisano.

Valle-Inclán coloca en boca de González Bravo palabras casi idénticas a éstas en dos ocasiones. La primera en el capitulillo II del libro décimo de *La corte de los milagros*, cuando «Los Señores Ministros, abrazados a las carteras, esperaban en la Real Antecámara» la celebración de un Consejo con la reina, tras la muerte de Narváez. Mientras esperan, conversan sobre alarmantes noticias de un complot para derribar el trono, anunciado por las embajadas extranjeras. González Bravo, al oírlos, dice:

> —Ni Sartorius ni Bravo Murillo lograron sobreponerse al elemento militar. A la tercera va la vencida, y espero mostrar que puede un hombre civil ejercer la dictadura.

---

[5] Por ejemplo, en PI Y MARGALL, t. IV, p. 398.

La segunda ocasión en que González Bravo repite en las novelas estas palabras que le atribuye Bermejo, es en el capitulillo v del libro cuarto de *Viva mi dueño*. El escenario cambia, estamos en el pasillo de las Cortes el día de su clausura. Tras la sesión

> Diserta el Señor Presidente del Consejo en la rueda de ilustres compadres:
> —¡Ya lo sé, caballeros! Bravo Murillo y San Luis intentaron, sin conseguirlo, sobreponerse al elemento militar. ¡Caballeros, a la tercera va la vencida, y espero demostrar que puede un hombre civil ejercer la dictadura en España!

Valle-Inclán puede haber reincidido en la incrustación de un mismo discurso, para poner en evidencia una idea que se repite a lo largo de las novelas: la del protagonismo de los militares. No olvidemos que escribe durante la dictadura del general Primo de Rivera, por lo que la alusión a su propia época es inevitable.

Al final de este mismo capitulillo v Valle-Inclán inserta otro «documento de época» que también pudo leer en *La estafeta de Palacio*[6]

Se trata de una carta que González Bravo escribe a un amigo desde Lequeitio, donde había ido acompañando a la corte en el verano de 1868:

> Se dice que van a entrar emigrados por la frontera de Francia. No me impresiona esto. Hasta me alegraría de ello. La lucha pequeña y de policía me fastidia. Venga algo gordo que haga latir la bilis, con tal que no venga por provocación ni por

---

[6] La repiten, entre otros, VILLALBA HERVÁS, *Recuerdos*..., p. 302, y TAXONERA, *González Bravo*..., p. 232. GARCÍA DE LA TORRE (*Análisis temático*..., pp. 347 y ss.) establece una relación entre algunos de estos discursos y el libro de Villalba Hervás, sin deslindar la dependencia de este escritor respecto de Bermejo y de otros historiadores del siglo XIX.

negligencia de mi parte. Entonces tiraremos resueltamente del puñal y nos agarraremos de cerca y a
muerte. Entonces respiraré ancho, no que ahora
todo se vuelven traguitos. Escríbame usted, Su Majestad se obstina en que Cheste permanezca en
Madrid. Dígale usted que nadie, ni él mismo, hubiera abogado en su obsequio como yo lo he hecho.
La Reina hubiera querido ceder. Pero N., aquí es un
fantasma que la molesta. *Sic fata voluere*. Adiós
mi querido... Esta familia se acuerda de usted con
cariño, pero nadie como su buen amigo, L. G. Bravo.

En *Viva mi dueño* Valle-Inclán inserta parte de la
carta —con modificaciones de estilo— al final de un
pequeño discurso que González Bravo pronuncia
ante el mismo público, es decir, la rueda de ministros. Se refiere especialmente a los militares que no
aceptan los ascensos de Concha y Novaliches:

El Gobierno responderá llevando los decretos a
la *Gaceta*. ¡Hasta Palacio han llegado las bravatas
de algunos díscolos! ¡Es intolerable! Daremos la
batalla a esos gallos, y hasta diré que me alegra
tener una ocasión para poder humillarles la cresta.
La lucha pequeña y de encrucijada me aburre.
Venga algo gordo que haga latir la bilis, con tal
que no venga por provocación o negligencia de mi
parte. Entonces tiraremos resueltamente de navaja
y nos agarraremos de cerca y a muerte. Entonces
respiraré ancho, no que ahora todo se vuelven
intrigas de comadres (II, 4, v).

El soneto atribuido a Villergas

Aunque las tres novelas de *El ruedo ibérico* se
desarrollan en pocos meses —febrero a agosto de
1868—, Valle-Inclán alude frecuentemente a hechos
del pasado —como dijimos en el cap. 3— con lo que
da más profundidad o perspectiva a los hechos que
narra. El soneto que intercala en el capitulillo xi del
libro sexto de *Viva mi dueño* se refiere a los momentos finales de la revolución de 1854, cuando la reina

decidió llamar a Espartero con la esperanza de que el viejo dirigiente progresista arreglara la situación. Espartero —que estaba en Zaragoza— recibió la carta de Isabel el 21 de julio, y envió a su ayudante de campo, el general Allende Salazar, para que conferenciara con la reina. Salazar entregó a Isabel II una carta de Espartero donde éste decía que había previsto lo que estaba ocurriendo, que lo lamentaba, y que su enviado le expondría sus condiciones para aceptar el poder. Y aquí viene la parte pintoresca del asunto, que la *Historia* de Lafuente cuenta de la siguiente manera:

> Fue necesario, pues, oír al general Allende Salazar, quien según dicen, pronunció tan incoherente, confuso y animado discurso, que apenas entendió nadie lo que quería significar. Entonces se le suplicó al enviado que expusiese las condiciones por escrito. Las presentó, y aun así, hay quien asegura que no se entendían, si bien puede presumirse que su dureza era tal que quizás la reina y sus cortesanos afectarían no entenderlas para no darse por ofendidos, recordando la antigua sentencia de que *injuria que no ha de ser bien vengada ha de ser disimulada*. Ello es que lo más esencial que quiso decir o que dijo el enviado de Espartero fue que éste no aceptaría con confianza el poder si unas Cortes Constituyentes no se lo daban, porque la autoridad de la revolución estaba por cima de la ley fundamental vigente y la soberanía nacional era superior al trono. Lejos de no comprender estas cosas, la reina las comprendió demasiado y con las lágrimas en los ojos, dijo a Allende Salazar: «Di a Espartero que acepto íntegro su programa sin ningún género de restricción» [7].

El soneto que intercala Valle-Inclán, y que atribuye a Martínez Villergas, está escrito en defensa de Espartero, y se refiere, en el segundo cuarteto y en el primer terceto, a la embajada de Salazar:

[7] M. LAFUENTE, *Historia general de España*, Barcelona, 1890, t. XXIII, p. 191.

—¡Pueblo imbécil, no culpes a Espartero,
que no pudo hacer más por agradarte!
¡Culpa fue tuya! ¡Culpa de pararte
y no andar el camino todo entero!

¿No has visto en Zaragoza al marrullero
siete días mortales esperarte?
¿Y luego no le viste enviarte
al loco Salazar por mensajero?

¿No entró éste en palacio dando voces?
¡Llamó a Paco cabrón! ¡A Isabel, zorra!
¡A poco más, el trono viene abajo!

¿Y aún la intención del Duque no conoces?
¡Si es esto no entender, vete a la porra!
¡Si es esto no querer, vete al carajo!

El primer cuarteto está dedicado a inculpar al pueblo por haber abandonado las armas antes de triunfar y haber entregado, por lo tanto, el éxito a las
fuerzas reaccionarias. En tales circunstancias, Espartero sólo podía ceder posiciones a la monarquía; tal
es, por lo menos, la tesis del soneto, que debió de
ser conocidísimo en la época y circular manuscrito
de mano en mano. Por lo menos eso hace suponer
—aparte de la intercalación en la novela— una copia
manuscrita con fecha probable de 1854 y atribuido
—entre signos de interrogación— a Ventura de la
Vega. Jorge Urrutia defiende esta atribución [8] aunque
no parece conocer la opinión de Valle-Inclán, porque
no discute la posibilidad de que el soneto sea del
poeta satírico más importante de la época. La versión del manuscrito presenta bastantes variantes con
respecto a la versión que reproduce Valle-Inclán y
tiene a pie de página las notas que también repro-
ducimos:

[8] JORGE URRUTIA, «Sobre un presunto soneto de Ventura de
la Vega (1854). Poesía y política en el XIX», en *Tiempo de
Historia*, núm. 10, setiembre de 1975. La copia manuscrita
del soneto está en la biblioteca de Antonio Rodríguez Moñino.

AL PUEBLO DE MADRID
Soneto

Pueblo imbécil, no culpes a Espartero,
que no pudo hacer más para animarte:
tuya es la culpa, tuya, por pararte,
sin seguir el camino todo entero.

¿No viste en Zaragoza al marrullero
ocho días mortales esperarte?
¿No destacó después para azuzarte
al loco Salazar[1] por mensajero?

Este ¿no entró en Palacio dando voces,
llamó a Paco cabrón, a Isabel zorra
y el trono casi ya se vino abajo?

¿Aún la intención de Sancho[2] no conoces?
Si ha sido no entender, vete a la porra,
si ha sido no querer, vete al carajo.

Las notas dicen: *1. El general Allende Salazar, luego ministro de Marina en el ministerio Espartero-O'Donnell, 2. Sancho llamaban a Espartero, sin duda por las cosas que ha callado.*

Quizás Valle-Inclán modificó él mismo el soneto, o copió otra versión conocida.

El «código negro»

En el capitulillo XII del libro segundo de *Viva mi dueño*, Valle-Inclán decidió tocar el tema de la participación financiera de los negreros cubanos en la revolución de 1868[9]. Según testimonio de Valle-In-

---

[9] Según RAFAEL CEPERO BONILLA (*Azúcar y abolición*, Barcelona, Grijalbo, 1976, p. 122) «los oligarcas cubanos habían negado ayuda al partido progresista. Prim solicitó 500.000 pesos, pero Saco no pudo lograr que los hacendados financiaran la revolución española». Cepero explica que Saco era gestor oficioso en España, pero que, desconfiando de su gestión, los hacendados cubanos autorizaron a Manuel Calvo para «negociar que la emancipación de la esclavitud sea lo más tarde y paulatina que se pueda».

clán, Pérez Galdós manifestó en una ocasión que en *España trágica* no se atrevió a tratar el tema:

> En este episodio me hubiera gustado hablar de los negreros que financiaron la revolución... Luego Cánovas los hizo senadores vitalicios y títulos del reino... Tenía muchos datos, pero está todo tan reciente... [10].

Es posible que Valle-Inclán pensara desarrollar el tema en *Los campos de Cuba*, que hubiera sido la novena novela de *El ruedo ibérico*, de seguirse el plan original.

En II, 2, XII, Valle-Inclán nombra a los «fortunones antillanos», «todos honorables plutócratas con ingenios de caña y vegas de tabaco, plantaciones de café y esclavos de color. Algunos tenían asiento en el Senado: Otros eran grandes cruces y títulos de Castilla». No he podido identificar a todos los personajes que cita el autor en ese capitulillo, pero José Zulueta debió de ser pariente de Julián y Pedro Zulueta, ambos comerciantes de esclavos en Cuba. Aunque podría ser que Valle-Inclán no se atreviera a poner el nombre y apellido exactos de las personas más importantes de la familia, como hace al nombrar a José María Calvo, que quizás era pariente de Manuel Calvo (Pérez Galdós cita a este último en *España trágica*, capítulo XXIV).

Hay que destacar que Valle-Inclán no se refiere a los intereses de la reina madre María Cristina en Cuba, quien, aparte de tener la mejor plantación de la isla, estuvo asociada con Antonio Parejo, Manuel Pastor y José Forcade en el tráfico de esclavos [11].

---

[10] VALLE-INCLÁN, «Paúl y Angulo y los asesinos del general Prim, V», *Ahora*, 20 de setiembre de 1935.

[11] Lo afirma Betancourt Cisnero en carta a José Antonio Saco, 30 de agosto de 1848. V. JOSÉ ANTONIO FERNÁNDEZ CASTRO (ed.), *Medio siglo de historia colonial en Cuba*, p. 88; cit. por ARTHUR F. CORWIN, *Spain and the Abolition of Slavery in Cuba*. Austin, The Institute of Latin American Studies, University of Texas Press, 1967, p. 112.

En general, Valle-Inclán ha eludido el tema de los negocios de María Cristina en las tres novelas.

En 1847 Prim fue capitán general de Puerto Rico, y promulgó entonces el famoso bando que se conoce con el nombre de *código negro*, con el que logró «un momento de prosperidad no igualado» (II, 2, XII) para los negocios antillanos.

Valle-Inclán reproduce en la novela el bando completo, mejorando apenas la redacción oficial. El texto se destaca en el contexto de la novela por su sola presencia —como en un *collage*, sin comentarios de narrador— y así logra Valle-Inclán la mejor denuncia de la infamia de Prim y de su contradictorio liberalismo.

El texto completo del bando original se encuentra en Bermejo, III, pp. 200-201. García de la Torre lo reproduce [12], señalando además las correcciones estilísticas de Valle-Inclán, por lo que no creo necesario copiarlo aquí.

La Rosa de oro

En el oficio del cuarto domingo de Cuaresma, el papa llevaba al altar donde celebraba misa, una rosa que bendecía con especiales ceremonias y que después enviaba a algún rey, persona importante, iglesia o ciudad. En los primeros tiempos la *Rosa áurea* era de oro, luego la costumbre hizo que se le incrustaran piedras preciosas, y en algunas ocasiones fue un ramo.

Severo Catalina, ministro de Isabel II, que aparece como personaje en *El ruedo ibérico*, publicó un estudio sobre esta condecoración, con motivo de su otorgamiento a la soberana [13]. Según este estudio, hay noticia cierta de la ceremonia de la entrega de la Rosa de oro desde el siglo XII. España recibió el homenaje en fecha muy temprana, ya que el papa

---

[12] García de la Torre, *Análisis temático...*, pp. 351-353.
[13] Severo Catalina, *La Rosa de Oro*, en *Obras*, Madrid, 1877, t. VI, pp. 189-262.

Eugenio III mandó una a Alfonso VII en 1152; más tarde la recibieron Juan II y Fernando el Católico. Desde el siglo XVI se impuso la costumbre de entregar la Rosa de oro a princesas europeas. En España la recibieron, entre otras, Ana —la última esposa de Felipe II y madre de Felipe III (el padre Sigüenza describe la ceremonia de la recepción, que tuvo lugar en San Lorenzo del Escorial)—; doña Isabel, en 1618; doña María Luisa Gabriela —mujer de Felipe V— en 1701; Isabel de Farnesio —también mujer de Felipe V—, en 1714.

Cuando Isabel II recibió esta distinción, hacía siglo y medio que no recaía en España, y dieciséis años que no se le entregaba a nadie. Por lo tanto, según Severo Catalina, la Rosa de oro que recibió Isabel II fue bendecida dieciséis veces.

Pío IX dio funciones de ablegado al secretario auditor de la Nunciatura apostólica en Madrid, padre Luis Pallotti, y nombró prelado comisario para la entrega de la Rosa de oro en el oficio de la misa al arzobispo de Trajanópolis, padre Claret. La misa la celebró este último; la función del ablegado era tomar la Rosa de oro del altar y entregársela al padre Claret, quien a su vez debía entregarla a la reina.

Severo Catalina incluye en su estudio la nota oficial del ceremonial cumplido al entregarse la condecoración, y los textos de los breves —en latín y en castellano— que Pío IX dirigió a Isabel II y al rey consorte. En I, 2, III Valle-Inclán se refiere especialmente al texto del breve dirigido a Isabel II y fechado en Roma el 20 de enero de 1868. Lo lee el legado apostólico, mientras los monagos lo reparten «en vitelas impresas con oros chabacanos», traducido por el padre Claret.

Valle-Inclán reprodujo dos fragmentos del documento oficial, de manera casi textual, según se verá a continuación.

Texto reproducido por Severo Catalina:

Carísima en Cristo Hija Nuestra, salud y Bendición Apostólica. Con vehemencia deseamos atestiguar y declarar pública y solemnemente, con perenne monumento el amor ardentísimo que te profesamos, carísima hija en Cristo, así por tus egregios méritos para con Nos, para con esta Iglesia y para con esta Sede Apostólica, como por las altas virtudes con que brillas [...] Recibe, pues, con ánimo muy complacido esta Rosa insigne por tantos misterios, carísima Hija Nuestra en Cristo, no sólo como testimonio de nuestra decidida y benevolentísima voluntad para contigo, sino mayormente como prenda de celestial auxilio para que a Tu Majestad, a Tu Augusto Esposo y a toda tu Real Familia suceda todo lo fausto, feliz y saludable [...].

Texto de Valle-Inclán:

Nos, Sumo Vicario de la Iglesia, para conocimiento y edificación de todos los fieles, queremos atestiguar solemnemente, con acendrado empeño y perenne monumento, el amor ardentísimo que te profesamos, carísima hija en Cristo. Con excelso gozo te confirmamos en esta predilección así por las altas virtudes con que brillas como por tus egregios méritos para con Nos, para con la Iglesia y para con esta Sede Apostólica [...] Nos, Sumo Vicario de Cristo, asistido de su gracia, desde esta Sede Apostólica, te hacemos presente de la Rosa de Oro, como símbolo de celestial auxilio para que a tu Majestad y a tu Augusto Esposo y a toda tu Real Familia, acompañe siempre un suceso fausto, feliz y saludable.

Es interesante hacer notar que, en la edición de este libro —aparecido en *La Novela Mundial* [14]— Valle-Inclán había cometido un error de sintaxis latina que aparece corregido en *La corte de los milagros* (1927). Aquella versión decía: «Nos, Papam Sumus de la Iglesia...», y «Nos, Papam Sumus, Vicario de Cristo...»

---

[14] Aunque en la edición de *Estampas isabelinas, La Rosa de oro* apareció tres días después de la fecha de la primera tirada de *La corte de los milagros*, todo hace suponer que es anterior. V. p. 216.

Es posible que, para la redacción de *La Rosa de oro*, Valle-Inclán se haya inspirado también en las crónicas que publicó el diario conservador *La Época*, como señaló Bermejo Marcos [15]. Las crónicas agregan al erudito estudio de Severo Catalina todo el pintoresquismo que, admirablemente transvasado por Valle-Inclán, palpita en las páginas del libro.

La caracterización de Boy

Al referirnos al libro *Alta mar* de *Baza de espadas*, hemos hablado sobre los personajes que realizan el viaje a bordo del *Omega* y sobre la verosimilitud de su estancia allí (v. cap. 6). Entre dichos personajes viajan en grupo Bakunin, Salvochea y Arsenio Petrovich Gleboff, que se ponen en contacto con los revolucionarios españoles y contrastan sus ideologías. Pero antes de la exposición ideológica, hay una discusión doméstica sobre la conducta de Bakunin a propósito del dinero, que enfrenta a sus dos discípulos. Salvochea siente repulsión por Boy. Luego Bakunin le advierte sobre los aspectos negativos de su personalidad. Valle-Inclán pone entonces en boca del líder anarquista una larga caracterización de Boy que no es invención suya, sino fragmentos traducidos de una carta de Bakunin a Talandier. En esta carta, escrita en francés y fechada en Neuchâtel el 24 de julio de 1870, Bakunin advierte a su amigo sobre la peligrosidad de Boy. Para esa fecha la estrecha y contradictoria amistad entre los dos estaba rota y Boy había huido de Ginebra, llevándose papeles y cartas robadas a Bakunin y a otros emigrados rusos. Al enterarse de que Boy estaba hospedándose en casa de Talandier, en Londres, Bakunin le escribe la carta que Valle utiliza como fuente, carta de la que extracto sólo los párrafos que interesan:

> Il est encore vrai que N. est un des hommes les plus actifs et les plus énergiques que j'aire jamais

15 BERMEJO MARCOS, *Valle-Inclán...*, pp. 310-311.

recontrés. Lorsqu'il s'agit de servir ce qu'il appelle la cause, il n'hésite et ne s'arrête devant rien et se montre aussi impitoyable pour lui même que pour tous les autres. Voilà la qualité principale qui m'a attiré et qui m'a fait longtemps rechercher son alliance. Il y a des personnes qui prétendent que c'est tout simplement un chevalier d'industrie: c'est un mensonge. C'est un fanatique dévoué, mais en même temps un fanatique très dangereux [...] Au nom de la cause, il doit s'emparer de toute votre personne, à votre insu. Pour y arriver, il vous espionnera et tâchera de s'emparer de tous vos secrets, et, pour cela, en votre absence, resté seul dans votre chambre, il ouvrira tous vos tiroirs, lira toute votre correspondance, et, quand une lettre lui paraîtra intéressante, c'est-à-dire compromettante à quelque point de vue que ce soit, pour vous ou pour l'un de vos amis, il la volera et la gardera soigneusement comme un document contre vous ou contre votre ami [...] Si vous l'avez présenté à un ami, son premier soin sera de semer entre vous la discorde, les cancans, l'intrigue, en un mot de vous brouiller. Votre ami a une femme, une fille, il tâchera de la séduire, de lui faire un enfant, pour l'arracher à la moralité officielle et pour la jeter dans une protestation révolutionaire contre la societé... Ne criez pas à l'exageration, tout cela m'a été amplement développé et prouvé. [...] Sa seule excuse, c'est son fanatisme. Il est un terrible ambitieux sans le savoir, parce qu'il a fini par identifier complètement la cause de la révolution avec sa propre personne; mais ce n'est pas un égoïste dans le sens banal de ce mot, parce qu'il risque terriblement sa personne et qu'il mène une vie de martyre, de privations et de travail inouï; C'est un fanatique, et le fanatisme l'entraîne jusqu' à devenir un jésuite accompli; par moments, il devient tout simplement bête. La plupart de ses mensonges sont cousus de fil blanc... Malgré cette naïvité relative il est très dangereux, parce qu'il commet journellement des actes, des abus de confiance, des trahisons, contre lesquels il est d'autant plus difficile de se sauvegarder qu'on en soupçonne à peine la possibilité. Avec tout cela N. est une force, parce que c'est une inmense énergie. C'est avec grande peine que je me suis séparé de lui, parce que le service de notre cause demande beaucoup d'énergie et qu'on en recontre rarement une développée à ce point. Mais après avoir épuisé tous les moyens de le convaincre, j'ai dû me séparer de lui, et, une fois séparé, j'ai dû le combattre à outrance... [16]

Valle-Inclán invierte el orden de los párrafos y adapta el final a la situación de la novela, ya que Bakunin y Boy todavía no han roto su amistad:

El Maestro le estrechó la mano [a Salvochea]:
—Así evitarás que un día te traicione. Sin que lo advirtieses, procuraría apoderarse de toda tu persona. No es un canalla, pero cuando cree actuar en provecho de la causa, nada le detiene. Introducido en tu intimidad, te espiaría, te calumniaría, abriría todos tus cajones, leería toda tu correspondencia, y cuando una carta le pareciese interesante, es decir, comprometedora, no vacilaría en robártela. Si le presentases a un amigo, inmediatamente se propondría enemistaros. Su primer móvil es siempre sembrar el odio y la discordia. Si tienes una hija o una hermana, intentará seducirla, hacerle un chico para arrancarla a las leyes morales de la familia e inducirla a una protesta revolucionaria contra la sociedad. Su única excusa es su fanatismo: Ha identificado completamente su propia persona con la causa de la revolución. Es un gran ambicioso, pero no un egoísta atento al medro personal, porque lleva una vida de mártir, de privaciones, de trabajo. Cuando hay que servir a la causa, no vacila ni se detiene ante nada: Es un fanático abnegado, pero al mismo tiempo un fanático peligroso... Y ésta es, sin embargo, la cualidad que principalmente me atrajo y me ha hecho durante mucho tiempo buscar su alianza. Hoy nada me pesa tanto, pero estamos demasiado unidos, y ya no podemos romper. Mutuamente nos aborrecemos y nos queremos. Voy a llamarle; no es conveniente despertar sus recelos... (III, 3, XI).

[16] La carta está en JAMES GUILLAUME, *L'Internationale. Documents et souvenirs (1864-1878)*, Paris, 1905, pp. 61-63.

La filiación del texto con respecto a la carta es evidente. Valle-Inclán pudo haberla conocido a través de la obra de James Guillaume (v. nota 16). Esta filiación había sido señalada por Bermejo Marcos [17], pero con un dato equivocado: dice que el destinatario de la carta era Natalia Herzen. Bermejo Marcos sigue en su error a E. H. Carr, biógrafo de Bakunin, quien señala la misma atribución.

REELABORACIÓN DE DISCURSOS

En los ejemplos que veremos a continuación, Valle-Inclán no incrusta documentos de época, sino que reelabora las fuentes —refunde, amplía, parafrasea. Casi siempre Valle-Inclán repite algunas frases y oraciones del texto original, como iremos señalando en cada caso.

Las «Memorias» de Estévanez

En el libro *Alta mar* de *Baza de espadas*, Estévanez figura como uno de los pasajeros que viajan a Londres a bordo del *Omega*, para entrevistarse con Prim. En la primera versión de este relato, que Valle anticipó en *La Novela de hoy* con el título de *Otra castiza de Samaria* [18], Estévanez —tal como éste lo cuenta en sus *Memorias*— viaja acompañado del teniente Pons. En su libro, Estévanez explica que Adolfo Pons y Montels le propuso en 1868 hacer un viaje a Londres para visitar a Prim y que él, aunque no quería ir porque era republicano y sabía que Prim era monárquico, finalmente aceptó. Salieron ambos de Madrid rumbo a París el 31 de julio, allí vieron a los emigrados —que estaban enemistados entre sí y tenía cada uno su camarilla— y llegaron a Londres el 11 de agosto. Luego cuenta la entrevista:

---

[17] BERMEJO MARCOS, *Valle-Inclán...*, p. 345.
[18] V. p. 219.

Fui presentado al general, que me acogió afablemente; hablamos de la campaña de África y no menos de política. Don Juan se sonrió cuando le dije que era y sería republicano, y que él haría un buen presidente de la república.

—Eso es un sueño —me dijo—; la república sería posible si hubiera republicanos, como los hay hasta en Rusia; pero en España no los hay ni puede haberlos; son ustedes cuatro ilusos, cuatro locos... Usted mismo dejará algún día de ser republicano [19]

Más adelante, Estévanez se refiere al almuerzo que Prim les ofreció el 10 de setiembre, oportunidad en que el general les cuenta que la revolución está a punto de estallar.

En la versión definitiva, la de *Baza de espadas*, Valle sustituye a Pons por un personaje de ideología mucho más avanzada: el capitán Meana [20], y da una versión totalmente libre del relato de Estévanez: hace viajar a los dos amigos en el *Omega*, desde Gibraltar a la costa inglesa, en la excepcional compañía de Fermín Salvochea, Paúl y Angulo, Bakunin, Baldomera Larra, etc. Pero la dependencia de Valle-Inclán con respecto a las *Memorias* de Estévanez es mucho mayor en el libro *Tratos púnicos* de *Baza de espadas*. Veamos el siguiente fragmento, en el que se narra la entrevista de Estévanez con Prim:

Don Juan, después de los saludos y presentaciones había clavado los ojos en el capitán Estévanez:

—¿De dónde nos conocemos?

—De la Campaña de África, mi General.

—¿Usted ha servido en el Regimiento de Zamora?

[19] ESTÉVANEZ, *Memorias*, 1903, p. 248.
[20] Harold Boudreau ha señalado que Valle-Inclán pudo haberse inspirado para este personaje en el capitán Mena, cuya historia narra Zugasti en *El bandolerismo. Estudio social y memorias históricas*, Madrid, 1876-1880 (v. HAROLD L. BOUDREAU, «Banditry and Valle-Inclán's *Ruedo Ibérico*», *Hispanic Review*, XXXV, 1967, pp. 85-92) y también IRIS M. ZAVALA, *La revolución de 1868. Historia, pensamiento, literatura*, Nueva York, Las Américas, 1970).

—Teniente de la Cuarta Compañía del Segundo
Batallón. ¡Asombroso que usted me recuerde, mi
General!
El General sacó el pecho con animosa arrogancia:
—Yo también he servido en el denodado Regimiento de Zamora. Zamora era entonces el terror de
los carlistas, como más tarde lo fue del moro en
la Campaña de África. Lo recuerdo a usted en la
acción del 17 de diciembre. Tengo muy presente
la conducta de usted en la retirada, mandando
alinearse y numerarse bajo el fuego enemigo para
contar las bajas.
El Capitán Estévanez enrojeció:
—Me preocupaba la idea de que algún hombre se
me quedase herido entre aquellos jarales... Impulso
sentimental más que alarde bélico... Mi alma, como
mi vítola, es la de Sancho Panza.
—¿Qué empleo tiene usted en la actualidad?
—Continúo de Teniente con el grado de Capitán
(III, 4, II).

Valle-Inclán utilizó el fragmento de las *Memorias*
de Estévanez que transcribo a continuación:

Me destinaron al regimiento de Zamora, que estaba
de guarnición en Zaragoza, y cubrí una vacante
de teniente de la cuarta compañía del segundo
batallón (p. 51).
[...] Cuando acampamos en el Tarajar en el llamado «campamento de la Concepción» trabajaban ya
los ingenieros en la construcción de la ruta militar.
Al retirarse las fuerzas destinadas al trabajo, casi
todas las tardes eran hostilizadas por los moros,
y había que salir a protegerlas. Zamora lo hizo,
como los demás, y entramos en fuego por la primera vez el día 15 [de diciembre] por la tarde.
No tuvimos bajas, ni ese día, ni en los tiroteos
del 17, 20 y 22. Pero no olvidaré nunca la acción
del 17; nos retirábamos por escalones, y al hacerlo
al frente de mi sección, abandonando una altura
que ocuparon los moros inmediatamente, me preocupaba la idea de que en la oscuridad crepuscular,
se me quedara algún hombre, herido o no, en la
intrincada espesura de los agrestes jarales. Al llegar al fondo de la cañada aquella, cruzándose ya
por encima de nosotros el fuego del enemigo y el

de los escalones protectores, mandé hacer alto, alinearse y numerarse: no faltaba nadie, ni nadie estaba herido. En aquel momento surgió entre las jaras un hombre solo, sin caballo ni ayudantes, en quien distinguí confusamente las doradas insignias de teniente general.
—¿Qué regimiento? —preguntó.
—Zamora —le respondí.
—¡El mío! ... ¡Y siempre el mismo! —exclamó con cierto orgullo. Si él reconoció su antiguo regimiento, yo también en él reconocí, y no le había visto nunca, al héroe futuro de los Castillejos: era Prim.
Ocho años después, haciéndole una visita en Paddington, cuando él preparaba la revolución, le pregunté si recordaba aquel mínimo episodio. Lo recordaba muy bien:
—No fui capitán más que tres meses, me dijo, y lo fui en el valiente Zamora, terror de los carlistas; por eso me complació la retirada aquella (pp. 56-60).

Aunque es evidente que un relato deriva del otro, está claro también que Valle reelaboró casi totalmente el fragmento, conservando todos los detalles: la excelente memoria de Prim, su orgullo por el regimiento de Zamora, «terror de los carlistas», la acción de Tarajar el 17 de diciembre, en la que Estévanez manda a sus tropas alinearse y numerarse bajo el fuego del enemigo para saber si algún soldado había quedado herido entre los jarales, etc.

Este es un magnífico ejemplo de reelaboración artística, en el que Valle demuestra cuidar tanto la forma como el contenido, reformulando en su propio estilo la fuente, por un lado; y por otro, tratando de mantener la más estricta fidelidad histórica.

Los conflictos internos del carlismo.

Otra secuencia narrativa que ofrece particular interés en *El ruedo ibérico* es la que se refiere a las negociaciones entre progresistas y carlistas, secuencia que está repartida entre el libro noveno —*Periquito gacetillero*— de *Viva mi dueño* y el libro quinto

—*Tratos púnicos*— de *Baza de espadas*. Los progresistas proponían a Carlos VII que aceptara ser elegido por sufragio universal y que fuera rey constitucional. Ya hemos dicho más arriba que Valle-Inclán acepta en sus novelas una versión según la cual hubo una entrevista entre Prim y Cabrera en la que los caudillos no lograron ponerse de acuerdo, ya que Prim apoyaba la candidatura de don Carlos, y Cabrera la del padre, don Juan de Borbón [21]. Entre ambos candidatos no sólo mediaba el derecho sucesorio de don Juan, sino una diferente ideología, pues mientras el hijo había sido educado en el absolutismo más cerrado por su abuela, la princesa de Beira, y por su madre, la archiduquesa Beatriz, don Juan había hecho profesión de fe liberal (II, 9, v). Mientras tanto, Prim comisiona a Cascajares para que negocie con don Carlos. Cascajares visita al pretendiente en Gratz, con una carta de presentación de la princesa de Beira, y le presenta un memorial con las bases que enunciamos más arriba: sufragio y constitución (II, 9, vi y vii). Pero don Carlos, antes de dar una respuesta, decide asesorarse con Cabrera y lo invita a ir a Gratz; el caudillo carlista, desde su retiro de Wentworth, contesta que no podrá ir por encontrarse gravemente enfermo (II, 9, xiii y xiv). Don Carlos acude sorpresivamente a Wentworth, descubre que Cabrera le ha mentido y le anuncia la visita de Sagasta para ese mismo día (III, 4, v). Sigue luego la entrevista entre Cabrera y Sagasta, desbaratada por Cabrera (III, 4, vi), mientras don Carlos espera el resultado conversando con sus edecanes; al volver, Cabrera le dice que si acepta los postulados políticos liberales aparecerá a sus ojos como un trai-

---

[21] La veracidad de esta entrevista entre Prim y Cabrera ha sido discutida (v. p. 144 y nota 23). Es probable que Valle-Inclán se documentara en BERMEJO, quien cuenta la entrevista *(La estafeta...,* t. III, p. 817), agregando en la despedida un diálogo sobre el infante don Sebastián que nuestro autor reproduce en su artículo «Epitalamios napolitanos. En enero, Juan Tercero», *Ahora,* 2 de junio de 1935. V. p. 349 de este libro.

dor (III, 4, VII). Don Carlos se retira contrariado y, en Londres, escribe una carta a Cabrera proponiéndole la celebración de un consejo para discutir los problemas planteados anteriormente (III, 4, VIII).

En esta secuencia los personajes principales son Cabrera y don Carlos; Valle-Inclán los ha enfrentado para juzgar su personalidad y actuación. Es indudable que, en este enfrentamiento, Valle ha volcado su simpatía por el pretendiente y, en cambio, ha recogido las versiones de la prensa carlista más contraria al general. Sobre el conflicto entre estos personajes se levantó una polémica que hoy encontramos materializada principalmente en dos libros: *Carlos VII y Don Ramón Cabrera*, de Emilio Arjona [22], y el que publicó como respuesta José Indalecio Caso, titulado *La cuestión Cabrera* [23], escritos ambos después de que Cabrera —en plena guerra carlista— decidiera aceptar como rey a Alfonso XII. Valle-Inclán toma posición decidida en la polémica y acepta las versiones de Arjona, secretario y adicto incondicional de don Carlos. Algunas de las razones que empujaron a Arjona a escribir su libro, según las enuncia en el prólogo, dan idea de la virulencia con que trata a Cabrera: «Quiero [...] demostrar [...] que su conducta, inesperada para los ilusos por aberración o conveniencia es el coronamiento de una obra, de más de ocho años de trabajo oscuro...»; «Quiero demostrar, en fin, que Cabrera no es Carlista hace mucho tiempo...»; «... colocar al que se humilla ante Alfonso XII en el lugar que merece en las páginas de la historia». Luego Arjona resume la vida de don Carlos para destacar principalmente dos cosas: las veleidades de su padre, don Juan de Borbón, heredero de los derechos al trono, y la visita frustrada que Cabrera intentó hacer a la familia real residente en Praga. En los capítulos IV y V historia

[22] EMILIO ARJONA, *Carlos VII y Don Ramón Cabrera*, París, 1875.
[23] JOSÉ INDALECIO CASO, *La cuestión Cabrera*, Madrid, 1875.

lo que pasó a ser materia narrativa de la obra de Valle-Inclán. En resumen, Arjona expone lo siguiente:

1. Cascajares visita a Carlos en Gratz, en noviembre de 1867, presentado por una carta de María Teresa, princesa de Beira, para pedir audiencia para Prim y Sagasta.

2. Carlos le contesta que necesita «un consejero de experiencia» antes de emprender «una negociación tan delicada» y le pide: «que deje por escrito sus proposiciones» (p. 26).

3. Carlos le regala retratos a Cascajares.

4. Texto del documento-memoria de Cascajares, fechado el 25 de noviembre de 1867.

5. Carta de Carlos VII a Cabrera informándole de la gestión y pidiéndole que vaya a Gratz para aconsejarle.

6. Cabrera contesta por telégrafo que está gravemente enfermo y que no puede ir a Gratz (p. 34).

7. Carlos acude sorpresivamente a Wentworth —residencia de Cabrera—, con Marichalar y encuentra sano a Cabrera (4-XII-1867).

8. Carlos y Cabrera deciden citar allí a Cascajares y a «los que le acompañasen» (p. 35).

9. Cascajares reitera el 7 de diciembre, delante de Cabrera, lo que había expuesto en Gratz.

10. «Se citó para el mismo día a Sagasta y para el siguiente a Prim.»

11. Ideas liberales de Cabrera.

12. Llega Sagasta, y Cabrera quiere verlo él solo. Cabrera desbarata la gestión, siempre según Arjona, quien asegura que el general se mostró inflexible con los principios del carlismo —es decir, no aceptó las condiciones del memorial.

13. Carlos visita Inglaterra en compañía de Cabrera.

14. Nueva carta de Cascajares al pretendiente, escrita en París, el 16 de diciembre de 1867, reiterando el pedido de alianza.

15. Nueva consulta de Carlos a Cabrera.

16. Cabrera le contesta que decida él solo.

17. Nueva carta de Carlos a Cabrera, fechada en Gratz el 23 de mayo de 1868. Tema: celebración de un consejo en Londres entre el 20 y el 30 de julio, temario y lista de consejeros.

18. Cabrera acepta, corrige algo la lista de consejeros.

19. Circular de don Carlos a las personas invitadas.

20. Nueva carta de don Carlos a Cabrera (25 de junio).

21. Contesta la mujer de Cabrera el 11 de julio, diciendo que Cabrera está enfermo. No acudirá, por tanto, al Consejo de Londres.

22. Carlos decide acudir a Wentworth: «comedia de intrigas» sobre enfermedad del general. Carlos conversa con la condesa sobre caza, perros y caballos; luego se entrevista con Cabrera para instarlo a participar en el Consejo, pero Cabrera «insulta al partido carlista» y a los consejeros (p. 56). Don Carlos se retira ofendido.

Como puede verse fácilmente, Valle-Inclán ha unificado los encuentros y las cartas y corrido las fechas, pero sigue a Arjona en los siguientes puntos:

a) Cascajares visita a Carlos en Gratz, con una carta de presentación de María Teresa. Valle-Inclán sugiere que es ésta la que exige que Cabrera sea consultado, porque sabe que el general rechazará la alianza con Prim. La entrevista Cascajares-Carlos está tomada sin duda de Arjona, ya que coincide en varios detalles (presentación de María Teresa, regalo de retratos) y también en la forma:

Arjona

Contestó D. Carlos que nunca haría política de partido, pero *que bajo su bandera cabían todos los españoles* [24]; y que inflexible en materia de principios [...] en cuanto a la de forma estaba dispuesto a hacer las posibles concesiones por el bien de la patria y a *ponerse al frente del movimiento* civilizador, *dentro de los límites del progreso legítimo* (p. 26).

Valle-Inclán

Don Carlos, con benévolo acogimiento, le aseguraba *que bajo su bandera cabían todos los españoles* y, sin aventurar ninguna promesa, descubría su favorable disposición para *ponerse al frente de un movimiento* purificador, *dentro de los límites del progreso legítimo* (*Viva...*, 9, XIII).

b)   La carta-memoria de Cascajares, que inserta Arjona, es muy larga y está fechada el 25 de noviembre de 1867. En ella, Cascajares historia los movimientos revolucionarios desde 1866 y pasa revista a la situación española. Por el contexto es evidente que se trata del memorial que el general Algarra lee en el capitulillo VIII del libro noveno de *Viva mi dueño*, pero Valle ha dado una versión muy sintetizada y personal.

c)   La carta de Carlos VII a Cabrera, en la que le pide consejo y que se traslade a Gratz, es idéntica en el fondo, pero diferente en la forma. Es como si Valle-Inclán se hubiera propuesto encontrar sinónimos para cada párrafo. He aquí el documento:

Querido Cabrera: Hoy se me han presentado dos Españoles que parecen muy francos, y que vienen de parte de Prim y otros jefes liberales para hacer-

―――――――

[24] La misma idea puede leerse en la «Carta manifiesto de don Carlos de Borbón a su hermano Alfonso», firmada en París el 30 de junio de 1869: «... ¿qué hombre digno de ser rey se contenta con serlo de un partido? [...] Yo no debo ni quiero ser rey sino de todos los españoles...» (Cfr. VICENTE GARMENDIA, *La segunda guerra carlista (1872-1876)*, Madrid, Siglo XXI, 1976, pp. 78-81.

me su sumisión y proponerme una entrevista con ellos; yo no les he contestado todavía si la acepto, aunque me parece que es mi deber como español el recibirles y oírles; yo no tengo experiencia; deseo pues, que tú estés presente y te ruego como a mi amigo que vengas cuanto antes. Contéstame por telégrafo si vienes y cuándo, para fijarles el día de la entrevista. No soy más largo porque no dudo que vendrás: ésta será otra prueba de afecto y adhesión que nunca olvidará tu —Carlos.

En *Viva mi dueño* leemos la carta en el mismo momento en que don Quirse Togores se la lee a Cabrera:

Querido General: Estos días ha llegado un emisario de los revolucionarios españoles. Me hizo entrega del documento que te adjunto, y verbalmente me propuso una fórmula para recibir en audiencia al Conde de Reus. Aun cuando me parece que como español no debo negarme, he rehusado una respuesta afirmativa hasta recibir tu consejo. Me falta experiencia, y desearía que estuvieses a mi lado para aconsejarme en asunto tan grave, y que tan directamente se relaciona con los destinos de España. Contéstame por telégrafo cuándo puedes ponerte en camino. Todos te esperamos. No dudo que acudirás sin tardanza, y ésta será otra prueba de afecto y adhesión que nunca olvidará tu afectísimo —Carlos (9, XIV).

ch) En la novela, Cabrera miente al contestar por telégrafo que está gravemente enfermo, por lo tanto, la versión de Valle-Inclán coincide totalmente con la de Arjona.

d) Valle-Inclán unificó las dos entrevistas entre don Carlos y Cabrera en Wentworth (véase secuencias 7 y 22 de mi resumen), poniendo detalles de ambas en los capitulillos V y VIII del quinto libro de *Baza de espadas:* —como en la primera entrevista, el pretendiente encuentra a Cabrera levantado, y se sorprende,

— como en la primera entrevista, sigue el episodio de la gestión Sagasta, frustrada por Cabrera por razones de principios,

— como en la segunda entrevista, don Carlos espera a Cabrera «conversando de perros

— y de caballos» (pero no con la condesa, como en Arjona, sino con sus edecanes).

hay estrecha relación entre los dos textos:

Arjona	Valle-Inclán
Una hora después volvía Cabrera contento [de la entrevista con Sagasta]. Cabrera se dirigió a él y «ya han volado» le dijo. «¿Pues qué»?, interrogó D. Carlos... (p. 36).	El General Cabrera entró doliéndose de sus cicatrices, alegrados los ojos de gato: —¡Ya voló! Aún quedan judíos en España... Insinuó D. Carlos: —¿Os habéis entendido? (III, 4, VII).

Después de esta entrevista don Carlos escribe a Cabrera la carta que, según Arjona, precede a la segunda entrevista. Valle-Inclán no ha querido copiarla sino reproducir el contenido, utilizando el mismo procedimiento que comentamos en c). Se trata de la carta preparatoria del Consejo de Londres, cuya versión histórica copio a continuación:

Gratz, 23 de mayo de 1868. —Querido Cabrera: La mayoría de los españoles cree que la caída de Isabel es inminente, y la de los carlistas desea fijar a la vez sus derechos y su organización. Una de tus recomendaciones en Ebenzweyer fue que me acercase a los Pirineos para oír y conocer a propios y extraños. Es evidente que la situación política y financiera de nuestro país creará eventualidades que debo aprovechar, primero como un deber sagrado; segundo para regenerar a España; a fin de fundar sobre bases sólidas e imposibilitar funestas disidencias, son indispensables los Consejos. A ellos apelaban en los períodos difíciles mis antepasados; con ellos se ilustran los contemporáneos. A mi vez [*sic*] urge la reunión de un Consejo que represente al clero, a la grandeza, al ejército, y a todo el pueblo español. Ya que tus dolencias se prolongan, podría celebrarse en Londres del 20 al 30 de Julio. Son adjuntas: 1.º La lista de algunos consejeros para que la modifiques y completes. 2.º Una minuta de las cuestiones más apremiantes. Recurro, como siempre, a tu noble patriotismo, y a tu alta ilustración, para que oyendo a Algarra, con quien he meditado mucho este primer paso político de mi vida, seas hoy la columna triangular de nuestro porvenir, como fuiste el ilustre héroe de las bizarras huestes de Carlos V y Carlos VI.

Te aprecia cada día más.

Carlos   (pp. 49-50).

La carta fue acompañada de esta serie de preguntas:

«I.   ¿Cómo justificar y declarar el derecho a la Corona?
II.   ¿Cómo organizar?
III.   ¿Qué título tomar?
IV.   ¿Qué residencia elegir?
V.   ¿Cómo reunir fondos?
VI.   ¿Se publicarán, y cómo, las decisiones del Consejo?»

Sigue una lista de consejeros para que Cabrera la amplíe o la modifique. La lista que trae Arjona, tras aclarar que la cita de memoria, coincide con la de Valle-Inclán casi en su totalidad (ver en Apéndice I el capítulo sobre el *Consejo de Londres*).

A continuación copio la carta que aparece en *Baza de espadas* para que se vean las modificaciones que le hizo Valle-Inclán:

Londres, 23 ed junio de 1868. —Mi querido Cabrera: Es indudable que la opinión española juzga inmi-

25 ROMÁN OYARZÚN, *Vida de Ramón Cabrera y las Guerras Carlistas*, Barcelona, 1961, p. 254.

nente la caída del Trono. Tal eventualidad echaría
sobre mis débiles hombros el deber sagrado de
salvar a España. Consciente de mis futuras res-
ponsabilidades, y para prevenir funestas disidencias creo indispensable la reunión de un Consejo
Real. Así procedieron siempre, en los grandes momentos históricos, mis antepasados. A mi ver, urge
convocar representantes del clero, de la nobleza,
del ejército y del estado llano. Teniendo en cuenta
tus dolencias, la reunión podría celebrarse en Londres, del 20 al 30 de agosto. Son adjuntas: 1.º La
lista de algunos consejeros, para que tú la modifiques y completes. 2.º Una minuta de las cuestiones
más apremiantes. Recurro, como siempre, a tu noble patriotismo, para que en este primer paso
político de mi vida me aconsejes. —Te abraza,
Carlos (III, 4, VIII).

De todo lo dicho se deduce que Valle-Inclán utiliza
los documentos y los hechos históricos para acomodarlos a su narración y no al revés. Lo que me parece
más importante de este ejemplo es que, al elegir
a Arjona como fuente, Valle-Inclán se dejó llevar de
la inquina de éste hacia Cabrera. Así, el narrador
insiste en la falsedad del caudillo carlista: «ojos de
gato, cautela de zorro, falacias de seminarista, ruines
propósitos de valenciano» (III, 4, VI). En cambio don
Carlos está visto con evidente simpatía, con una adjetivación positiva que es una rareza dentro de la
trilogía: «Don Carlos, taciturno, con digna reserva y
afable sonrisa... (III, 4, VIII); «Don Carlos era un
bello gigante mediterráneo...» (II, 9, VI).

José Indalecio Caso, en el libro ya citado, presenta
a Carlos VII como un joven irreflexivo y despótico
que trató de utilizar el prestigio de Cabrera forzán-
dolo a actuar a su favor. Otro historiador carlista,
Román Oyarzún, en una obra escrita más lejos de
los acontecimientos y, por lo tanto, más desapasiona-
da, defiende la leal actuación del caudillo carlista
durante la tercera guerra y acusa al pretendiente y a
su camarilla de «infantilismo». Valle-Inclán no es
objetivo en la contienda, y su simpatía por el pretendiente le hace recaer en la presentación de un

Carlos VII acartonado y decorativo, no muy diferente del que aparece en *Sonata de invierno* [26].

El «Diario de un testigo de la guerra de África»

En III, 4, II; Prim recibe la visita de varios conspiradores españoles que han acudido a Paddington para organizar la revolución del 68. En la visita se habla del complot para asesinar a Prim que ha sido descubierto por la policía británica, y entonces el caudillo exclama:

> —¡Mi vida, señores, la respetan las balas! Soy providencialista, y creo que la respetan para abrir una nueva senda en los destinos de España. En Castillejos, el plomo que rasgaba la gloriosa enseña, que hería a mi caballo, que mataba a mis ayudantes, a mí me respetaba, como ha dicho el simpático Pedro Antonio.

El narrador se ha preocupado por poner en boca del personaje el indicio para descubrir la fuente. Prim, con «arranque teatral, gesto fogoso de farsa mediterránea» repite las palabras de su panegirista. Precisamente por haber puesto las ditirámbicas frases de Alarcón en boca del propio interesado, éstas pierden el contexto adecuado que tenían en el *Diario*:

> ... ¡pero la Bandera española reluce siempre sobre la tormenta, y siempre en manos de nuestro afortunado Caudillo! ¡Afortunado, sí! ¡Las balas, que silban y cruzan a su alrededor, que siembran la

---

[26] María Dolores Lado afirma en «La trilogía de *La guerra carlista*» (Zahareas, *An Appraisal...*, p. 339) que «el proceso de desfiguración [del esperpento] afecta no sólo al príncipe carlista don Juan [...] sino al mismo «Rey» don Carlos, en cuyas palabras se descubre «un providencialismo fanático y ultramontano». Lado confunde el discurso del narrador con el discurso de un personaje —esta última afirmación la hace Sagasta en III, 4, IV—, por lo que su argumentación pierde validez. No sé cómo iba a seguir desarrollando Valle-Inclán el tema del carlismo, pero en la contienda interna toma partido por don Carlos.

muerte por todos lados, que hieren a sus ayudantes, que alcanzan a su caballo, respetan la vida de
aquel soldado vestido de general, de aquél que es
el alma de la lucha, de aquél que sobresale entre
todos y ostenta en su mano nuestra adorada y ve-
nerable enseña! Diríase que está dotado de la
virtud de Aquiles [27].

Valle-Inclán ridiculiza a Alarcón y al héroe de los
Castillejos por el solo hecho de hacerlo repetir su
panegírico. Por si quedara alguna duda sobre su intención, el narrador añade: «Una ráfaga de entusias-
mo despeinó en todas las cabezas el tupé sagastino:
Todas tuvieron en aquella hora un rizo en el aire, y
las bocas una sonrisa cordial, y los ojos una lágrima
de novela chabacana.» Y luego remata la desvalorización de Prim al presentarlo envuelto en un problema
doméstico típicamente burgués: «La Condesa de Reus,
en la florida penumbra del jardín, tras la puerta de
cristales, llamaba con el abanico: —Juan, un momento. ¡No se te ocurra invitarlos! Sonrió el General:
—Ya he visto que son demasiados. Los invitaré de
dos en dos...»

El bandolerismo andaluz

Harold Boudreau señaló en 1967 la dependencia de
El ruedo ibérico con respecto a la obra de Julián de
Zugasti titulada *El bandolerismo. Estudio social y
memorias históricas* [28]. El artículo de Boudreau señala la relación argumental entre *La jaula del pájaro*
(II, 4) y la narración del secuestro del niño José
María Crispín Jiménez y Soriano, en el libro de Zugasti (VII, pp. 35-168). También señala la repetición
de personajes y de incidentes, y el uso de un vocabulario que tendría su punto de partida en ese libro.

[27] PEDRO ANTONIO DE ALARCÓN, *Diario de un testigo de la
guerra de África*, Madrid, 1957, p. 149.
[28] HAROLD L. BOUDREAU, «Banditry and Valle-Inclán's *Ruedo
Ibérico*», *Hispanic Review*, 1967, vol. XXXV, 1. También se
refiere a esta fuente y amplía las referencias de Boudreau
IRIS M. ZAVALA, en *Historia y literatura...*, p. 446.

Boudreau agrega que existe «spiritual and moral affinity between the two writers», en lo que se equivoca [29]. Zugasti fue gobernador de Córdoba después de la revolución de 1868, nombrado para ese cargo por Nicolás María Rivero, ministro de la Gobernación en el último gobierno de Prim (1870). A Zugasti se le encomendó acabar con el bandolerismo en Andalucía, sin importar los medios que empleara para ese fin; sus métodos contaban con el expreso asentimiento de Prim, quien consideraba el bandolerismo como una guerra social. Aplicó en Córdoba por primera vez la llamada «ley de fugas»; entre setiembre y octubre de 1870, fueron muertos por la Guardia Civil 60 presuntos delincuentes. Zugasti escribió *El bandolerismo...* para justificar su actuación y defenderse de acusaciones de uso arbitrario del poder (fue denunciado en las Cortes por Silvela). Valle-Inclán no podía tener afinidad espiritual con este personaje que parece haber sido un comisario sin escrúpulos.

Si en algo pueden coincidir Valle-Inclán y Zugasti es en la denuncia del «bandolerismo secreto» (Zugasti, III, p. 341) que ejercían los poderosos, de los cuales los bandoleros visibles eran sólo un instrumento. Pero este problema —que Zugasti denuncia por haberlo sufrido en carne propia— era un lugar común del folletín; lo repite Fernández y González en todas sus obras. Véase, por ejemplo, el siguiente diálogo de la novela *Juan Caballero o los hijos del camino:*

> —Cierto; pero ¿cómo me había yo de figurar que donde residían los verdaderos bandidos era en las ciudades, y que los del campo roban para mantener sus vicios y llenar sus arcas de oro, obtenido siempre a costa de sangre?
> —Como que los que salen al camino tienen necesariamente que someterse a una asociación tenebrosa compuesta de señorones, si no quieren morir

---

[29] IRIS M. ZAVALA difiere de Boudreau en la interpretación que hace sobre la obra de Zugasti y afirma que «Valle aprovecha los datos, pero el espíritu que lo anima es distinto» (*Historia y literatura...*, p. 446, nota 4).

al poco tiempo asesinados o colgados en una plaza pública [30].

Es absurdo afirmar, como hace Boudreau, que «the moral comment made in Don Ramón's last novels is identical to that of Zugasti's criticism of the same period» (p. 86).

Otro error de Boudreau es afirmar que en *El bandolerismo*... «noble patrons are anonymous», ya que Zugasti afirma que el infante don Sebastián protegía a los bandoleros en su cortijo de la Media Luna (I, 111). Valle-Inclán recoge la afirmación:

> Aseveró el ministro:
> —Ya estoy enterado. Me habló en el mismo sentido el Infante Don Sebastián. También tiene un ahijado.
> —¿El Niño de Casariche?... ¡Otra víctima del mismo Poncio!... El Niño lleva en arriendo el Cortijo de la Media Luna.
> Trastocaba el ujier, asomado a la puerta, bastones y sombreros. El Majo del Guirigay, negro y envejecido, interrogaba con finura de dómine, saliendo a los perfiles de la alfombra:
> —¡La Media Luna! ¿En qué bajalato cae eso?
> —Términos de Lucena. Una propiedad del Infante (I, 9, IV).

En este fragmento Torre-Mellada se refiere al Niño de Benamejí, personaje inspirado directamente en la obra de Zugasti. Al referirse a él Zugasti dice:

> Supe también que labraba un cortijo, en el cual se albergaban los hombres más facinerosos, los escapados de las cárceles y presidios, y toda clase de malhechores, algarines, caballistas y cuatreros, por cuya razón era generalmente conocido aquel cortijo con el nombre de *Ceuta*, y nadie se atrevía a penetrar en aquel terreno, ni en sus inmediaciones, por la seguridad de ser robado o secuestrado (I, p. 87).

[30] MANUEL FERNÁNDEZ y GONZÁLEZ, *El Señor Juan Caballero o los hijos del camino*, Madrid, Felipe González Rojas, s/f [«obra póstuma»], p. 1381.

Valle-Inclán reelabora estas afirmaciones en I, 5, 1:

> El Marqués de Torre-Mellada, en los pagos manchegos y Su Alteza el Infante Don Sebastián en Córdoba, eran notorios padrinos de la gente bandolera [...] Y tan notorio era este padrinazgo, que la gente de la chanfaina, mudándole el nombre a lo pícaro, llamaba a Los Carvajales, Ceuty.

Es interesante destacar que, para la redacción de la última parte de su libro —donde narra novelescamente los secuestros que pudo aclarar y castigar— Zugasti contó con la ayuda de un folletinista menor. De modo que Valle-Inclán en esta parte no se inspira en una historia documental, sino en una versión novelesca.

Valle-Inclán no se preocupa por ocultar su fuente, sino que repite los nombres de algunos de los bandidos. Aparecen en *El ruedo ibérico*, además del Niño de Benamejí, el Padre Veritas (Zugasti, I, p. 186), Carifancho (Zugasti, I, p. 232), el Sastre Lechuga (Zugasti, II, p. 63). También hay en las novelas reminiscencias de José María Espósito, conocido por el capitán Mena o el Garibaldino (Zugasti, I, p. 195 y II, pp. 261-293), que Valle-Inclán desdobló en el capitán Meana de *Baza de espadas* (libros tercero y cuarto), y en el Garibaldino de *Viva mi dueño* (libro tercero) [31].

Varios episodios de los libros cuarto, quinto y sexto están inspirados en la historia «La huerta del Tío Martín», que Zugasti narra en los tomos VIII y IX de *El bandolerismo...* [32] En la historia de Zugasti, el tío Martín presta a los secuestradores las cuevas que tiene bien disimuladas en su huerta, y en cada una de ellas esconde a un secuestrado. Es un personaje cruel, sádico y simulador, pero buen esposo. Una de sus perversidades es fingirse piadoso creyente; asiste al culto religioso y lleva siempre un escapulario de

[31] Señalado por BOUDREAU, «Banditry...», p. 86, nota 16. Ver también ZAVALA, *Historia y literatura...*, p. 448, nota 18.
[32] V. ZAVALA, *Historia y literatura...*, p. 448, nota 15.

la Virgen del Carmen [33]. El Tío Juanes también es piadoso y devoto de la Virgen del Carmen (I, 6, XI), pero su piedad es sincera y tosca; está convencido de que no tiene culpa: «la rebaja de caudales, aun cuando los ricos la acriminasen, era obra de justicia».

El refugio subterráneo o «jaula» del secuestrado y la escena de las amenazas a la víctima cuando escribe la carta a su familia (II, 5, XI a XIV) están directamente inspirados en Zugasti.

En cuanto al vocabulario [33 bis] tanto Boudreau como Zavala han señalada algunas coincidencias entre los dos textos. Boudreau se refiere a la frase «justicias de enero» (Zugasti, VII, p. 285 y Valle I, 5, X) y agrega: «mot of the *germanía* and *caló which* occasionally confound the reader ot the *Ruedo* is to be found in Zugasti, II, with the more common Spanish equivalent provided» [34].

Zavala se refiere a *bailar* como sinónimo de *robar* (Zugasti, II, 36; la acepción está en el *Diccionario de la Real Academia*, lo mismo que la de *justicias de enero*.

Podría agregar la palabra *comadreja* (que también figura en el *DRAE* en la acepción con que la usan Zugasti y Valle-Inclán). Zugasti explica que los bandidos «llamaban *comadrejas* a los espías que atalayan

[33] El culto que los bandoleros profesaban a la Virgen del Carmen, tiene varios testimonios en los folletines. V. por ejemplo, MANUEL FERNÁNDEZ y GONZÁLEZ, *José María el Tempranillo. Historia de un buen mozo*, Madrid, 1888, p. 92: «... tome osté esta medaya de la Santísima Virgen del Carmen [...] con esta medaya va osté más seguro por toos los cuatro reinos de Andalucía que si juera osté remontado en una nube...»

[33bis] V. ahora ALISON SINCLAIR, *Valle-Inclán's «Ruedo Ibérico». A Popular View of Revolution*, London, Tamesis Books, 1977, pp. 96-103.

[34] CARLOS CLAVERÍA, *Estudios sobre los gitanismos del español*, Madrid, 1951, p. 94, cree que el conocimiento del *caló* que revela Valle-Inclán puede tener relación con la obra de BORROW, traducida por Manuel Azaña (*La Biblia en España*, Madrid, 1921). No se ha dicho, y sin embargo, es un antecedente muy importante, que Fernández y González introduce muchas voces del *caló* en sus novelas de bandoleros. Pero no hay frases en *caló* cerrado como en Valle-Inclán.

por los caminos las conversaciones de los transeúntes y que luego se cuelan en las ventas y posadas para fisgar, oír y contar lo que han atisbado a los *planistas*» (II, p. 34). Y Valle-Inclán: «Comadrejas con el hombro pegado a las bardas, hacían cauteloso acecho por unas eras, Juana de Tito y Malena la Carifancho» (I, 7, III).

La circunstancia de haber tomado Valle-Inclán como punto de partida el libro de Zugasti para una de las secuencias más largas de *La corte de los milagros*, muestra sus geniales condiciones de creador. Todo lo que en Zugasti es monótono, descolorido y pedestre, en Valle-Inclán toma la densidad dramática característica de sus modos expresivos. El personaje de la molinera, Juana de Tito, no está en Zugasti, ni tampoco Tito el Baldado. Ya he dicho que el humano Tío Juanes tiene poco en común con el siniestro personaje de Zugasti, que se complace en torturar a los secuestrados.

Las «*Memorias íntimas de un pronunciamiento*» [35]

El interés de Valle-Inclán por la figura de José Paúl y Angulo, el presunto asesino del general Prim, se evidencia a lo largo de su vida: en 1892, al enterarse de la muerte del «terrible revolucionario», acaecida en París «sin oír una voz amiga que le hablase el idioma paterno y le consolase, sin que una mano amiga le cerrase los párpados y amortajase sus despojos», publica un breve artículo periodístico en *El Universal* de Méjico [36].

Mucho más tarde, en 1932, publica Valle-Inclán en *El Sol* los últimos capítulos que se conocen de *El ruedo ibérico*, los que iban a integrar la inconclusa

---

[35] Traté este tema en «Paúl y Angulo, Valle-Inclán y la revolución de 1868», *Insula*, núm. 339, febrero de 1975.
[36] Reimpreso por WILLIAM FICHTER, *Publicaciones periodísticas de don Ramón del Valle-Inclán anteriores a 1895*, México, 1952.

Baza de espadas. En ellos aparece Paúl y Angulo no sólo como personaje, sino de alguna manera como coautor del relato, ya que Valle sigue bastante puntualmente lo que aquél había expuesto en *Memorias íntimas de un pronunciamiento*, publicado en 1869, cuando era diputado republicano a las Cortes Constituyentes. Precisamente en los últimos artículos que Valle publicó en *Ahora*, y que son como el borrador de futuros capítulos de *El ruedo ibérico*, se refiere a esta obra: «Un cierto folleto que Paúl y Angulo publicó en 1869 es raro de encontrar, y son pocos aquellos comentadores de la revolución septembrina que muestran haberlo leído» [37]. Lo interesante es que Valle sigue el punto de vista de Paúl y que asume su defensa. En *Baza de espadas* es uno de los pocos personajes que actúa con firmes convicciones, con ilusa esperanza en la futura revolución y con una fe ciega en su jefe, el general Prim. El personaje no está idealizado, pero está visto con cierta simpatía. La primera vez que lo presenta es en el capitulillo XV del último libro de *Viva mi dueño:* es «un caballero jaquetón, enfermo de los ojos, andaluza fachenda» que se hace leer el porvenir:

> —¿Veré la revolución en España?
> —¡La verás!
> —¡Pues no es tan negra mi estrella!
> —¡Lo es!
> —Tú buscas que te sepulte un vaso en los sesos. ¿Quién traerá la revolución?
> —¡Todos!
> —¡Y Don Juan!
> —Pesará sobre ti la acusación de su muerte...

El andaluz, completamente borracho, agrede al profeta y continúa brindando por la revolución y por Prim.

Las *Memorias íntimas de un pronunciamiento* fueron escritas por Paúl y Angulo para demostrar que

---

[37] ILDEFONSO ANTONIO BERMEJO sigue puntualmente el folleto de Paúl y Angulo en la Carta XXIII, t. III de *La estafeta...*

el partido republicano andaluz tuvo una actuación destacada en los trabajos preliminares de la revolución de 1868, actuación que le negaban los dirigentes de la Unión Liberal. Paúl cita un fragmento de *El Diario Español*, órgano de los unionistas, referido a la actuación de los republicanos:

> Con nada habéis contribuido para destronar a la última reina de España, si no con vuestros buenos deseos, si los habéis tenido: vuestro amor a la Revolución fue platónico hasta el 29 de septiembre y únicamente el día en que la visteis triunfante os asociasteis a su comitiva.

En respuesta a esto, Paúl demuestra que fueron los unionistas los últimos en asociarse a las tareas revolucionarias, y que sus ambigüedades y vacilaciones hicieron fracasar dos intentonas previas al levantamiento de setiembre: la primera en julio, cuando los generales unionistas, detenidos por el gobierno de González Bravo, fueron enviados a Cádiz como destino previo al destierro en Canarias, y la segunda, el día 9 de agosto. Cuenta cómo, cuando Cádiz se convirtió en centro de la conspiración, el partido republicano tomó de hecho las riendas de la obra revolucionaria; agrega que él se sumó a la conspiración cuando ya estaba muy adelantada, en los primeros días de junio de 1868.

En las páginas 19 y 20, Paúl y Angulo explica cómo se convirtió en agente de Prim: «En aquellos momentos el que escribe estas líneas tuvo la satisfacción de prestar, en el mismo Londres, a dicho general [Prim] algunos servicios pecuniarios para la preparación de cierto barco destinado a transportar los emigrados liberales al primer puerto de España que se sublevase [cfr. *Baza de espadas*, 4, XII]; y habiendo inspirado gran confianza a dicho jefe, hubo éste de proponerme que ocupara el puesto importante que el destierro de mi amigo el señor La Riva [agente de Prim hasta que fue descubierto] acababa de dejar vacante en la conspiración. Como el cargo que se me encomendaba era de confianza y podía ser de grave riesgo, lo acepté desde luego con resolución; pero al hacerlo, yo, que hasta entonces había sido *platónicamente* demócrata-republicano, hube de preguntar a mi jefe de conspiración cuál era su bandera y cuál había de ser nuestro grito. «Abajo todo lo existente —me contestó el general— y viva la Soberanía Nacional.» (Cfr. II, 4, III).

Paúl y Angulo explica a continuación lo que pasa a integrar el libro titulado *La venta de los enanos*, de *Baza de espadas*: los demócratas, en combinación con Prim, antes de que los unionistas tomaran parte en la conspiración, tenían a su favor las fuerzas militares y populares necesarias para comenzar la acción revolucionaria: es lo que dice el personaje Paúl y Angulo a López de Ayala en el capitulillo VII del libro citado, y luego se expresa casi con las mismas palabras del folleto:

> Los vicálvaros han sido siempre enemigos del pueblo, lo han fusilado en las calles después de haber subido al comedero encaramándose en sus hombros. Han hecho las revoluciones para traicionarlas al día siguiente (III, 2, VII; cfr. pp. 27-28 de *Memorias íntimas...*)

Como la acción de la novela transcurre en los primeros días de julio, Paúl y Angulo-personaje continúa diciendo:

> No podemos olvidar la Historia, Paúl y Angulo no la olvida, y puesto al frente de las masas, sostendrá los ideales revolucionarios, que hoy solamente encarnan en el héroe de los Castillejos.

Naturalmente que Paúl y Angulo no podía pensar lo mismo de Prim al año de la revolución, por eso en su folleto dice:

> Nosotros, que equivocadamente confiábamos en el jefe progresista, creyéndole revolucionario de veras... (p. 33).

También execra el «odioso militarismo, que por excesiva confianza nuestra en el general Prim ha venido después a adulterar la más grande de las revoluciones...» (p. 26). Es decir, el revolucionario insiste en los que van a ser tópicos de Valle: la traición de Prim, el odio al militarismo («Ante la retórica de los motines populares, los espadones de la ronca revolucionaria nunca excusaron sus filos para acuchillar descamisados. El Ejército Español jamás ha malogrado ocasión de mostrarse heroico con la turba descalza y pelona que corre tras la charanga.» [I, 1, III]), y, finalmente, el miedo que sienten los militares ante las fuerzas populares. Sobre este punto Paúl y Angulo insiste repetidas veces:

> ... entonces, más aún que después, quería prescindirse del elemento popular para hacer la Revolución temiéndose sus legítimas y conocidas tendencias (*Memorias íntimas...*, p. 15).

Luego hace constar que Prim le pidió que se abstuviera de iniciar al paisanaje en la sublevación proyectada, pero él pensaba que debían tomar parte activa en la revolución centenares de paisanos demócratas «no tan sólo para asegurar sus resultados, sino para evitar que se encerrara en los estrechos límites de una sublevación militar» (p. 21).

En *El ruedo ibérico*, como en *Memorias íntimas...*, son los unionistas los que más temen al pueblo, y es casi siempre López de Ayala el que lo expresa: «La revolución es fatal, y, ante la ola demagógica, se impone la solidaridad de cuantos aman las libertades dentro del orden, representado en la Monarquía Constitucional», dice en I, 3, VI. Y en *Baza*:

> El pueblo es una fuerza ciega, y los hombres de orden no podemos constituirnos en prisioneros de las masas... (5, XVII).

Lo mismo opina el general Serrano cuando el coronel Merelo, declaradamente republicano, ofrece sacarlos del castillo de Santa Catalina, donde esperaban la orden de embarque hacia las Canarias, con la ayuda del pueblo gaditano:

> Con esta gente, ni a la gloria. Pasaríamos a ser prisioneros de las masas... (III, 2, III).

Este episodio de la intervención de Merelo está tomado también del folleto de Paúl y Angulo, así como otros en los que no voy a abundar. Importa, en cambio, destacar las coincidencias ideológicas entre el folleto de Paúl y Angulo y el último libro de *Baza de espadas*, titulado *Albures gaditanos*. La acción transcurre el 9 de agosto de 1868, día señalado para comenzar la revolución. Cuando todas las fuerzas comprometidas estaban de acuerdo y paisanos armados se habían congregado en Cádiz con el pretexto de asistir a una corrida de toros, cuando todo estaba listo para el levantamiento, el general Primo de Rivera y el brigadier Topete abandonaron la insurrección y «cometieron la gravísima falta de prescindir de todo y de todos», poniendo en grave peligro a los demás conjurados. Añade Paúl y Angulo que no ha podido encontrar razones poderosas que motivaran esa conducta, «aunque es muy cierto que contra el deseo y la *condición impuesta* por algunos de que al general Prim no había de avisársele, me apresuré yo a hacerlo por medio del telégrafo: aunque es muy cierto que esta circunstancia, una vez conocida, hubiese sido bastante para producir variación en el ánimo de algunos, es el caso que no comprendemos pudiese descubrirse nuestro intento» *(Memorias íntimas...*, pp. 38-39).

Se posterga entonces todo nuevo levantamiento hasta que se pudiera llevar a Cádiz a los generales unionistas desterrados en las Canarias. Todo esto ocurre también en el citado libro de *Baza de espadas*; Valle-Inclán añade muchas cosas, entre ellas la reacción de Prim al recibir el telegrama de Paúl: «Jamás arriesgaré el triunfo de nuestros ideales en una aventura romántica. No puedo exponerme a ser fusilado en la frontera... Por mi prestigio y la grandeza de nuestros ideales, no puedo echarme al monte con cuatro gatos...» (III, 5, VII).

Con el fracasado levantamiento del 9 de agosto acaba el último folletín que alcanzó a publicar Valle de *Baza de espadas*. Pero en los artículos que publicó en *Ahora* en 1935 (*Un libro sugeridor*, 18-VI; *Sugestiones de un libro: «Amadeo de Saboya»*, 26-VI, 2-VII y 11-VII; *Sugerencias de un libro: «Amadeo de Saboya»*, 19-VII y 26-VII; *Paúl y Angulo y los asesinos del general Prim*, 2-VIII, 13-VIII, 16-VIII 28-VIII y 20-IX) continúa exponiendo el punto de vista de Paúl y Angulo, narra todos los esfuerzos de éste para lograr que Prim llegara a Cádiz antes que Serrano, y la entrevista a bordo de la *Zaragoza*. Luego Valle niega rotundamente que Paúl y Angulo fuera el asesino de Prim. El «terne jerezano», jactancioso y bravucón, expresa en sus *Memorias* una pureza revolucionaria y un fervor popular que convencieron a Valle-Inclán, quien adoptó sus puntos de vista atraído quizás, también, por la excéntrica personalidad de Paúl y Angulo y por su singular destino.

CAPÍTULO 8

LA GÉNESIS DE *EL RUEDO IBÉRICO*

La génesis de *El ruedo ibérico* ofrece problemas complejos que expondremos teniendo en cuenta:

a) los episodios sueltos que funcionaron como novelitas independientes antes de ser integrados en la trama de los libros;

b) las adiciones y modificaciones que sufrieron los libros al ser publicados en 1931 como folletines en el periódico *El Sol*;

c) los episodios sueltos que no fueron integrados en el texto de la novela;

d) el caso especial de *El trueno dorado*.

a) LOS EPISODIOS SUELTOS QUE FUNCIONARON COMO NOVELITAS INDEPENDIENTES ANTES DE SER INTEGRADOS EN LA TRAMA DE LOS LIBROS.

Emma Speratti-Piñero ha estudiado este mismo tema, en relación con *Sonata de otoño* y con *Tirano Banderas*. Antes de la aparición de *Tirano Banderas*, Valle-Inclán había anticipado ocho fragmentos en la revista *El estudiante*, publicada en Salamanca y luego en Madrid (en junio, julio y diciembre de 1926).

En *La Novela de hoy* apareció *Zacarías el Cruzado o Agüero nigromante* (3 de setiembre de 1926). Todo este material, con variantes notables, pasará al libro, publicado a fines de 1926. También hay variantes —menos— en la segunda edición de *Tirano Banderas*, de 1927. Citamos estos antecedentes porque estas fechas están muy cerca de las de la publicación de nuestras novelas y porque el procedimiento es muy semejante al que se utilizaría en el ciclo ibérico. Por otra parte, como veremos enseguida, Valle-Inclán trabajó al mismo tiempo en *Tirano Banderas* y en *El ruedo ibérico*.

1. El primer episodio: *Cartel de ferias (Cromos isabelinos)* *

Valle-Inclán publicó este episodio en *La Novela Semanal* (núm. 183) en fecha muy temprana, el 10 de enero de 1925; es decir, antes que los fragmentos de *Tirano Banderas* aparecidos en *El Estudiante*. Otro hecho singular es que este episodio no se integraría en la trama de la primera novela, sino en el libro quinto de *Viva mi dueño* (1928). ¿Tendría Valle hecho ya el esquema de las dos novelas al publicar este episodio? Imposible saberlo con los datos que hasta ahora conocemos sobre la génesis de *El ruedo ibérico*. Interesa señalar que la figura central de *Cartel de ferias* es el bandido andaluz Juan Caballero. Como se cuenta la historia de sus aventuras juveniles y sus derivaciones en el presente narrativo, el episodio tiene valor independiente y pudo presentarse aislado. Consta de veintiséis capitulillos, frente a los treinta y cinco de la edición definitiva (la de *Viva mi dueño*, 1928). La técnica de Valle consiste en ir añadiéndolos a modo de abanico, para integrar el episodio con la trama de la novela.

* V. ALISON SINCLAIR, «The first episode of *El ruedo ibérico*?», en *Bulletin of Hispanic Studies*, XLIX, 1972.

Se corresponden de la siguiente manera:

Edición de 1925		*Edición de 1928*
	....	I
I	....	II
	....	III
II	....	IV
	....	V
III	....	y
	....	VI
IV	....	VII
V	....	VIII
VI	....	IX
VII	....	X
VIII	....	XI
IX	....	XII
X	....	XIII
XI	....	XIV
XII	....	XV
XIII	....	XVI
XIV	....	XVII
XV	....	XVIII
XVI	....	XIX
		XX
		XXI
		XXII
		XXIII
XVII		
y	....	XXIV
XVIII		
XIX	....	XXV
		XXVI
XIX		
y	....	XXVII
XX		
XXI	....	XXVIII
XXII	....	XXIX
XXIII	....	XXX
XXIV	....	XXXI
		XXXII
XXV	....	XXXIII
		XXXIV
XXVI	....	y
		XXXV

Dejando a un lado las variantes estilísticas, que son muchas, estudiaremos los capitulillos agregados en la edición definitiva. El III enlaza con el tema del indulto a los bandidos y secuestradores del joven cuyas desventuras se narran en el libro quinto de *La corte de los milagros*.

El capitulillo XX es una ampliación que tiene por objeto presentar con más detalle la escala de valores de la aristocracia en su alianza con el poder y hacer notar otra vez la presencia del marqués de Bradomín en las ferias (Valle-Inclán había agregado una referencia a este personaje en el capitulillo XVI).

Los capitulillos XXI y XXII enlazan el libro con episodios anteriores: aparece el secuestrado con su padre —don Luis Pineda—, y se une el tema del indulto de los secuestradores con la aventura de Fernández Vallín y su posible fuga.

En el capitulillo XXIII se relata cómo Bonifaz y la Guardia Civil traman el castigo del Zurdo Montoya, castigo que acabará con su muerte, narrada en el séptimo libro de *Viva mi dueño*.

El capitulillo XXVI refresca en la memoria del lector los sucesos de Madrid, que cobran actualidad con la llegada del general Fernández de Córdova y la noticia de que se han efectuado los ascensos de Concha y Novaliches. Así se prepara la acción del sexto libro, *Barato de espadas*, que gira alrededor de la reacción de los militares por los ascensos de esos personajes a tenientes generales.

En el capitulillo XXXII el Vicario y su hermana descubren a Rosina en el dormitorio de Bonifaz; su consiguiente deshonra motiva el viaje del cura a Córdoba para encerrarla en el convento donde está oculto Fernández Vallín, lo que se narra en II, 7.

2. *Ecos de Asmodeo*

Once meses después de *Cartel de ferias* —el 23 de diciembre de 1926— aparece en *La Novela Mundial* (núm. 41) el episodio titulado *Ecos de Asmodeo*, que se convertiría en el segundo libro de *La corte de los milagros* (edición de 1927).

Tendremos que volver sobre este episodio más adelante, porque sufrió modificaciones en la edición de 1931 (en *El Sol*), y también porque nueve capitulillos y medio reaparecen en *El trueno dorado*, publicado póstumamente en 1936.

Las variantes entre la versión de *La Novela Mundial* y la incluida en *La corte de los milagros* no son estructurales, ya que el folleto se publicó cuatro meses antes que el libro, pero son muchas y demuestran gran interés en pulir el estilo. Valle-Inclán corrigió minuciosamente, evitó repeticiones, cacofonías, y también una alusión demasiado directa a Góngora: en la pregunta hecha por López de Ayala, «¿Quién es el mentido robador de la ninfa?» (capitulillo VI), sustituye *mentido* (que recuerda al «mentido robador de Europa» gongorino) por *audaz*.

3. *Estampas isabelinas. La Rosa de oro*

Comprende dos libros de *La corte de los milagros*: el primero y el último de la edición de 1927. Se publicó en *La Novela Mundial* (núm. 58), el 21 de abril de 1927. El folleto apareció tres días después de la fecha de la primera tirada de *La corte de los milagros* (18 de abril de 1927). Esta aparición casi simultánea quizá sea pura casualidad no deseada por el autor, quien habría entregado al editor de *La Novela Mundial* sus originales con la debida anticipación. Esta suposición se funda en las numerosas correcciones al texto que hizo Valle-Inclán para la edición del libro, correcciones de estilo y de vocabulario.

La novelita está dividida en dos partes. La primera se titula, como en la edición definitiva, *La Rosa de oro*; la segunda parte lleva por título *Regia jornada* y se corresponde con el último libro de *La corte de los milagros*, llamado luego, con más propiedad, *Jornada regia*.

La variante más interesante de *La Rosa de oro* es la supresión de una referencia histórica demasiado precisa sobre el padre de Adolfito Bonifaz. La oración suprimida, puesta en boca de la reina, dice: «Por la defensa que hacía de mis derechos le fusiló Cabrera.» En *Cartel de ferias* (1925), al presentar por primera vez al personaje, había escrito: «Heredero de un título valenciano y judaizante.» (capitulillo XI). En el capitulillo XIII de la edición de 1928 de *Viva mi dueño* quedó la frase «enconaba el verde veneno de los ojos, cargados de perfidia valenciana», única referencia que se hace en la edición definitiva al origen de Bonifaz, suprimiendo las posibilidades de identificación histórica del «pollo real».

Regia jornada tiene, en la edición de 1927, correcciones de estilo que no afectan al contenido.

4. *Teatrillo de enredo*

Después del anterior, Valle-Inclán publicó *Fin de un revolucionario*, que estudiaré más adelante, ya que la acción del ciclo ibérico no llegó a hacer posible su integración, por razones de cronología interna. El folleto se refiere al fusilamiento de Vallín, que tuvo lugar poco antes de la batalla de Alcolea.

El 28 de junio de 1928 apareció en *Los Novelistas* (núm. 16) el folleto titulado *Teatrillo de enredo*, que es, en rigor, continuación de *Cartel de ferias*, ya que el tema principal del folleto es el viaje del Vicario de los Verdes a Córdoba con objeto de llevar al convento a su sobrina deshonrada. Este convento es el mismo en el que está refugiado Fernández Vallín: la acción del folleto enlaza con los primeros capítulos de *Viva mi dueño*, y también con *Fin de un revolucionario*, publicado precedentemente.

La acción enlaza también con *Cartel de ferias* en lo que se refiere a la historia del Zurdo Montoya, que muere en Córdoba después de haber sido vapuleado por la policía.

Al incorporar el folleto a la novela, Valle-Inclán cambió su título por *El Vicario de los Verdes*, episodio que constituye el séptimo libro de la novela. Las variantes estructurales no son muchas:

Teatrillo de enredo		El Vicario de los Verdes
		I
I y II	....	II
III	....	III
IV	....	IV
V	....	V
VI	....	VI
VII	....	VII
VIII	....	VIII
IX	....	IX
X	....	X
XII	....	XII
XIII	....	XIII
XIV	....	XIV
XV	....	XV
		XVI
XVI	....	y XVII
		XVIII XIX

Valle-Inclán agregó un primer capitulillo que muestra cómo el gobierno obliga a publicar datos falsos a los periodistas; en el capitulillo III se añade un diálogo sobre la fuga de Fernández Vallín, y en el XVI y XVII otros que se enlazarán con la noticia falsa de la huida del cubano, difundida por el gobierno (capitulillo I). El capitulillo XVIII, que no estaba en el primera versión, vuelve a insistir en el mismo tema.

Por último, el autor agrega el capitulillo XIX, muy breve, donde se refiere al tren en que viajan los Montpensier para asistir a las bodas de la infanta, lo que será tema del libro *Capítulo de esponsales*.

Estas variantes estructurales mínimas se explican porque *Viva mi dueño* apareció sólo cuatro meses antes de la publicación de *Teatrillo de enredo*, e indican que, al entregarlo, Valle-Inclán ya tenía estructurado su libro.

Las demás variantes son de poca importancia: correcciones de estilo, puntuación o cambios de vocabulario.

5. *Las reales antecámaras*

Pocos días antes de la aparición de *Viva mi dueño*, *La Novela de hoy* publicó, en su número 335, el folleto *Las reales antecámaras*, que pasaría a ser, con algunas variantes, el cuarto libro de la novela.

Las variantes que se observan entre una y otra edición indican que el texto fue corregido por Valle-Inclán. Como entre ellas sólo median once días —ya que *Viva mi dueño* apareció el 23 de octubre de 1928 y el folleto el 12 de octubre— podemos suponer que Valle-Inclán había escrito con antelación este trabajo y que quizá se retrasó la edición, como dijimos al referirnos a *Estampas isabelinas*. Pero esta reiteración puede hacernos pensar también en una posible utilización de las publicaciones periódicas como avanzadillas de las novelas, una especie de promoción que sería ya habitual a principios de siglo. Y existe otra posibilidad: que Valle haya entregado a *La Novela de hoy* un original diferente del que ya debía estar en prensa para su publicación en *Viva mi dueño*.

De todos modos, las variantes son menos que las que se encuentran en los demás casos.

6. *Otra castiza de Samaria. Estampas isabelinas*

Este es uno de los folletos que ofrece más interés [1]. Fue publicado en *La Novela de hoy* (núm. 392) el 15 de noviembre de 1929 —un año después de la aparición de *Viva mi dueño*.

[1] Traté este tema en «Sobre la génesis de *El ruedo ibérico: Otra castiza de Samaria*», *Nueva Revista de Filología Hispánica*, t. XXV, 1976, pp. 303-331.

El episodio pasó a integrar, con importantísimas variantes y adiciones, el libro titulado *Alta mar* en *Baza de espadas* (1932); estos cambios se justifican por la diferencia de años que media entre una y otra publicación.

El cotejo de las dos versiones es interesante tanto desde el punto de vista estilístico como desde el estructural. La estructura del texto definitivo aparece modificada, en parte, por la sustitución de un personaje —Kropotkin por Bakunin— y la adición de otros, y en parte porque Valle caracteriza más amplia y profundamente a los personajes que ya habían aparecido en el folleto.

Veamos los cambios estructurales entre una y otra versión. *Otra castiza de Samaria* consta de trece capitulillos, y *Alta mar* de treinta y nueve, que se corresponden de la siguiente manera:

Otra castiza de Samaria		*Alta mar*
I	....	I
II	....	XV
III		
IV	....	XVI
V		
VI	....	XVII
VII	....	XVIII
VIII	....	XIX
IX	....	XX
X	....	XXI
XI	....	XXXVII
XII	....	XXXVIII
XIII	....	XXXIX

Como se advierte, Valle ha ampliado el material entre los capitulillos I y II, y entre el X y el XI de la versión primera. Los capitulillos agregados están destinados a caracterizar mejor a los personajes y a ampliar el tipo de relaciones entre ellos. Así, al sustituir al príncipe Kropotkin por Bakunin, destina más espacio a la exposición que éste hace de sus propias teorías, contrapone su figura con la de «Boy» (que no aparecía, naturalmente, en la primera versión, ya que éste era amigo de Bakunin), e introduce modificaciones que iremos viendo al analizar el contenido.

Toda la acción de *Otra castiza de Samaria* ocurre a bordo del vapor que hace la travesía entre Gibraltar y Liverpool (en esta versión no tiene nombre, pero en *Baza de espadas* se llamará *Omega*). Entre los pasajeros hay cinco revolucionarios españoles que van a entrevistarse con Prim: Pomponio Mela, que dentro del mismo texto se transforma, quizá por distracción, en Tiberio Graco (esta última es la única denominación que subsiste en *Baza de espadas*), y Claudio Nerón, de quien se da poco después el nombre verdadero: Paúl y Angulo; los militares Nicolás Estévanez y Adolfo Pons (quien en *Baza de espadas* es sustituido por el capitán Meana) y un «clérigo sin licencias», Luis Alcalá Zamora.

A bordo del vapor viajan, tanto en *Otra castiza de Samaria* como en *Baza de espadas*, anarquistas que exponen su ideología, en cierta manera enfrentada con la republicana. Pero la variante más significativa en lo que se refiere a los personajes es la siguiente: en la primera versión Valle había elegido la figura del príncipe Kropotkin, elección que no le pareció acertada, ya que la sustituyó en la versión definitiva por la de Miguel Bakunin. Sin duda Valle pensó primero en Kropotkin por la estrecha vinculación entre este revolucionario y los anarquistas españoles —que se produce años después de 1868— y en especial por su relación con Salvochea. Es evidente el interés que tenía por introducir a un «gigante ruso» en el barco, aun a riesgo de no respetar —en ninguna de las dos versiones— la verdad histórica. Kropotkin, en el verano de 1868 —fecha en que transcurre la narración de Valle— tenía veintiséis años y aún no había salido de Rusia. En 1872 viajó por primera vez a Europa occidental, donde se puso en contacto con compatriotas emigrados, y volvió a Rusia con gran cantidad de bibliografía prohibida. En 1874 fue encarcelado y logró fugarse dos años después; viajó a la emigración en un vapor inglés, único detalle que coincide con *Otra castiza de Samaria*. Vivió en Inglaterra y en Suiza principalmente, donde conoció a Severino Albarracín, internacionalista español emigrado tras los sucesos de Alcoy. En el congreso de 1877 conoció también a Morago y a Viñas, o a Serrano, quienes lo pusieron al tanto de las disensiones entre las Asociaciones de Madrid y Barcelona, por lo que Kropotkin decidió viajar a España para actuar como intermediario —en Barcelona prevalecía la tendencia sindicalista y en Madrid la terrorista—.

Kropotkin estuvo en España durante un mes y medio, en junio y julio de 1878. Su vinculación con los internacionalistas españoles fue continua: por un lado publicaba en su periódico *Révolté* todo cuanto éstos le hacían llegar, y por otro, su nombre aparecía continuamente en las publicaciones anarquistas de la Península. *La Revista Blanca*, de Madrid, publica traducciones de sus obras en casi todos los números, y en 1899 anuncia que Fermín Salvochea, redactor de la revista, está traduciendo un libro suyo (debe de tratarse de *Campos, fábricas y talleres*, escrito en 1898).

Cuando Valle decidió sustituir a Kropotkin por Bakunin no necesitó modificar los rasgos principales de su retrato, ya que los dos revolucionarios rusos tenían rasgos físicos en común. Así, en *Otra castiza de Samaria*:

> El príncipe Pedro Kropotkin iluminaba el nuevo alojamiento con su ancha sonrisa barbuda, de apóstol eslavo. Los ojos, en una mirada clara, de una jovialidad campesina, no mostraban asombro, y su expresión podía ser de amorosa confianza en la caridad de los hombres (capitulillo III).

En *Baza de espadas* repite, con idéntica verosimilitud:

> El Maestro iluminaba el nuevo alojamiento con su ancha sonrisa barbuda de apóstol eslavo. Los

ojos claros, de una jovialidad campesina, no mostraban asombro, y su expresión podía ser de amorosa confianza en la caridad de los hombres (capitulillo XVI).

Claro que la elección de Bakunin como personaje es mucho más acertada, porque éste era ya un revolucionario profesional en 1868 y tenía la autoridad suficiente como para exponer sus doctrinas ante un respetuoso auditorio, como lo hace en *Baza de espadas*; la dimensión que alcanza su figura en la novela puede considerarse como una metáfora de la enorme difusión de las doctrinas bakuninistas en España. Por otra parte, con Bakunin pudo introducir la figura de Netchaev —«Boy»— y exponer así la versión de otro tipo de anarquismo —el de «la propaganda por el hecho»—, aunque alterara también los hechos históricos, ya que ni Bakunin ni Netchaev estuvieron nunca en España.

Fermín Salvochea aparece con las mismas características tanto en uno como en otro texto. Valle ha querido dejarnos la imagen del apóstol laico, austero, sencillo y puritano, que no fuma ni bebe ni se permite exaltaciones eróticas.

En cuanto a Paúl y Angulo, en *Otra castiza de Samaria* Salvochea dice a Kropotkin (y en *Baza de espadas* a Bakunin) que aquél está «muy cercano» en ideología a «los nuestros», lo que se justifica históricamente, porque Paúl y Angulo era un republicano federal fervoroso. El retrato de Paúl y Angulo es, en los dos textos de Valle-Inclán, más realista que el de Salvochea. El andaluz era amante del vino, de las mujeres y del tabaco, achispado y dispendioso siempre; al leer la novela nos queda de él la misma imagen que nos ha dejado la historia. Pero hay una variante de importancia entre los dos textos: cuando los revolucionarios españoles explicitan su ideología, en *Otra castiza de Samaria*, Paúl y Angulo dice: «Creo que soy un socialista federal, no estoy muy seguro» (capitulillo IV), en cambio, en *Alta mar* el que afirma esto es Estévanez (capitulillo XVI); Valle advirtió que a la personalidad de Paúl y Angulo no le correspondía dudar, ya que en los dos textos se expresa siempre con rotundas afirmaciones, y además la frase de la primera versión no está de acuerdo con la verdad histórica, porque en sus *Memorias íntimas de un pronunciamiento* Paúl y Angulo había afirmado: «Yo he sido, soy y seré republicano federal, esencialmente socialista» (p. 45). De modo que esta variante se justifica por la búsqueda de una mayor fidelidad histórica.

7. *Vísperas de la Gloriosa*

El 16 de mayo de 1930 publicó Valle-Inclán en *La Novela de hoy* (núm. 418) el folleto *Vísperas de la Gloriosa*, cuya acción continúa la de *Otra castiza de Samaria*.

Vísperas de la Gloriosa se transformó, en los folletines de *El Sol*, en el libro cuarto de *Baza de espadas*, titulado *Tratos púnicos*.

Al referirnos a *Otra castiza de Samaria* dijimos que junto a Estévanez aparecía el teniente Pons, personaje histórico con el que el primero realizó su viaje a Inglaterra para entrevistarse con Prim. Este teniente Pons reaparece en *Vísperas de la Gloriosa* con su nombre verdadero, pero en la edición definitiva Valle-Inclán lo sustituye —como ya había hecho en *Alta mar*— por el capitán Meana.

En este folleto se le había deslizado a Valle-Inclán, dentro del discurso del narrador, nombrar a Prim llamándolo «el gran revolucionario» (capitulillo IV) en un contexto en el que no cabe la ironía. En la edición definitiva corrige el «lapsus», quitando un sintagma que contradecía los violentos juicios adversos que prodiga contra Prim poco más adelante.

Otra corrección puede relacionarse con el proceso de creación de *El ruedo ibérico*. Como dijimos en 6., Valle-Inclán corrigió en la edición definitiva una frase que había adjudicado a Paúl y Angulo. En *Tratos púnicos* corrige otra que, aislada, no hubiera sido significativa, pero que ahora, al considerarla en relación con la anterior, tiene otra importancia. En

Vísperas de la Gloriosa Paúl y Angulo decía: «¡Así salen de bélicas las sotanas nacionales!», mientras que en el libro correspondiente de *Baza de espadas*, dice: «¡Así salen de cerriles las cochinas sotanas nacionales!» La frase no sólo está mejorada eufónica y rítmicamente, sino que presenta un personaje más agresivo, en la misma tónica de la corrección que estudiamos en 6.

b) LOS FOLLETINES DE EL SOL

Pocos meses después de proclamada la Segunda República española (14 de abril de 1931) aparece publicada *La corte de los milagros* en los folletines del periódico *El Sol*, en los números del 20 al 25 y del 27 al 31 de octubre; en los de los días 1, 3 a 7, 10 a 15, 17 a 22, 24 a 26 y 28 a 29 de noviembre; 1 a 4, 6, y 8 a 11 de diciembre.

Concluida esta publicación, la sigue *Viva mi dueño*, en los números de las fechas siguientes: 14 a 17, 19 a 23, 26, y 28 a 31 de enero; 2, 3, 5 a 7, 10, 12, 14, 16 a 21 y 23 a 28 de febrero; 1, 2, 4 a 6, 8, 9, 11, 13, 15, 16, 19, 20, y 23 a 25 de marzo de 1932.

La primera parte de *Baza de espadas*, subtitulada *Vísperas setembrinas*, apareció unos meses después, en los números de los siguientes días: 7 al 12, 16 al 19, 22, 23, 25, 26, 29 y 30 de junio; 1 al 3, 6, 7, 9, 10, 12, 15 al 17 y 19 de julio de 1932. En este último número acabó sin previo aviso la publicación, quedando, por lo tanto, inconclusa la tercera novela de la primera serie.

1. *La corte de los milagros*

Emma Speratti-Piñero estudió las modificaciones que sufrió esta novela al ser publicada en el periódico *El Sol* [2]. A pesar de que estas modificaciones

[2] EMMA SPERATTI-PIÑERO, «Acerca de *La corte de los milagros*», *Nueva Revista de Filología Hispánica*, XI, 3-4, 1957, páginas 343-365. Reeditado en *De «Sonata...»*, p. 249.

son muy importantes —remplazo de palabras, trasplante de un fragmento, adición de un pasaje y agregado de un libro entero—, las ediciones posteriores a 1931 de *La corte de los milagros* siguieron repitiendo la de 1927 hasta la publicación del estudio de la investigadora argentina.

La corrección más importante es la que se refiere al cambio de nombre que sufre un personaje. Se trata del administrador de Los Carvajales, don Segismundo Olmedilla, que aparece con otro apellido en *Réquiem del espadón*, capitulillo iv. Las ediciones modernas seguían repitiendo el error:

> Luisito, procura correr las órdenes para que cese la persecución de mi administrador Segismundo Romero (*sic* en Austral, 1968)

pese a que Valle-Inclán corrigió el apellido en la edición de *El Sol*.

La adición de un pasaje al principio del capitulillo xxi del libro *Ecos de Asmodeo* planteaba un problema insoluble para la crítica, ya que no se habían encontrado las razones de su inclusión. En este fragmento aparecen por primera vez dos personajes: «una rubiales enlutada y un prójimo con catadura de músico ambulante, el violín en funda y la colilla pegada al labio». La mujer es la hija del guardia asesinado por los jóvenes aristócratas (Gonzalón Torre-Mellada, Adolfito Bonifaz, etc.), y aparece en la calle con su compañero cuando la marquesa Carolina y Feliche están frente a su puerta en el coche, sin decidirse a dar ayuda a la viuda. Avisada por la portera de la presencia de las señoras, se acerca a ellas, quienes entonces delegan el otorgamiento de la ayuda en la criada Cayetana.

Al agregar este fragmento, el capitulillo xii quedó con una estructura distinta de los demás: es el único que no tiene unidad de tiempo ni de acción, ya que lo agregado transcurre en la calle y el resto en el salón de la marquesa Carolina.

Emma Speratti-Piñero fue la primera en estudiar las conexiones entre este fragmento y *El trueno dorado* [3] publicación póstuma de Valle-Inclán. Gracias a estas conexiones, que estudiaremos más adelante, podemos deducir que la hija del guardia y su pareja son «la Sofi» e Indalecio, personajes que también aparecen en *Otra castiza de Samaria* y en su versión posterior, *Alta mar.*

La corte de los milagros se vio notablemente enriquecida en la edición de 1931 por la adición de un nuevo libro —*Aires nacionales*— que abre, como una introducción sinfónica, la trilogía. No hay datos para fechar el momento de su composición, que podría haber sido efectuada ese mismo año de la proclamación de la República.

El libro consta de dieciséis capitulillos, de los cuales el primero y el último son idénticos:

El reinado isabelino fue un albur de espadas: Espadas de sargentos y espadas de generales. Bazas fulleras de sotas y ases.

Esta apertura y cierre idénticos transmiten una imagen circular que también está sugerida en el resto del libro.

El título *Aires nacionales* podría haber sido inspirado por un poema burlesco que apareció en el semanario satírico *La Gorda*, el 11 de enero de 1869. Lo sugiere Iris Zavala en «Notas sobre la caricatura política y el esperpento» [4], y es una sugerencia muy aceptable, ya que Valle-Inclán utilizó para documentarse semanarios político-humorísticos. (En *El ruedo ibérico* cita el *Gil Blas*, pero en *Farsa y licencia de la reina castiza* agrega *La Gorda* y *La Flaca.*)

Valle-Inclán tiene una marcada preferencia por introducir en sus novelas material gráfico de consumo

---

[3] E. SPERATTI-PIÑERO, *De «Sonata...,* p. 261.
[4] IRIS M. ZAVALA, «Notas sobre la caricatura política y el esperpento», *Asomante,* I, 1970.

popular: pliegos de cordel, coplas, aleluyas, estampas litográficas, naipes. Incluyo la baraja entre el material gráfico, porque en el siglo XIX los naipes se imprimían con figuras de militares [4 bis]. Valle-Inclán juega constantemente con la imagen de los militares y la baraja. Tanto Speratti-Piñero como Zavala dan sólo la interpretación metafórica, sin tener en cuenta la representación real de los «héroes» en la baraja. Esta última afirma: «La imagen de Prim como «general de naipes» bien se podría referir tanto al Prim de las estampas litográficas cuanto al general cuyas cartas a Ruiz Zorrilla insisten en la frase «arreglar la baraja» y «ver ante todo qué quedará de mi baraja» [5]. Por supuesto que Valle-Inclán se refiere a las estampas litográficas, pero muchas veces se refiere pura y exclusivamente a la imagen que proponen los naipes, utilizándola como punto de partida para su sátira.

En cuanto a la estampa mencionada en el capitulillo II:

> El General Prim caracoleaba su caballo de naipes en todos los baratillos de estampas litográficas: Teatral Santiago Matamoros, atropella infieles tremolando la jaleada enseña de los Castillejos

fue popularísima en su época y aún puede verse en los libros de historia: representa a Prim sobre un caballo blanco que caracolea sobre la cabeza de los moros; por encima flota su estandarte. La popularidad de este grabado llega por lo menos hasta 1925, como lo atestigua Julio Caro Baroja en su *Ensayo sobre la literatura de cordel* [6].

[4 bis] Desarrolla el tema ALISON SINCLAIR, en «Nineteenth-Century popular literature as a source of linguistic enrichement in Valle-Inclan's *Ruedo Ibérico*». *Modern Language Review*, LXX, 1, enero de 1975.

[5] IRIS M. ZAVALA, *Historia y literatura...*, p. 447, nota 12.

[6] JULIO CARO BAROJA, *Ensayo sobre la literatura de cordel*, Madrid, Revista de Occidente, p. 17. Pérez Galdós describe la litografía en *Aita Tettauen*, II, cap. VI (v. Apéndice I, s. v. *Castillejos*).

Pero la intención de Valle-Inclán no es sólo documentar una realidad sino, ante todo, desvalorizarla y desmitificar a los héroes históricos.

En este primer libro, Valle-Inclán insiste en su diatriba contra los militares, considerados como oportunistas y enemigos del pueblo:

> El Ejército Español jamás ha malogrado ocasión de mostrarse heroico con la turba descalza y pelona que corre tras la charanga (I, 1, III).

Los capitulillos centrales son más anecdóticos que los periféricos, y pueden haber sido escritos bastante antes de su publicación, ya que es posible que Valle-Inclán utilizara para su redacción fuentes periodísticas de 1868 que ya había usado en *La corte de los milagros*.

Estos capitulillos (V a XIV) muestran la intranquilidad de las provincias en aquel año de 1868, sobre todo, la situación de Valladolid y Andalucía, que eran los puntos más conflictivos del país. En Valladolid «todo lo acarreaba la judaica pasión por los bienes terrenales, ahora más temosa con la quiebra fraudulenta del Banco de Castilla» (I, 1, VII). *La Nueva Iberia*, que es una de las fuentes de Valle-Inclán, en el número correspondiente al 23 de mayo de 1868 trae noticias de estos sucesos:

> ya tendrán conocimiento de que la primera calamidad que afligió a esta población fue la de las repetidas quiebras que se sucedieron con las estafas del banco, que hicieron desaparecer el crédito de esta provincia. La segunda calamidad es la sequía [...].

El 19 de junio *La Nueva Iberia* afirma que los pueblos de Valladolid son los más azotados por la miseria; sin embargo, la situación no era mejor en Andalucía, donde se producían motines para pedir pan (*La Época*, 28 de febrero de 1868) y los enfrentamientos sociales eran permanentes.

El libro se abre con críticas a los militares, como ya dije, y con referencias a problemas políticos de

orden general, y se cierra con los mismos temas, en
orden inverso. Emma Speratti-Piñero encuentra una
simetría que podemos indicar gráficamente de la siguiente manera:

```
I ..................................................... XVI
   II-III ........................................... XV
      IV ................................. XIV
         V-VI ................. XI-XIII
            VII ... X
```

En los capitulillos centrales quedan problemas menos
generales, y algunos, puramente anecdóticos, que demuestran el dinamismo volcánico de las fuerzas sociales reprimidas durante el gobierno de Isabel II.
Los represores quedan, significativamente, enmar-
cando el proceso (capitulillos I, II, III, IV, XIV, XV y
XVI).

En el marco mayor (capitulillos I y XVI), el tiempo
verbal privilegiado de la narración, el pretérito indefinido, señala la definición del narrador: «El reinado
isabelino fue un albur de espadas: Espadas de sargentos y espadas de generales. Bazas fulleras de sotas
y ases.» En los capítulos centrales nos movemos en
un terreno resbaladizo, por el uso del pretérito imperfecto y del presente, y del discurso modalizante,
que enmascara la opinión del narrador. Por eso
E. Speratti-Piñero señala: «La nota satírica se acre-
cienta [en este libro] contra todos los miembros de
la reacción, cualquiera sea el grupo al que pertenezcan, si bien, para hablar con justicia, se debe decir
que nadie escapa en realidad a la sátira, ni aun los
propios revolucionarios, ni aun el pueblo»[7] (p. 271).
Es que, en su florecimiento modalizante, el discurso
se devora a sí mismo, situación que se agrava por el
uso alternado del estilo indirecto libre:

¡No se enmendaban! Ante aquella pertinaz relaja-
ción la gente nea se santigua con susto y aspavien-
to. Las doctas calvas del moderantismo enrojecen.

[7] E. SPERATTI-PIÑERO, De «Sonata...», p. 271.

Los banqueros sacan el oro de sus cajas fuertes para situarlo en la pérfida Albión. La tea revolucionaria atorbellina sus resplandores sobre la católica España. Las utopías socialistas y la pestilencia masónica amenazan convertirla en una roja hoguera [...] (I, 1, v).

2. *Viva mi dueño.*

Cuando apareció esta novela en *El Sol*, Valle-Inclán introdujo escasísimas variantes, que han sido estudiadas por E. Speratti-Piñero.

Las múltiples correcciones hechas en los textos que hemos estudiado precedentemente permiten presumir que, de no mediar circunstancias poderosas, Valle-Inclán hubiera seguido puliendo su obra. Expuse algunas de esas circunstancias en el capítulo 1. El cansancio que se puede advertir en el autor cuando introduce una reforma que no llega a cuajar en *La corte de los milagros* (capitulillo XXI de *Ecos de Asmodeo*) se traduce en correcciones mínimas al volver a publicar *Viva mi dueño*, y en el abandono definitivo de su proyecto en la inconclusa *Baza de espadas*.

3. *Baza de espadas*

El texto que conocemos de esta novela es el que apareció en *El Sol*. Valle-Inclán llegó a publicar cinco libros de lo que tituló *Vísperas setembrinas. Primera parte*. Ahora sabemos que dos de esos libros ya los tenía escritos hacía tiempo: la primera versión de *Alta mar* es de 1929, y la de *Tratos púnicos* de 1930. Los otros tres —*¿Qué pasa en Cádiz?*, *La venta de los enanos* y *Albures gaditanos*— se refieren a los sucesos de Cádiz, de modo que hay entre ellos unidad de acción, y utilizan como fuente principal las *Memorias íntimas de un pronunciamiento*, de Paúl y Angulo; por lo tanto, pueden haber sido escritos antes de 1932, ya que Valle-Inclán había estudiado la personalidad de Paúl y Angulo (personaje principal de los libros segundo y quinto) para escribir *Otra castiza de Samaria.*

Esta hipótesis está avalada por la declaración de Valle-Inclán en *ABC* (3 de agosto de 1930), en la que le dice a Luis Calvo que en el otoño piensa publicar el tercer tomo de *El ruedo ibérico* (v. p. 26 de este libro).

Si Valle-Inclán pensaba publicar *Baza de espadas* en setiembre u octubre de 1930, es probable que tuviera escritos, cuando hizo esta declaración, buena parte de los tres libros que aún no conocía el público.

Baza de espadas se publicó en forma de libro por primera vez en 1958. En su edición de 1971, la colección Austral incorporó, a continuación de los cinco libros conocidos, el folleto *Fin de un revolucionario.*

c) LOS EPISODIOS SUELTOS QUE NO FUERON INTEGRADOS EN LA TRAMA NOVELESCA.

Algunos episodios no fueron integrados en las novelas, por diferentes razones, que trataremos de dilucidar en cada caso. Estos episodios son *Fin de un revolucionario, Un bastardo de Narizotas, Correo diplomático* y *El trueno dorado.*

1. *Fin de un revolucionario.*
   Aleluyas de la Gloriosa

El 15 de marzo de 1928 Valle-Inclán inauguró la colección periódica *Los Novelistas* (núm. 1) con el folleto *Fin de un revolucionario,* que apareció siete meses antes que *Viva mi dueño.* El folleto está dividido en dos partes: la primera se titula *La espada de Damocles* y la segunda *Vísperas de Alcolea.*

La espada de Damocles, dividida en capitulillos agrupados con diversos subtítulos, pasó a integrar el libro II de *Viva mi dueño,* titulado *Espejos de Madrid.*

Los capitulillos se corresponden de la siguiente manera:

Fin de un revolucionario   *Viva mi dueño*

1.ª parte: Libro II
La espada de Damocles   *Espejos de Madrid*

Los bufos de Madrid

I	....	I
II	....	II
III	....	III
IV	....	IV
V	....	V
VI	....	1/3 del VI

Peces gordos

I
II – – – – – – – – – – – – – –XII
III – – – – – – – – – –

IV   ....   principio del XIII

El tapete verde

I
II
III
IV   – – XIII
V
VI – – – –

El aviso de la suripanta

I
II
III   XIV
IV

Milagros del santo

I
II – – – – – – – – – – – –XV
III   XVI
IV

Huyendo el bulto

I
II   – – XVII
III – – – –

                        XVIII
                        XIX
                        XX
                        XXI

Los capitulillos agregados en *Espejos de Madrid* (*Viva mi dueño*, 1928) enlazan el episodio con la trama novelesca. Se refieren (VI, VII, VIII, IX y X) a la enfermedad de Gonzalón Torre-Mellada, recurso de que se vale el autor para introducirnos en el palacio del marqués y para llevar otra vez la acción a sus dominios rurales. En estos capitulillos reaparecen casi todos los personajes cortesanos de *La corte de los milagros*. También introduce, en los capitulillos IX y X un breve diálogo entre Bradomín y Alcañices: éstos sostienen una conversación misteriosa sobre la que es necesario poner atención para asociarla con la acción del libro noveno. El diálogo es el siguiente:

> Bradomín y Alcañices conversaban en voz baja:
> —Seguiremos la discusión, Pepe. Usted no puede dudar...
> —No dudo. Sé que usted reprueba esa intriga.
> —Completamente.
> —Pero usted la condena en silencio.
> —No puedo hacer otra cosa...
> —Seguiremos hablando.
> Callaron discretos (capitulillo IX).

En el capitulillo X se insiste:

> Bradomín y Alcañices, en un aparte, convenían en verse.

La intriga que Bradomín «reprueba completamente» es la que traman algunos carlistas para conseguir que el pretendiente al trono, don Juan de Borbón, abdique en su heredero.

El capitulillo X enlaza con el tema del secuestro y pedido de indulto de los reos de Solana. Los cuatro capitulillos finales se agregan también para reforzar la trama: se hacen referencias al próximo viaje a Los Carvajales (libros quinto y séptimo) y la sesión de Cortes para anunciar la boda de la Infanta (libro cuarto).

Una variante de apariencia intrascendente enlaza el capitulillo IV con el capitulillo XXI(del libro *Réquiem del Espadón* de *La corte de los milagros*. Es la siguiente:

Fin de un revolucionario	*Espejos de Madrid*
El buen mozo del calañés y la capa con embozos grana, es un andaluz marchoso, que se hace de amigos en la Corte.	El buen mozo del calañés y la capa con embozos grana, *es el niño de Benamejí. Ahorcados los andularios de clérigo y recobrada la estampa* marchosa, se hace de amigos en la Corte (II, 2, IV).

En *Réquiem del Espadón* (I, 9, XVII), Segismundo Olmedilla aparece en un café, disfrazado de clérigo, sosteniendo una entrevista con el barón de Bonifaz. El disfraz se debe a que ha sido descubierto el secuestro en el que estaba complicado el administrador de Los Carvajales.

En la edición definitiva, Valle-Inclán corrige un error de información:

Fin de un revolucionario	*Espejos de Madrid*
Por la Plazuela de Matute salieron a la calle del Príncipe. El Casino de Madrid, en los fastos isabelinos, tuvo allí su sede.	Por la Plazuela de Matute y calle del Príncipe *salieron a la Carrera de San Jerónimo.* El Casino de Madrid, en los fastos isabelones [*sic*] tuvo allí su sede (II, 2, IV).

En efecto, hasta 1848 el Casino estuvo en la Calle del Príncipe, pero en esta fecha fue trasladado a la Carrera de San Jerónimo, en la antigua casa del marqués de Santiago.

La segunda parte —*Vísperas de Alcolea*— es totalmente nueva, y narra el fusilamiento de Fernández

Vallín en Montoro, en vísperas de la revolución. Como la acción de *Baza de espadas* se interrumpe el 9 de agosto, y Valle sigue en general una cronología lineal, no había posibilidad de que este fragmento pasara a integrar *El ruedo ibérico*.

El aspecto más interesante de este folleto es que pone en evidencia el modo de componer de Valle-Inclán. Interesado en Fernández Vallín, cuyas aventuras ocupan buena parte de *Viva mi dueño*, decidió escribir sobre su trágico final, aun sabiendo que no iba a poder incluir el episodio hasta tener mucho más adelantada la obra [7 bis].

2. *Un bastardo de Narizotas* y *Correo diplomático*

El 5 de enero de 1929 publicó Valle-Inclán en *Caras y Caretas*, de Buenos Aires —año XXXII, núm. 1.579, sección *La novela del jueves*— *Un bastardo de Narizotas* «descubierta» por Antonio Odriozola, quien la incluyó en su bibliografía de Valle-Inclán [8]. La incorporación de este título es muy importante para el estudio de la génesis de *El ruedo ibérico*, ya que *Un bastardo de Narizotas* no es más que la primera versión de *Correo diplomático* (en adelante *UBN* y *CD)*, publicado en *Ahora* el 12 de marzo de 1933 [9].

El «bastardo de Narizotas», personaje central de *CD* y de su versión primitiva *UBN*, es el Conde Blanc, singular personaje histórico que aparece también en *El ruedo ibérico*.

En la trilogía se lo menciona por primera vez en *La corte de los milagros* (2, VI), cuando Isabel II

[7 bis] El texto fue estudiado por VERITY A. SMITH en 1964 («*Fin de un revolucionario* y su conexión con el ciclo ibérico», *Revista de literatura*, Madrid, vol. XXVI, 51-52) y por EMMA SPERATTI-PIÑERO (v. ahora *De Sonata...*).

[8] ANTONIO ODRIOZOLA, *Catálogo de la exposición bibliográfica Valle-Inclán*, Pontevedra, Ateneo de Pontevedra, 1967.

[9] Traté este tema en «Sobre *Un bastardo de Narizotas* de Valle-Inclán», *Ínsula*, febrero de 1977, núm. 363.

conversa con Narváez sobre la posibilidad de reconocer al Conde Blanc como nieto ilegítimo de Fernando VII. Narváez resume entonces su biografía:

> Señora, mi deber es hablaros lealmente. El Gobier-
> no tiene pésimas referencias del que se titula so-
> brino por la mano izquierda de Vuestras Majes-
> tades: Ha recorrido varias Cortes Europeas, lla-
> mándose unas veces Conde Blanc y otras Príncipe
> Luis María César de Borbón: En todas partes ha
> vivido de un modo turbio: La Policía alguna vez,
> le condujo a la frontera: Últimamente acompaña-
> ba al Infante Don Juan, en Italia: No me extraña-
> ría que hubiese llegado aquí bajo el patrocinio de
> alguna monja.

El Conde Blanc aparece sólo por un instante en
La corte de los milagros (9, VI), obligando al lector
a un verdadero *tour de force* para reconocerlo:

> Un personaje agigantado, con el uniforme de los
> zuavos pontificios, se apeaba de un landó que tenía
> las armas de Monseñor Barili, Nuncio Apostólico.
> El diplomático [Redín] quedó pensativo con un
> gesto de duda en el labio:
> —¿Ese aventurero está en Madrid? Le suponía en
> Italia. En París andaba metido en la abdicación del
> Infante Don Juan.

En *Viva mi dueño*, en cambio, tiene más larga actuación: en el libro cuarto, titulado *Las reales antecámaras*, nos enteramos de que, tras la muerte de
Narváez, la Real Familia lo reconoce como nieto de
Fernando VII (capitulillo VI), «aconsejada, según
se propaló en hablillas de antecámara, por la Se-
ráfica Madre Patrocinio» (capitulillo X). El rey don
Francisco le profesa algo más que un cariño familiar,
ya que «vuelve con deleite los ojos al sobrino de
la mano izquierda» y le habla «con merengue, sacan-
do la cadera». La reina comenta este «flechazo» con

su amante pocas páginas después, en una deliciosa escena valleinclanesca:

> [Mi sobrino de la mano izquierda tiene] quizás demasiadas redondeces... Pues yo me sé, y tú también, dónde ha dado flechazo... ¡Que existan esos vicios por el mundo! No tengo derecho para ser severa con los pecados del prójimo, sin embargo, se hace de mucha necesidad otra lluvia de fuego... Anda, bésame la puntita del dedo meñique. ¡Sin morderlo! (capitulillo xiv).

En *Viva mi dueño* el Conde Blanc participa en la intriga urdida por sor Patrocinio y el P. Claret para conseguir la abdicación de la reina, y es el encargado de llevar la carta que Isabel II envía al papa para exponerle sus escrúpulos sobre la ilegitimidad de su hijo Alfonso (4, xvi). Pero el Conde Blanc es secuestrado (8, ii) y la carta que llevaba cae en manos de los carbonarios (9, iv); entonces intenta comprarla el ayudante del duque de Montpensier. Aquí terminan las apariciones del conde en *El ruedo ibérico*.

Veamos ahora el argumento de *Un bastardo de Narizotas* y *Correo diplomático*, que es prácticamente idéntico, salvo las diferencias que iremos señalando.

El protagonista de *UBN* y de *CD* es el Conde Blanc, quien se hacía pasar por descendiente bastardo de Fernando VII (por hijo en *CD*, por nieto en *UBN* y en *El ruedo ibérico*). Ambas narraciones transcurren en la primavera de 1868, antes de la muerte de Narváez, quien se opone a que se reconozca al sujeto como miembro de la familia real. El escenario es Roma, donde llega el protagonista —zuavo pontificio— para entregar al papa una carta personal de Isabel II, en la que ésta expone sus problemas de conciencia derivados de la ilegitimidad del príncipe Alfonso. En *UBN* y en *CD* el Conde Blanc no conoce el contenido de la carta que lleva hasta que decide violar los sellos. (En cambio en *Viva mi dueño* está enterado del asunto.) La intriga para conseguir la abdicación de la reina estaba conducida por monseñor Antonelli, y en ella colaboraban sor Patrocinio, «camarilleros isabelinos y emigrados carcundas». Una vez que conoce el contenido de la carta, el Conde Blanc decide «jugarle una burla al cardenal Antonelli» e ir a visitar a un antiguo amigo —Cósimo Bolsena en *UBN*, Balsena en *CD*—, «patriota garibaldino, apasionado del juego, de las mujeres y de la unidad italiana», para venderle el documento. El carbonario no demuestra interés en comprar la carta y ofrece en cambio una cena al Conde Blanc con objeto de narcotizarlo y robarle la llave de la habitación donde está el documento, lo que hace en colaboración con sus amigos.

UBN termina con el siguiente epílogo:

> La carta de que era portador el famoso Conde Blanc fue vendida en Londres en el mes de junio de 1868. Don Felipe Solís y Angulo, ayudante del duque de Montpensier, la adquirió en dos mil libras para el archivo de Su Alteza Serenísima.

Las precisiones de este epílogo son mucho menos tajantes en la *Nota* con que finaliza *CD*:

> En Londres, algún tiempo después, se anunciaba clandestinamente la venta de unas cartas de Isabel II a Su Santidad Pío IX. Un libelo de aquel tiempo propaló que las había comprado un emisario del duque de Montpensier.

Veamos las razones de este cambio. En *Viva mi dueño*, Valle-Inclán había presentado al ayudante del duque de Montpensier interesado en comprar la carta real al «italiano de las botas rotas, apóstol de la fraternidad universal» (9, IV), al que ahora podemos identificar con el carbonario Cósimo o con alguno de sus amigos. Al dar el nombre completo del ayudante de Montpensier, Valle-Inclán comete un error por distracción: lo llama Felipe Solís y Angulo, cuando su verdadero nombre era Felipe Solís y Campuzano (lo nombra correctamente en *Ahora*, 28-VII-1935). Sin duda, este *lapsus* se debe a que Valle asocia inconscientemente ese nombre con el de José Paúl y Angulo, a quien presenta pocas páginas más adelante (*Viva mi dueño*, 9, xv) conversando con el «italiano que hacía la feria del regio autógrafo» sobre Prim. En este momento de la trama, Valle-Inclán vuelve a unir como por casualidad a dos personajes que estuvieron unidos por un hecho histórico: la muerte de Prim. Cuando Prim fue asesinado, el principal acusado fue Paúl y Angulo, que se vio obligado a huir; entre los sospechosos protegidos por el gobierno figuraba Felipe Solís y Campuzano, quien sólo estuvo quince días en la cárcel, según la versión que Valle-Inclán acepta en sus publicaciones de 1935 en *Ahora*.

Al escribir *UBN*, Valle-Inclán vuelve a incurrir en el mismo error de atribuir a Felipe Solís el apellido Angulo, por lo que considero probable que redactara este texto casi al mismo tiempo que el libro noveno de *Viva mi dueño*. Luego nota, o le hacen notar el error, y quita el nombre del ayudante de Montpensier.

En la edición de 1933 —hecha durante la República— hay dos agregados dignos de ser tenidos en cuenta. En primer lugar, una dura referencia a la familia real, mucho más agresiva que en 1928:

UBN	*CD*
¿Pero los españoles no sienten su oprobio? ¡Esa Familia Real! ¡Esa Reina!	¿Pero los españoles no sienten su oprobio? ¿Esa familia real de prostitutas, afeminados y cretinos no les da vergüenza? ¡Esa reina!

y en segundo lugar la referencia a Marx, puesta en boca del carbonario italiano:

—Esperemos que los borregos envidiosos [el pueblo español] se conviertan alguna vez en lobos envidiosos.

—¿Y qué sucedería entonces?
—No lo sé... Eso acaso sea el socialismo que predica el judío Marx *(CD,* capitulillo VIII).

Al estudiar *Correo diplomático,* Emma Speratti-Piñero [10] señaló las contradicciones que existen entre ese texto y el de *Viva mi dueño,* y concluyó que su redacción no podía ser posterior a la de la novela. No lo fue, sin duda; se trata de un episodio desechado para la trilogía, quizá por explicitar demasiado la intriga o porque introducía un nuevo escenario: Roma.

Pero lo que me parece más interesante es comprobar cómo Valle no inventó ninguno de los datos que usó para caracterizar al Conde Blanc, digno exponente del ruedo ibérico. Este personaje se hizo pasar, en efecto, por *hijo* ilegítimo de Fernando VII (como corrige Valle-Inclán en *CD* para ajustarse más a los hechos históricos) y acompañó a la familia real en su exilio en Pau. Fue protegido por sor Patrocinio, «la cual, con los auxilios que recibía de la reina Isabel ayudaba a este aventurero que gastaba espléndidamente» [11]. Sabemos por una carta del embajador de España en París, marqués de Molíns, a Alejandro Castro, del 8 de marzo de 1875, que en Pau el Conde Blanc fue procesado por falsificador de letras, estafador, «y con apariencias fundadas por pederastia, y en el proceso aparecen mencionadas ciertas reuniones que al parecer dejan atrás la famosa causa de San Plácido». Más interesante aún es la respuesta de Castro al embajador: «Aquí tengo todo un completo expediente relativo al danzante que se supone hijo de Fernando VII, y en ese expediente está inserta la sumaria que recientemente se le for-

[10] E. SPERATTI-PIÑERO, «¿Un nuevo episodio de *El ruedo ibérico?», Nueva Revista de Filología Hispánica,* XV, 3-4, 1961, pp. 589-604. Reeditado en *De «Sonata...,* p. 295.
[11] MARQUÉS DE LEMA, *De la Revolución a la Restauración,* Madrid, 1927, t. II, p. 800.

mó en Pau como estafador e impostor; tengo hasta
el retrato de ese farsante, vestido con un ropón de
flores de lis y manto de armiño: las bromas, pesadas
o no darlas. Yo creo que hace mucho tiempo que
sor Patrocinio, habiendo gastado al nigromántico
Meneses, y necesitando siempre de un *medium* para
sacar *medios*, echó manos de ése, y sólo así se explican las corrientes magnéticas con que ha envuelto
a X [la reina], y de las cuales se ha servido para
su provecho. El caso es inmundo, pero tiene su parte
chistosa. Ha de saber usted que todo un marqués
de Nadaillac, prefecto, dice muy seriamente en una
comunicación oficial que ese personaje de zarzuela
podría comprometer los derechos de D. Alfonso al
trono de España. Yo, con mi natural ... aquél, le
hice saber al marqués prefecto que, aun suponiendo
que ese impostor fuese hijo de Fernando VII o de
quien fuera, no pasaría de ser hijo natural, habido
en desigual matrimonio, y que, por lo tanto, ni aquí
ni ahí, ni en ninguna parte donde rigen Códigos civiles y leyes de sucesión esos productos de la lozanía
ni quitan ni toman derechos» [12].

He aquí por qué, tanto en *UBN* como en *CD*, el
conde Blanc dice humorísticamente: «me presentaré
como candidato al trono de España». Todo un mundo de opereta reflejado por la *matemática perfecta*
de Valle-Inclán.

Es posible que Valle-Inclán se decidiera a publicar
CD en 1933 por la escasa o nula difusión que tuvo
en España la publicación de *Caras y Caretas*. Para
volverlo a publicar, Valle-Inclán sometió el texto a
una verdadera labor de taracea, introduciendo mu-
chísimas variantes estilísticas, pero sin cambiar,
esencialmente, su estructura ni su contenido.

---

[12] Ambas cartas pueden leerse en ALFONSO ROCA DE TOGORES,
Una embajada interesante. Apuntes para la historia (1875-
1881), Madrid, 1913.

Vemos, por ejemplo, el capitulillo I:

UBN

La primavera, en la campaña romana, es siempre friolenta, con extremadas lluvias ventosas, y no fue excepción aquella de 1868. Una diligencia con largo tiro de jamelgos bamboleaba por el camino de Viterbo a Roma. Tres viajeros ocupaban la berlina. Dos señoras de estrafalario tocado, católicas irlandesas, y un buen mozo que dormita envuelto en un amplio jaique de zuavo. El cochero fustigaba el tiro, jurando por el Olimpo y el Cielo Cristiano.

A lo lejos, entre los pliegues del aguacero, en la tarde agonizante, insinuaba su curva mole la cúpula del Vaticano.

CD

La primavera en la campaña romana es siempre nubosa y friolenta, y no fue excepción aquella de 1868. Una diligencia con largo tiro de jamelgos tambaleaba por el camino de Civitta-Vechia [sic] a Roma. Tres viajeros ocupaban la berlina. Dos señoras de estrafalario tocado, piadosas momias irlandesas, y un buen mozo dormilón, envuelto en un ampuloso jaique de Zuavo pontificio. El mayoral fustigaba el tiro jurando alternativamente por las divinidades olímpicas y la corte celestial. Remota en la tarde agonizante, erigía su curva mole la cúpula del Vaticano: negra, apologética y dogmática sobre el ocaso de sangre.

Las contradicciones que Emma Speratti-Piñero señaló entre *CD* y las novelas de *El ruedo ibérico* [13] no son muchas, y el autor podría haberlas salvado fácilmente si hubiera querido incorporar el episodio a las novelas. Nos encontramos ante un caso semejante al estudiado por Jacques Fressard en 1966, al publicar «Un episodio olvidado de *La guerra carlista*» [14]. Este episodio «olvidado» es un texto titulado *La corte de Estella*, que Valle-Inclán publicó en *Por esos mundos* en enero de 1910. Fressard lo define como «un verdadero trozo novelesco que, tanto por el fondo como por la forma y estilo, parece sacado

[13] E. SPERATTI-PIÑERO, *De «Sonata...*, p. 311.
[14] V. p. 34 de este libro, nota 6.

de una de las tres novelas "carlistas" publicadas por Valle-Inclán en 1908-1909...».

Tras analizarlo, Fressard formula la hipótesis de que este fragmento podría formar parte de una cuarta novela que Valle-Inclán no llegó a escribir, ya que *La corte de Estella* se relaciona ante todo con *Gerifaltes de antaño*, y reaparecen en el fragmento personajes que Valle-Inclán había olvidado desde *Los cruzados de la causa* (Bradomín, la madre Isabel, Cara de Plata), lo que sugiere la idea de que el autor quería cerrar el ciclo, dando una mayor simetría al conjunto.

Se pueden proponer varias hipótesis, pero lo único evidente es que cuando Valle-Inclán escribía episodios que luego no integraba, por alguna razón, en las novelas, decidía de todos modos publicarlos como escenas autónomas, para placer y atolladero de los críticos, como sucede sobre todo con *El trueno dorado*.

d) EL CASO ESPECIAL DE *El trueno dorado*

El trueno dorado fue publicado en el diario *Ahora* entre el 19 de marzo y el 23 de abril de 1936, es decir, pocos meses después de la muerte de su autor. La primera entrega estaba precedida de la siguiente nota:

> Comenzamos hoy la publicación de las últimas cuartillas escritas por don Ramón del Valle-Inclán. En nuestro poder parte del original de esta novela hace ya muchos meses, la larga y penosa enfermedad que llevó al sepulcro al glorioso maestro le impidió terminarla y corregir las pruebas hasta sus últimos días. Estos le sorprendieron aplicado a esta tarea. Su viuda, la ilustre Josefina Blanco, que siempre ayudó al maestro en esta labor, ha hecho la última revisión de las pruebas de «El trueno dorado». En jueves sucesivos, durante varias semanas, continuaremos la publicación de esta obra póstuma del glorioso escritor.

Emma Speratti-Piñero fue la primera en estudiar la publicación, que recuperó para la crítica al revisar la colección del diario *Ahora* [15]. La investigadora cree que *El trueno dorado* iba a ser incorporado como libro a la primera parte de *El ruedo ibérico*. Sin embargo, esta afirmación plantea muchos interrogantes, como veremos enseguida. Ahora que conocemos *Otra castiza de Samaria* sabemos que desde 1929 Valle-Inclán tenía elaboradas las personalidades de la «Sofi», Indalecio y Salvochea, y que había planteado una relación de dependencia entre Indalecio y Teodolindo Soto. Esta relación sólo se explica al leer *El trueno dorado*, ya que allí se dice que Teodolindo Soto y El Pollo de los Brillantes proyectan hacer pasar a Indalecio por culpable de la muerte del guardia para luego negociar su libertad. En *Otra castiza de Samaria* está prácticamente explicitado este conflicto que se plantea en *El trueno dorado*. ¿Por qué entonces Valle-Inclán no desarrolló la idea y sólo hizo un tímido agregado a la edición de 1931 de *La corte de los milagros*? Una hipótesis posible es que Valle-Inclán completó el argumento de *El trueno dorado* después de la entrega del capitulillo XXI de *Ecos de Asmodeo* a *El Sol*, pero que cuando escribió *Alta mar* en su edición definitiva (1932) ya tenía todos los hilos argumentales.

El Pollo de los Brillantes, en la edición de 1929, se llamaba simplemente J. J. Martínez, es decir, que Valle-Inclán en primera instancia no pensó en relacionar a este personaje con el que ya había presentado en *La corte de los milagros*. El Pollo de los Brillantes había aparecido en *Ecos de Asmodeo* (1927), capitulillos VIII, X y XII, como íntimo amigo de Adolfo Bonifaz, dato que no puede dejar de ser significativo más tarde, cuando en *Alta mar* es presentado como cerebro visible de la conjura para asesinar a Prim.

[15] EMMA SPERATTI-PIÑERO, «Las últimas novelas de Valle-Inclán», *Cuadernos Americanos*, XIII, 6, 1954, pp. 250-266. Reeditado en *De «Sonata...*, p. 313.

El trueno dorado se relaciona por su estructura con el libro *Ecos de Asmodeo* de *La corte de los milagros*, y por su contenido con *Otra castiza de Samaria* y con *Alta mar*, de *Baza de espadas*.

Veamos las correspondencias estructurales con el libro de *La corte de los milagros*:

Ecos de Asmodeo (1931)	*El trueno dorado*
XI (frag.)	I (ligeram. ampliado)
XII	II
XIII	III
XIV	IV
	V
	VI
	VII
	VIII
XV	IX
XVI	X
XVII	XI
XVIII	XII
XIX	XIII
XX	XIV (muy modificado)
	XV
	XVI
	XVII
XXI	XVIII (muy modif.)
	XIX
	XX
	XXI

El trueno dorado comienza en el colmado de Pepe Garabato, donde van los jóvenes de la aristocracia tras un escándalo en los Bufos (en *La corte de los milagros* se refugian en el lugar después del episodio del robo de las capas). Allí llega para advertir a Adolfito Bonifaz de que la policía está sobre aviso, el Pollo de los Brillantes. En el capitulillo III aparece el guardia Carballo, y los jóvenes le juegan la broma de arrojarlo por una ventana. En el siguiente Adolfo Bonifaz, con todo cinismo, despista a los guardias que acuden para aclarar el hecho. En estos cuatro capitulillos las variantes son mínimas con respecto al texto de la novela; luego Valle-Inclán agrega cuatro capitulillos totalmente nuevos, que se refieren a la búsqueda de alguien que cargue con el «muerto». En el capitulillo VI se presenta a un personaje que no aparece en *La corte...*, se trata de Teodolindo Soto, un sujeto con un curriculum interesante: capellán en el oratorio de Caballero de Gracia, correo en las intrigas carlistas y luego sucesivas entradas en la cárcel por los motivos más diversos. Por el contexto se deduce que se «alquilaba» para pagar culpas ajenas, culpas que eran redimidas con un breve período en la cárcel. En el capitulillo VII don Teo asesora a los caballeros sobre las maneras legales de inculpar de la muerte del guardia al compañero de la hija del difunto, es decir, a Indalecio Meruéndano, guitarrista acompañante en el tablado del café Minerva. El capitulillo VIII está destinado a hacernos conocer que el guardia Carballo no está muerto, sino muy grave, y que se lo llevan a la casa.

Los capitulillos IX, X y XIII son exactamente iguales a los capitulillos XV, XVI y XIX de la novela. En el capitulillo XI (que se corresponde con el XVIII) la única variante es una repetición, y en el capitulillo XII hay una variante para corregir un error: Feliche decía en *La corte de los milagros* que la mujer del guardia tenía tres hijos pequeños, y en *El trueno dorado* dice que los hijos son cuatro, en concordancia con la afirmado por la portera en el capitulillo XX de la novela.

El capitulillo XIV y el XX tienen fragmentos iguales y otros que no lo son, ya que Valle-Inclán debe adaptar el texto al nuevo contenido: el guardia no muere en la calle la noche del accidente sino en su casa, al otro día. La marquesa de Torre-Mellada y Feliche acuden a la casa para prestar socorro a la familia, pero en lugar de retirarse asustadas como en *La corte de los milagros*, entran en el conventillo: la típica casa madrileña de corredor.

Los capitulillos XV, XVI y XVII son nuevos, y transcurren en el interior de la casa. Valle-Inclán cae así en tópicos costumbristas y en descripciones y retratos arquetípicos: la ropa colgada en el patio, la descripción de la escalera, el zapatero que silbaba el Himno de Riego, la vecina que lo sabe todo.

En el capitulillo XVI asistimos a la escena truculenta tan del gusto de Valle: mientras el guardia agoniza y las vecinas hacen el planto, sus cuatro hijos pequeños acuden a despedirse, a instancias de la madre y de la abuela. La marquesa y Feliche se ven obligadas a entrar en la habitación, mientras «don Fermín» se lleva a los niños. Una vecina explica a Feliche que Fermín es «un santo con las peores ideas», «de los más anárquicos».

En el capitulillo XVII Feliche y la marquesa Carolina dejan un portamonedas bajo la almohada del agonizante, y luego asistimos a una grotesca escena de extremaunción, en la que Valle-Inclán no ahorra siquiera el discurso que el cura endilga a los presentes mientras muere el guardia.

El capitulillo XVIII presenta la salida de las damas, y luego el narrador usa el estilo indirecto libre para comunicar los pensamientos de Feliche sobre la miseria de las pobres gentes que acaban de socorrer, sobre el «santo de malas ideas» y sobre la vida y muerte en general. Cuando las damas suben al coche, la narración enlaza con el texto al que me referí en 1. 3.

El fragmento agregado en 1931 coincide —salvo dieciocho variantes que analizaremos— con uno de *El trueno dorado*. Veamos los dos textos:

La corte de los milagros (1931)	El trueno dorado
Venían en disputa por la acera, una rubiales *enlutada* y un prójimo con catadura de músico *ambulante, el violín* en funda	Venían en disputa por la acera una rubiales ( )[i] y un prójimo con catadura de músico *de cafetín*[ii], *la guitarra*[iii] en funda, *tufos, gorra de seda y lunar de rizo*[iv]
y la colilla pegada al labio. Con un reojo a las mada-	

mas del coche, se metieron por el zaguán.
La portera les salió al paso con misterios de comadre:
—¡Gente de postín! Han preguntado por la *Macaria.* ¡Para mí que le *traían* un socorro!
Saltó la rubiales:

—¿Las furcias del simón?
—Las propias.
Intervino el pelanas del violín:
—¡Me puede, que tu madrastra se guarde el *mosquis* sin contar contigo!
Explicó la portera:
—*No se han entrevistado.*
La rubiales se salió al arroyo, con apuro de lágrimas y remangue de faldas. El cochero arreaba el penco:
—¡Espera, cristiano! Que las señoras disimulen una palabra... *Con permiso... ¡Más negro que este luto que visto es el duelo de mi alma!* ¡Ay, mi padre!
Se llegó al coche con desgarrado y popular dramatismo. La Marquesa Carolina asomó su melindroso perfil:
—¿Qué se le ofrece?
—Pues ustedes no lo tomen a mal... Esta servidora es hija del finado guardia que mataron unos pollos de la goma. —¡Así los vea hechos cuartos!— La portera me ha impuesto de que habían ustedes preguntado por la viuda... ¿Y si esta servidora puede dar-

( )[v].
La portera les salió al paso con misterios de comadre:
—¡Gente de postín! Han preguntado por la «*Maca*»[vi]. Para mí que le *han traído*[vii] un socorro.
Saltó, *agresiva*[viii] la rubiales:
—¿Las furcias del simón?
—Las propias.
Intervino el pelanas del violín:
—¡Me puede, que tu madrastra se guarde el *conquis*[ix] sin contar contigo!

( )[x].
La rubiales se salió al arroyo, con apuro de lágrimas y remangue ed faldas. El cochero arreaba el penco:
—¡Espera, cristiano! Que las señoras disimulen una palabra...

( )[xi]. ¡Ay!, mi padre!
Se llegó al coche con desgarado y popular dramatismo. La Marquesa Carolina asomó su melindroso perfil:
—¿Qué se le ofrece?
—Pues ustedes no lo tomen a mal. Esta servidora es hija del ( )[xii] guardia que *maltrataron*[xiii] *unos* pollos de la goma. —¡Así los vea hechos cuartos!— La portera me ha impuesto de que habían ustedes preguntado por la viuda... ¿Y si esta servidora puede dar-

les alguna razón de lo que desean?	les alguna razón de lo que desean?
El prójimo del *violín* asomaba la jeta por la otra portezuela. La Marquesa Carolina se recogió al fondo del coche con voluble sobresalto. En el arroyo el clásico borracho *hacía* saludos joviales, y el cochero restallaba la fusta sobre el enjambre de chicuelos macilentos que rodeaba el simón:	El prójimo de la *guitarra*[xiv] asomaba la jeta por la otra portezuela. La Marquesa Carolina se recogió al fondo del coche con voluble sobresalto. En el arroyo el clásico borracho *renovaba sus*[xv] saludos joviales, y el cochero restallaba la fusta sobre el enjambre de chicuelos macilentos *convocados como por ensalmo en torno del*[xvi] simón.
La Marquesa consultó con Feliche:	La Marquesa consultó con Feliche:
—¿Te parece que se entienda con esta gente Cayetana?	—¿Te parece que se entienda con esta gente Cayetana?
—Será lo mejor.	—Será lo mejor.
La Marquesa entregó su portamonedas a la doncella:	La Marquesa *recordó que no tenía su portamonedas:*
	—*Cayetana, ¿tú llevas dinero?*[xvii]. Les das un socorro.
—Les das un socorro.	
—¿Como de cuánto, Señora Marquesa?	—¿Como de cuánto, Señora Marquesa?
—Lo que tú veas. Encárgate de todo.	—Lo que tú veas. Encárgate de todo.
Cayetana *se apeó del simón oprimiendo* timorata *el portamonedas, y dio orden al cochero de que arrancase.*	Cayetana *tentóse,* timorata, *la faltriquera y quedó indecisa en el estribo*[xviii].

Las variantes, que se deben a necesidades argumentales, son las referidas a la vestimenta de la hija del guardia (i y xi), que no puede llegar enlutada porque el padre acaba de morir; la referencia a la entrevista entre las señoras y Macaria (x), que en la novela no tiene lugar, y el diálogo sobre el portamonedas, que en la novela la marquesa entrega a

su doncella para que ésta se encargue de dar el
socorro a las víctimas.

La variante iii (y xiv) es interesante, y puede to-
marse como argumento para demostrar las oscila-
ciones de Valle-Inclán en los cuatro textos en que
aparece Indalecio: en 1929 (*Otra castiza de Samaria*)
su apellido era Armesto, y su oficio «violín del café
de Minerva» (capitulillo x); en el agregado de 1931
la pareja no está individualizada con nombre ni
apellido, pero el hombre es «un prójimo con catadura de músico ambulante, el violín en funda y la
colilla pegada al labio». Tanto en 1932 como en 1936
Indalecio se llama Meruéndano, y es *guitarrista*
acompañante en el tablado del café Minerva. La Sofi
sufre otro tipo de transformación. En *Otra castiza
de Samaria*, de su desvaído retrato sólo nos queda la
imagen de sus ojos grises:

> La linda mujer le miraba y [Salvochea] sentíase
> sobrecogido ante el enigma de aquellos ojos grises
> (capitulillo x).

En 1931 es ya una *rubiales*, y en 1932, una rubia con
ojos verdes:

> La rubiales [...] era una mujer joven, pálida y mar-
> chita, los ojos verdes, la boca pintada (capituli-
> llo iii)

como en *El trueno dorado*:

> La rubiales le echó encima la exasperante locura
> de sus ojos verdes (capitulillo xix).

Sofía Aranguren es, en todos los textos, el nombre
de la muchacha (aunque su padre se llama Carballo),
salvo en el de 1931, en el que sólo se la conoce como
«la rubiales enlutada».

Veamos, por último, la evolución de Fermín Salvochea en los textos que estamos considerando. En
El trueno dorado, Fermín —que tiene en su habitación un retrato del «apóstol» Bakunin, «fanfarrón

y barbudo»— se expresa con vigor revolucionario en
el diálogo que sostiene con el licenciado Rosillo:

> Don Fermín, aquel santo de malas ideas, tenía,
> oyéndole, una expresión de asombro seráfico:
> —La familia cristiana que invocáis es la familia
> farisea. Cristo no se ha sentado nunca en el festín
> de los burgueses. Nunca quiso saber del honrado
> comercio, de la protección a las industrias, de la
> bandera roja y gualda, del partido moderado y de
> la Guardia Civil. Obró milagros en las bodas al-
> deanas, cenó con los pescadores, pero jamás re-
> partió el pan y el vino con mercaderes, latifundis-
> tas y financieros. La religión para los partidos
> burgueses es una patente de corso. ¡Y llega a tanto
> su cinismo que llaman pacificación de los espíritus
> a las descargas de la Guardia Civil! (capitulillo XXI).

La personalidad de Fermín (Salvochea) está mejor
delineada que en *Alta mar*, donde su figura aparecía
un tanto afeminada (v. p. 160 de este libro).

El trueno dorado y *Correo diplomático* demuestran que Valle-Inclán volvió a corregir, en los últimos
años de su vida, cosas que ya tenía escritas.

El caso de *El trueno dorado* es más interesante
porque casi todos los personajes habían aparecido
ya en *El ruedo ibérico*, mientras que en *Correo diplomático* el único que reaparece es el Conde Blanc.
Por otra parte, *El trueno dorado* y el primer tercio
agregado al capitulillo XXI de *Ecos de Asmodeo* en
la edición de 1931 de *La corte...*, demuestran que Valle-Inclán pensó en algún momento en cambiar la estructura de la primera novela, para enlazarla mejor
con la tercera.

Queda, sin embargo, pendiente el problema de por
qué sólo hizo ese tímido agregado en 1931, y no fue
más explícito en la presentación de la pareja cuyas
aventuras ya había narrado en *Otra castiza de Samaria*. Como dije más arriba, es probable que Valle-Inclán hubiera escrito buena parte de *El trueno dorado*
entre 1931 y 1932, y que en sus últimos días sólo
corrigiera y quizás ampliara algunos capítulos.

CAPÍTULO 9

ESTRUCTURA NOVELESCA E IDEOLOGÍA

Hace cincuenta años —en 1927— se publicó *La corte de los milagros*. Desde entonces, las novelas de *El ruedo ibérico* han merecido algunas interpretaciones parciales, pero no un estudio de conjunto que las trate como novelas históricas.

El proyecto de Valle-Inclán es tan diferente de otros «modelos» anteriores de novela histórica que necesariamente tenía que desconcertar a la crítica. De ninguna novela histórica española se podía afirmar lo que afirmó Fernández Almagro al referirse a *La corte de los milagros* y *Viva mi dueño*:

> ... se pueden leer sin orden o a caprichosos saltos, puesto que no existe un asunto que gradúe sucesivamente sus efectos, espoleando la curiosidad con lo que puede pasar después[1].

Esta descripción parece acomodarse mejor a una novela experimental de tema contemporáneo que a una novela histórica tradicional. Por otra parte, a Valle-Inclán parece haberle preocupado más la representación aislada de escenas que el devenir histórico mismo; esta impresión tiende a confirmarse por el hecho de que el autor escribió algunos libros

---

[1] MELCHOR FERNÁNDEZ ALMAGRO, *Vida y literatura de Valle-Inclán*, Madrid, Taurus, 1966, p. 233.

en un orden completamente diferente del lugar que
ocuparon después en la trilogía.

La estructura circular de las
dos primeras novelas

Los artículos de Jean Franco y Harold L. Boudreau [2] sobre la arquitectura de *La corte de los milagros* y *Viva mi dueño* refutan en parte la afirmación de Fernández Almagro, ya que ambos logran
demostrar que *El ruedo ibérico* obedece a un plan
trazado cuidadosamente por su autor, e intentan explicar el uso de un esquema estructural derivado de
los supuestos filosóficos de *La lámpara maravillosa*
y de las finalidades estéticas expuestas en *La media
noche*.

Según Jean Franco, el «plan concéntrico» de *La
corte de los milagros* y de *Viva mi dueño* está ligado
a ideas filosóficas y religiosas de Valle-Inclán, quien,
en *La lámpara maravillosa* establece que el arte y
la religión tienen la misma finalidad: «to release the
soul from the "Satanic" time of tenses. In literature,
he has sought to do this in words which are "sin
edad, al modo de creaciones eternas"» (p. 177). La
buscada eternidad de la palabra supone un tratamiento original del tiempo de la narración. A las
secuencias temporales, ordenadas según la perspectiva lineal, cronológica, del relato tradicional, opone
Valle-Inclán un tratamiento diferente, según el cual,
presente, pasado y futuro no se presentan uno a
continuación del otro, sino coexistiendo. La circularidad del texto crea la ilusión de un ámbito in-
temporal, eterno en cuanto desligado del acaecer
sucesivo-causal de los hechos. La creación de un

---

[2] JEAN FRANCO, «The concept of time in *El ruedo ibérico*»,
en *Bulletin of Hispanic Studies*, XXXIX, 1962, pp. 177-187;
HAROLD L. BOUDREAU, «The circular structure of Valle-Inclán's
Ruedo ibérico», PMLA, LXXXII, 1, 1967, pp. 128-135. Las citas
de *La lámpara maravillosa* son de la edición de las *Obras
completas*, Madrid, 1954, t. II.

tiempo circular, superpuesto al lineal, obedece, según Jean Franco, a unos postulados estéticos en-
raizados en creencias filosóficas cuyos orígenes se
encuentran en los gnósticos, para quienes «the hig-
her world is timeless but Sophia (wisdom) is exiled
in the lower world of matter [siendo esta «materia»
algo demoníaco] and cannot return to the Pleroma
(plenitud) because there is an impassible limit, the
Horus» (p. 178). Valle-Inclán expone en *La lámpara
maravillosa* las creencias gnósticas acerca del tiempo
y la eternidad. El círculo, símbolo usado frecuentemente en la obra, se refiere tanto al «tiempo satánico» como a un estado de quietud y plenitud. En el
primer caso, la inútil repetición, obra del demonio;
en el segundo, la «visión cíclica» en que presente,
pasado y futuro coexisten.

Así, se concibe al individuo como prisionero de la
estéril repetición del movimiento, de la imposibilidad de «rasgar los velos que ocultan el enigma mís-
tico del mundo», cuyo sentido se revelará cuando
el círculo se cierre definitivamente, a la hora de la
muerte. Pero, por otra parte, el círculo simboliza la
eternidad, la visión divina, más allá de las contin-
gencias humanas.

Ambas concepciones se encuentran, según Jean
Franco, en *La corte de los milagros* y en *Viva mi
dueño*, escritos once años más tarde. Y se encuentran no sólo en las alusiones del texto al tiempo
satánico y a la eternidad, sino también, y sobre todo,
en el tratamiento del tiempo narrativo, que configu-
ra una construcción perfectamente circular del relato. *La corte de los milagros* y *Viva mi dueño* tienen
cada una nueve libros (se excluye el libro agregado
después, *Aires nacionales*); en ambos casos, hay una
estrecha relación entre el libro primero y el noveno,
entre el segundo y el octavo, el tercero y el séptimo
y el cuarto y el sexto, y en ambos casos, según la
autora, el libro central (el quinto) da sentido al conjunto, ilustrando un concepto de *La lámpara maravillosa*: «El centro es la razón de la esfera, y la es-

fera, la forma fecunda que desenvuelve las infinitas posibilidades del centro»[3].

Jean Franco estudia la relación entre los libros «hermanos», que comparten incidentes, personajes y escenarios. El círculo más amplio de *La corte de los milagros* está formado por la reina y la corte (libros primero y noveno); los libros segundo y octavo se abren y cierran en el salón de la marquesa de Torre Mellada, y en los capitulillos intermedios se describe la vida nocturna de Madrid; en los libros tercero y séptimo se narran viajes a través de una tierra signada por la violencia; el círculo menor, finalmente (libros cuarto y sexto) describe la corrupción y la violencia en Andalucía. El libro central, *La soguilla de Caronte*, simboliza y resume el tema de toda la novela: la muerte y la destrucción. En él se unen la presencia de la muerte misma, con todo su horror (el velorio de Dalmaciana, la corrupción del cuerpo, el entierro por el río), a las premoniciones de muerte (la molinera sibilina, el aullido de los perros, las aprensiones de la marquesa y de Feliche) y a la crítica situación de España (anuncio del agravamiento de Narváez, por un lado; ideas de Tío Juanes acerca de la revolución social y de la necesidad de un cataclismo que acabe con el orden imperante, por otro). «Book five is, then, like the stone cast into the lake which starts a series of "círculos concéntricos"; in it, death and corruption shadow all walks of society from the dead countrywoman to the courtiers and the distant figure of General Narváez. The rest of the novel shows the widening circles of death and corruption spreading through all Spain and even beyond.»[4]

La misma función simbólica atribuye Jean Franco al libro quinto de *Viva mi dueño*, centro de otra estructura de círculos concéntricos. El tema de *Viva mi dueño* es la discordia, y el libro central, *Cartel de ferias*, da el ejemplo de una lucha entre los gita-

[3] *La lámpara maravillosa*, p. 617.
[4] J. FRANCO, «The concept»..., p. 180.

nos (la anarquía), por una parte, y por otra un bandido aburguesado que es defendido por el cura y el representante de la aristocracia, Adolfo Bonifaz. El protagonista principal de la lucha, Juan Caballero, ve la pelea como repetición de otra, como la inútil repetición de una muerte sucedida muchos años atrás. La reiteración de estas discordias individuales simboliza también, según la autora, las discordias de España: pronto estallará la tercera guerra carlista. Los actos de violencia constantes y siempre iguales se asocian a la idea gnóstica de una fatal recurrencia, asociada a lo demoníaco; en *La lámpara maravillosa* el demonio se describe así:

> Tiene una eternidad estéril, sin quietud, sin amor, sin posibilidad creadora, desmoronándose en todos los instantes y volviendo a nacer en cada uno; es el que grana el rencor y la envidia, la aridez y el odio[5].

El tema de la violencia se desarrolla, en la forma circular de una estéril recurrencia, a lo largo de los restantes libros de *Viva mi dueño*. El libro cuarto y el sexto presentan a la reina y la corte; los sucesos de un libro tienen repercusión en el otro (el poder de la reina ante sus ministros, luego su dependencia de sor Patrocinio y las camarillas de Palacio). Los libros tercero y séptimo, *El Yerno de Gálvez* y *El Vicario de los Verdes*, se centran en Fernández Vallín, su escondite y su huida, su vuelta al convento y la protección final del gobierno para que salga de España. Los libros segundo y octavo, *Espejos de Madrid y Capítulo de esponsales*, nos traen nuevamente la vida madrileña: cafés, teatros, salones aristocráticos. Los libros primero y noveno, finalmente, *Almanaque revolucionario* y *Periquito gacetillero*, se refieren a los revolucionarios en el exilio y a los rumores de la revolución inminente. El primero y el último capitulillo de ambos libros

---

[5] *La lámpara maravillosa*, p. 596.

terminan con la misma frase: «el periquito gacetillero abre los días con el anuncio de que viene la
Niña. ¡Y la Niña, todas las noches quedándose a dormir por las afueras!..».

Según Jean Franco, no sólo en la estructura de las
novelas, sino también en las actitudes de los personajes y en la actitud del autor ante su creación se
manifiesta este concepto del tiempo que contrasta
la eternidad con el decurso cronológico. Así, los personajes son «prisoners in time». No pueden elegir,
no tienen voluntad propia: «There is no question of
choice or free will: at best they dominate like as
a skilful dancer dominates the figures of a dance.» [6]
Sólo la muerte, o su cercanía, arranca a los personajes de este fatalismo y les hace ver con claridad
su vida. En ese momento, además, presente, pasado
y futuro coexisten. Finalmente, y de acuerdo con las
ideas de los gnósticos, puntualiza la autora que en
El ruedo ibérico la naturaleza ha sido humanizada,
por cuanto pertenece, como el hombre, al mundo
bajo e imperfecto.

La finalidad del artículo de Jean Franco es, pues,
demostrar cómo en las dos primeras novelas de la
trilogía está presente la concepción del tiempo expuesta por Valle en La lámpara maravillosa. Sin
duda, el aporte crítico más fecundo del artículo es
la demostración del diseño circular de las novelas,
que no había sido advertido antes.

El estudio de la estructura circular de La corte
de los milagros y Viva mi dueño ha sido continuado
y extendido a más pormenores por Harold Boudreau [7], cuyo trabajo se centra exclusivamente en
esta peculiaridad arquitectural de las dos novelas.

El prolijo análisis de Boudreau confirma que cada
novela tiene una estructura circular cuyo centro es
el libro quinto, alrededor del cual se ordenan circu-
larmente los restantes, que comparten escenarios,
personajes y temas. Pero también demuestra el ar-

[6] J. FRANCO, «The concept...», p. 185.
[7] H. BOUDREAU, «The circular...», ya citado.

tículo cómo cada libro —en algunos casos con más nitidez que en otros— forma también un círculo: en efecto, cada capitulillo tiene una «relación concéntrica» con su contraparte en la otra mitad del libro. Así, por ejemplo, en el libro primero de *Viva mi dueño*: el capitulillo i se refiere a los rumores sobre la revolución, y el xix da un ejemplo de ellos; el capitulillo ii describe la intención del gobierno de ser riguroso con los revolucionarios, y el capitulillo xviii muestra los inútiles intentos del gobierno; en el capitulillo iii se habla de los problemas entre González Bravo y Coronado, y el capitulillo xvii da un ejemplo del conflicto entre los dos, etc.

Boudreau considera que el libro primero consta de una serie de círculos concéntricos: los cuatro más amplios presentan la situación en Madrid; los tres siguientes las intrigas menores de los emigrados en el sur de Francia, y la parte central se refiere a la conspiración más importante, la de Olózaga, flanqueado por los dos candidatos al trono de España, Fernando de Coburgo y el Duque de Montpensier (capitulillos ix y x).

La misma distribución concéntrica puede descubrirse en el libro noveno, estrechamente unido al libro primero por el romance del «Crimen de Solana», que queda interrumpido en el primer libro y se retoma en el noveno. Esta circularidad puede demostrarse —aunque no aparezca tan clara— en otros libros. Afirma Boudreau: «What Don Ramón has done, of course, is to make use of the multiple circles in his work —whatever the philosophical preoccupations responsible for the circularity— as a mean of organization. Such a structure gives each book a rounded sense of completeness, because not only do matters introduced at the begining of a unit return at the end, but they are invariably related to the central concern of that unit.»[8]

Excepto los libros primero y noveno de *Viva mi dueño* y el quinto de *Baza de espadas*, todos los li-

[8] H. BOUDREAU, «The circular...», p. 129.

bros tienen un único escenario (Madrid, por ejemplo, aunque diferentes sitios de Madrid), un solo grupo de personajes y un solo asunto. En cuanto a la relación entre los libros, Boudreau agrega nuevas observaciones al esquema general presentado por Jean Franco.

Los libros segundo y octavo de *La corte*, por ejemplo, presentan la misma estructura concéntrica y además el mismo escenario (Madrid), el mismo personaje principal (Torre-Mellada) y un notable paralelismo en los asuntos (escenas de café, escándalos de los jóvenes aristócratas, etc.). En otros casos, la relación entre los libros es «por contraste»: el viaje de ida en *La corte de los milagros*, libro tercero, se opone al mismo viaje, pero de vuelta, en su libro «hermano», el séptimo.

Pero el cuidadoso plan de *El ruedo ibérico* se revela, según demuestra Boudreau, en otro aspecto, aún más asombroso: hay paralelismos entre ciertos libros de una novela y su contraparte en la otra novela. Un ejemplo son los libros segundo y octavo de *La corte de los milagros* y los mismos en *Viva mi dueño*. Los títulos de los libros segundos ya establecen el paralelismo (*Ecos de Asmodeo*, *Espejos de Madrid*), y ambos reflejan la vida madrileña y tratan de la decadencia de la aristocracia. Los cuatro libros tienen lugar en Madrid y tratan del mismo asunto.

La relación entre los dos libros centrales de cada novela es diferente. El libro central de *La corte de los milagros* es el claro símbolo de lo que Boudreau considera el tema central de la novela: la muerte, en especial «la moribunda España». De la misma manera, el tema central de *Viva mi dueño* es el conflicto, la discordia, y el libro quinto, *Cartel de ferias*, es la «revolución en miniatura», y también una especie de repetición de las guerras carlistas, con el detalle significativo de que uno de los guardias que ponen fin a la pelea se parece notablemente a Narváez. Entre estos dos libros clave hay, pues, una relación funcional: ambos, dentro de su estructura, son símbolos de un conflicto.

La circularidad se manifiesta, pues, en todos los niveles de la estructura de *El ruedo ibérico*. Boudreau está de acuerdo con Jean Franco en que esta disposición artística del relato está relacionada con ideas filosóficas expuestas en *La lámpara maravillosa*, pero agrega a esto (con vistas a explicar por qué Valle utilizó esta estructura circular) las afirmaciones contenidas en la «Breve noticia» que precede a *La media noche* (1917). En ese trabajo, Valle-Inclán condensa sus impresiones recogidas en la trinchera, durante la guerra, en un solo día. Según Valle-Inclán, el relato de cualquier observador o participante se distorsiona por su posición física (geométrica), que lo limita a una visión cronológica, lineal, y a una aproximación subjetiva a la realidad. Valle intenta alcanzar una especie de «visión estelar» semejante a la del poeta épico. La fusión de muchos puntos de vista aislados forma la circunferencia de un círculo que presenta una visión «astral» y completa de la realidad [9]. En *El ruedo ibérico*, «Valle-Inclán provides the reader with a total view through the closing of the circle of observers and participants, thereby bringing into being the center. That is, the happenings so seen reveal their relationships and meaning» [10]. En el prefacio a *La media noche*, Valle admite que ha fracasado en su intento de dar una visión astral, «fuera de geometría y de cronología», de la guerra. Lo intentó otra vez, evidentemente, al tratar la España de Isabel II. El planteamiento estético de este intento, logrado en *El ruedo ibérico*, estaba ya en *La lámpara maravillosa*. Cita Boudreau:

---

[9] «Cada boca tendrá un relato distinto y serán cientos de miles los relatos, expresión de otras tantas visiones, que al cabo habrán de resumirse en una visión cifra de todas... la visión colectiva, la visión de todo el pueblo que estuvo en la guerra y vio a la vez desde todos los parajes todos los sucesos. El círculo al cerrarse, engendra el centro, y de esta visión cíclica nace el poeta, que vale tanto como decir el Adivino.» *La media noche. Visión estelar de un momento de la guerra*, Madrid, 1917, p. 7.

[10] H. BOUDREAU, «The circular...», p. 135.

Cada mirada apenas tiende un camino de conocimiento a través de las esferas que se cierran en torno de todas las cosas, y que en infinitos círculos guardan la posibilidad de las infinitas conciencias. La unidad del mundo se quiebra en los ojos, como la unidad de la luz en el prisma triangular de cristal. Es preciso haber contemplado emotivamente la misma imagen desde parajes diversos, para que alumbre en la memoria ideal, mirada fuera de posición geométrica y fuera de posición en el Tiempo[11].

Como se ve, los trabajos de Jean Franco y Harold Boudreau integran el proyecto estructural de *El ruedo ibérico* en el sistema general de las ideas estéticas de Valle, deducido de dos obras de épocas e intenciones diferentes: *La lámpara maravillosa* y *La media noche*. Creemos, sin embargo, que la interpretación de *El ruedo ibérico* no se agota aquí. Pueden arriesgarse aún, como intentaré hacer en lo que sigue, algunas hipótesis derivadas de esta estructura y de la concepción de la historia con que puede estar relacionada.

¿Circularidad y recurrencia como símbolo de la imposibilidad del progreso histórico?

Caracteriza a *El ruedo ibérico*, frente a otras novelas históricas (Galdós, Baroja), la brevedad del espacio temporal elegido, la densidad de los acontecimientos y la preocupación estética del autor, que se concreta, por un lado, en sus logros estilísticos, y por otro, en la cuidada arquitectura de las dos primeras novelas.

Esa estructura circular que estudiaron Franco y Boudreau, esa reiteración cíclica que nos devuelve siempre al punto de partida podría ser una manera metafórica de decir que España repite constantemente su historia, que nada cambia en el fondo. El autor emplea múltiples recursos —que no han

---

[11] *La lámpara maravillosa*, p. 605.

sido estudiados todavía— para crear la ilusión de que el tiempo no avanza. Estos recursos corresponden a diferentes niveles textuales: el semántico o de contenido, el estructural, el verbal. Mencionaremos algunos sin detenernos en su análisis:

— segmentos narrativos breves con acciones muy detalladas;
— multiplicidad de escenarios y personajes;
— acontecimientos que se repiten;
— los personajes se miman a sí mismos o repiten papeles prototípicos: cada uno representa un papel, como en el teatro, con lo que se crea la ilusión de una actuación repetida, siempre idéntica, por fuerza inalterable, atemporal, estática;
— el uso abundante del pretérito imperfecto (acciones frecuentes y no singulares: relato iterativo);
— la prosa rítmica, sintácticamente desnuda, pero llena de metáforas;
— la reiteración de fórmulas, las aposiciones y otras formas declarativas, etc.

Esta ilusión de tiempo detenido o cíclico equivale a negar la idea de proceso histórico, la idea de progreso. El novelista convierte el devenir histórico en un magnífico retablo inmovilizando a los personajes en gestos: Prim, por ejemplo, es siempre el ambicioso y traidor, nunca se lo ve como el representante de los intereses de la pequeña y no pequeña burguesía. Las acciones se vuelven absurdas o irracionales, el autor insiste en el cuadro pintoresco (amores de la reina) o exótico (los gitanos, el uso del caló), o en lo anecdótico (Parranda de Marte). El sentido histórico de la revolución está escamoteado o se pierde de vista. Un sentido posible desprendido de la novela es que la revolución no cambió nada, que la historia siempre se repite, como dijimos arriba.

Para entender mejor este posible punto de vista de Valle-Inclán expondré las opiniones de algunos historiadores separando a) el significado de la revolución del 68, b) sus causas, c) sus protagonistas.

a)   El significado de la revolución.

En el capítulo 3 hice un breve resumen del proceso del liberalismo español hasta la revolución del 68. El liberalismo español forma parte de un proceso general —europeo y americano— denominado también revolución burguesa. En España tuvo características propias, por la debilidad de la burguesía, el predominio del ejército y las limitadas proporciones de la revolución industrial. La débil burguesía tuvo que pactar con las fuerzas del Antiguo Régimen.

Durante el largo reinado de Isabel monopolizaron el poder el ejército, la nobleza, los nuevos propietarios nacidos de la desamortización, y el clero. Las nuevas fortunas sellaron un pacto con los viejos privilegios. Pero las dificultades económicas y la exclusión del partido progresista harían insostenible la situación.

Miguel Artola afirma que la revolución de 1868 es la última ocasión en que la burguesía protagoniza un movimiento revolucionario [12]. Consecuente con esta explicación, la *Historia de España* que dirige este autor divide tajantemente dos períodos, uno, comprendido entre 1808 y 1874, marcado por la lucha de la burguesía revolucionaria, y otro, comprendido entre 1874 y 1931, en el que la burguesía, alcanzados algunos de sus objetivos, se hace conservadora y sella su alianza con las supervivencias estamentales del Antiguo Régimen.

La misma opinión que Artola sostiene Miguel Martínez Cuadrado, quien afirma que la revolución de 1868 no pretendió alterar la estructura económico-

[12] MIGUEL ARTOLA, *La burguesía...*, p. 370.

social básica, sino que persiguió la preponderancia de las clases burguesas [13].

Antonio Eiras Roel se refiere al «fracaso histórico» de la revolución del 68, derivado del fracaso del experimento democrático español. Éste sólo duró seis años, a los que siguió la restauración del sistema monárquico doctrinario, «montado sobre bases análogas, aunque no idénticas, a las del régimen antes derribado» [14]. Eiras Roel ve entonces la continuidad entre el sistema isabelino y el sistema de la Restauración, continuidad que niega la efectividad de la revolución.

Antoni Jutglar ve el problema desde otra perspectiva al juzgar que el fracaso de la revolución del 68 se debió a la falta de unión entre los pequeñoburgueses y el proletariado. «En esta no convergencia debe buscarse la clave del fracaso revolucionario» [15], ya que el proletariado, que había defendido la República Federal, se hizo apolítico, por desengaño por un lado, y por otro, por imperativo de la Internacional.

Tuñón de Lara demuestra en su estudio «El problema del poder en el sexenio» [16], que la revolución del 68 no logró un cambio en el poder, o, mejor dicho, no logró coherencia entre el poder político, económico y social.

Según la perspectiva desde la cual se la analice, la revolución fue un triunfo o un fracaso. Por un lado, triunfan los ideales burgueses; por otro, se anquilosan en el poder y se traicionan, a la vez que traicionan a los movimientos populares. Valle-Inclán no podía describir el sentido progresivo de la re-

[13] MIGUEL MARTÍNEZ CUADRADO, «El horizonte político de la Revolución de 1868», en Revista de Occidente, núm. 67, octubre de 1968.
[14] ANTONIO EIRAS ROEL, «Nacimiento y crisis de la democracia en España», en Cuadernos Hispanoamericanos, marzo de 1969.
[15] ANTONI JUTGLAR, Ideologías y clases..., t. I, p. 293.
[16] MANUEL TUÑÓN DE LARA, «El problema del poder en el sexenio», en Estudios sobre el siglo XIX español, Madrid, Siglo XXI, 1973.

volución de 1868 porque nunca comprendió la revolución burguesa. En su primera época defendió a la sociedad estamental y se consideró perteneciente a ella. Siempre vio las miserias del liberalismo, y su modo de protesta fue, primero, idealizar el pasado, y luego, dar una visión estancada del proceso histórico. Cuando los hechos aceleraron este proceso, en 1930-1931, Valle-Inclán interrumpió su ciclo novelesco.

b) Causas de la revolución

Las causas de la revolución de 1868 se enuncian según la ideología del que lo hace, y según la distancia del juicio con respecto a los acontecimientos.

Fernando Garrido, contemporáneo de la revolución y situado políticamente en la extrema izquierda de su época, dice: «La Revolución de Setiembre, más que una revolución política, ha sido una revolución religiosa. Si Isabel II ha caído no ha sido por su conducta personal privada [...] ha sido [...] por la política teocrática que seguía [...] Si ha caído fue porque entregó la situación completamente al clero...»[17]

La tesis completamente opuesta la defiende Menéndez y Pelayo: «[Doña Isabel] se había divorciado del pueblo católico y tenía enfrente a la revolución, que ya no pactaba ni transigía. En la hora del peligro extremo apenas encontró defensores, y el pueblo católico la vio caer con indiferencia y con lástima [...] Y en verdad que no hay otro [destino] más triste que el de aquella infeliz señora, rica más que ningún otro poderoso de la tierra en cosechar ingratitudes, nacida con alma de reina española y católica, y condenada en la historia a marcar con su nombre aquel período afrentoso de *secularización* de España, que

---

[17] FERNANDO GARRIDO, *Diario de sesiones*, 30-IV-1869, t. III, página 1508, 2.ª col., cit. por Santiago Petschen, *Iglesia-Estado. Un cambio político. Las Constituyentes de 1869*, Madrid, Taurus, 1974, p. 136.

comienza con el degüello de los frailes y acaba con el reconocimiento del despojo del patrimonio de San Pedro»[18].

Pero esto entra en el terreno de lo anecdótico. Veamos las causas que baraja la historia moderna. Dos historiadores consideran como factor determinante la crisis económica: Vicens Vives[19] y Nicolás Sánchez Albornoz[20] consideran que la revolución de 1868 es consecuencia de la crisis financiera de 1866, la carestía y la falta de alimentos, sobre todo en Andalucía. Hubo una crisis económica debida a la escasez de alimentos que afectó a las regiones más pobres, y también una crisis financiera, derivada de la situación internacional, que produjo la quiebra de varias instituciones de crédito en Madrid y Barcelona, y que afectó a las clases dirigentes.

Por el contrario, Artola cree que no se puede dar tanta importancia a la crisis económica, sino que «el origen de la revolución hay que buscarlo en las contradiciones inherentes al régimen de 1845, que no puede extender la participación del sistema político, sin realizar al mismo tiempo reformas que incrementen la representatividad del propio sistema, con la consiguiente pérdida de poder de la corona y del corto número de beneficiarios que lo monopolizan»[21]

Es evidente que la revolución obedeció tanto a causas mediatas como a causas inmediatas, es decir, tanto a causas sociales y políticas como a causas de coyuntura económica.

A través de la reelaboración novelesca de los hechos históricos que hace Valle-Inclán, podemos ver cuáles son las causas que él ha considerado:

[18] MARCELINO MENÉNDEZ Y PELAYO, *Historia de los heterodoxos españoles*, Madrid, 1932, t. VII, p. 304.
[19] JAIME VICENS VIVES, *Cataluña en el siglo XIX*, Madrid, 1961, p. 151: «La catástrofe de 1866 fue la madre de la revolución del 68» (cit. por Artola, *La burguesía...*, p. 363).
[20] NICOLÁS SÁNCHEZ ALBORNOZ, *España hace un siglo, una economía dual*, Barcelona, 1968.
[21] MIGUEL ARTOLA, *La burguesía...*, p. 366.

1. la inmoralidad de la vida privada de la reina;
2. La influencia desmedida del clero (Pío IX, padre Claret, sor Patrocinio);
3. el estrechamiento de la base de poder del trono, debido a la intransigente política de González Bravo y a sus errores con el ejército: política de resistencia y represión y destierro de militares;
4. crisis económica que repercute en Valladolid y Andalucía y pánico bursátil;
5. conciencia revolucionaria del pueblo;
6. unión (precaria) de la oposición: progresistas, unionistas y demócratas;
7. imposibilidad del poder de encontrar una fórmula de recambio (proclamación del príncipe Alfonso, por ejemplo).

c) Protagonistas de la revolución de 1868

Este es el punto menos estudiado por los historiadores. Se da por sentado que la revolución la preparó Prim desde su exilio con numerosos agentes, y que, a último momento, recibió ayuda pecuniaria de Paúl y Angulo. Montpensier financió las sublevaciones dirigidas por los militares de la Unión Liberal. Según Valle-Inclán sugiere, también proporcionaron fondos los negreros cubanos (v. p. 178 de este libro).

Los protagonistas del proceso revolucionario son, para Martínez Cuadrado, dos grupos fundamentales, que primero actuaron en forma convergente y luego se dividieron: 1. el movimiento político partidista y su más directo instrumento de presión y fuerza: las fuerzas armadas; 2. la burguesía y amplios sectores populares que participaron a través de las juntas y de la prensa libre [22].

Valle-Inclán hace actuar a todos estos grupos, dando mucha importancia, en *Baza de espadas*, a la participación de los demócratas. Esta participación fue

[22] MIGUEL MARTÍNEZ CUADRADO, «El horizonte político...»

negada, inmediatamente después de la revolución, por los unionistas, como vimos al referirnos a las *Memorias íntimas de un pronunciamiento* de Paúl y Angulo, y más tarde por algunos historiadores, como por ejemplo Hennessey.

La importancia que Valle-Inclán concede a la participación de los demócratas puede sugerir que en *Baza de espadas* el autor iba a sustentar la tesis de que la revolución de 1868 fracasó por la traición del unionismo y del progresismo a los grupos más avanzados. En los artículos que publicó en 1935 en *Ahora*, Valle-Inclán expresa abiertamente su admiración por Cala, La Rosa y Salvochea, «los tres de exaltadas virtudes revolucionarias y singularmente valerosos» (2 de agosto); esa admiración no está tan explícita en las novelas, presumiblemente por la técnica de distanciamiento que le exige el esperpento. Es curioso que Valle-Inclán siga casi literalmente la interpretación de los hechos históricos que hacen sus fuentes, teniendo en cuenta que son obras de autores carlistas (Arjona) y republicanos (Estévanez, Paúl y Angulo). Esto podría explicarse porque ambas ideologías —una desde la extrema derecha y la otra desde la extrema izquierda— negaron la legitimidad del régimen durante el sexenio. De esta manera Valle-Inclán vuelve a minimizar el significado de la revolución.

La amarga actitud de Valle-Inclán hacia la revolución puede comprenderse mejor si se tiene en cuenta la situación histórica que le tocó vivir: la Restauración y sus últimos estertores. La mayor parte de la trilogía fue escrita en los «amenes» del reinado de Alfonso XIII, en el momento de disolución de un régimen juzgado con tanta severidad también por Unamuno. Recordemos que Unamuno fue deportado a Fuerteventura en febrero de 1924, al mismo tiempo que se clausuró el Ateneo, y que en marzo se cerró la revista *España* por el clima creado por la Dictadura, justamente cuando Valle-Inclán estaría elaborando *El ruedo ibérico*, ya que el primer episodio apareció en 1925.

*¿Circularidad y recurrencia como «mise en abyme»
de la realidad contemporánea?*

Durante el siglo XIX los militares se habían constituido en una fuerza política poderosa. Su importancia
había ascendido a causa de la invasión francesa, las
guerras carlistas y la lucha en las colonias. Hacia 1840
los militares ya eran la institución más sólida del
estado liberal, y los cambios políticos se decidían en
los cuarteles. A partir de 1868, el ejército se deslizó
hacia el campo conservador; aunque durante la Restauración hubo algunos pronunciamientos militares a
favor de la República (en 1883 y en 1886), éstos fra-
casaron y fueron las últimas sublevaciones militares
con objetivos políticos progresistas[23].

La revolución de 1868 comenzó como un pronunciamiento militar, ya no contra un gobierno, sino contra el Trono, y abrió —pese a las fuerzas reaccionarias— una serie de cambios importantes en la
sociedad. Poco después del triunfo, sin embargo, el
ejército reprimió al pueblo para lograr el desarme
de los Voluntarios de la Libertad y la disolución de
las Juntas, lo abatió en las luchas cantonales, y acabó
disolviendo las Cortes republicanas de 1873.

Durante la Restauración, Cánovas hizo respetar a
los generales el sistema de partidos políticos y la
Constitución, pero, «a pesar de haber perdido la
hegemonía entre 1875 y 1923 [los militares] se encuentran siempre entre los detentadores de la influencia,
cuando no de la preponderancia dentro del aparato
estatal»[24].

En 1902 sube al trono Alfonso XIII, cuyo reinado
es constitucional hasta 1923, año en que comienza el
período de la Dictadura. Esa primera etapa se caracteriza por la crisis de los partidos políticos (para las
elecciones de 1923 los conservadores estaban dividi-

[23] MIGUEL MARTÍNEZ CUADRADO, *La burguesía conservadora
(1874-1931)*, Madrid, Alianza, 1973, p. 43.
[24] M. MARTÍNEZ CUADRADO, *La burguesía conservadora...*,
página 247.

dos en tres grupos y los liberales en seis) y por el aumento de la influencia militar. Entre 1916 y 1923 hubo, según Tuñón de Lara, una «activa influencia de los grupos militares en las decisiones del Poder [...] el período se terminará por un acto de ese poder de hecho que, con el consentimiento de la Corona, se convierte en el Poder» [p. 90]. Es decir, el rey acepta reinar sin Constitución, asesorado por un Directorio militar. Para el dictador, Primo de Rivera, los enemigos públicos eran los políticos y los intelectuales, a los que atacó y denigró constantemente. Era un personaje singular, digno de figurar en el esperpento: trataba de mantenerse continuamente en contacto con el pueblo, a través de discursos, cartas, giras, empleando un marcado tono paternalista y bordeando siempre la excentricidad.

Valle-Inclán publicó *Cartel de ferias* en 1925, fecha que, según Martínez Cuadrado, marca el apogeo del poder personal del «dictador» Primo de Rivera [25]. De ahí el marcado antimilitarismo de la trilogía y la encarnizada burla de *Martes de carnaval*.

Más arriba dije que la imagen circular que propone *La corte de los milagros* y *Viva mi dueño* puede ser una metáfora del inmovilismo o repetición cíclica de la historia de España. Pero esta estructura podría sugerir otra cosa, constituir una especie de *mise en abyme* de la realidad contemporánea de Valle-Inclán, y éste puede haber querido transmitir el mensaje de que esa realidad degradada era la de su tiempo, que esos «héroes patizambos que jugaban un tragedia» eran el cercano reflejo de su actualidad.

Si la obra se propone al lector como una imagen de círculos concéntricos y a la vez como un esperpento —juego de espejos deformantes— es fácil que el lector pase a la idea de relato especular y se sienta reflejado o atrapado —él y su realidad— dentro de los círculos. Esta interpretación no niega la anterior

[25] M. MARTÍNEZ CUADRADO, *La burguesía conservadora...*, página 384.

—dada como fatalismo recurrente—, sino que la amplía.

En *Baza de espadas* no se sugiere esta estructura de círculos concéntricos, quizás porque la obra está inconclusa, o quizás porque Valle-Inclán decidió buscar otro modo de exposición histórica que, desgraciadamente, no encontró.

Al agregar *Aires nacionales*, libro que, como dije, creo escrito en 1931 —aunque algunos capitulillos pueden ser de elaboración anterior— el autor tenía sobrados motivos para seguir con su temática antimilitarista. El problema de la reorganización del ejército fue el que más preocupó a la opinión durante el gobierno provisional de la República. Manuel Azaña, que conservó el cargo de ministro de Guerra hasta el 12 de setiembre de 1933, introdujo reformas sustanciales en la institución, con el objetivo de lograr un régimen político desmilitarizado. Un decreto importantísimo se dio unos meses antes de la publicación de *Aires nacionales:* el cierre de la Academia general militar de Zaragoza el 29 de julio de 1931, por considerarse un centro antirrepublicano; esto venía a coronar una serie de reformas comenzadas con la llamada «ley Azaña» del 25 de abril, que consiguió el pase a retiro de casi la mitad de los oficiales.

En una declaración aparecida en *El Sol* el 6 de junio de 1931, Valle-Inclán expresa su temor de que pueda aparecer un nuevo general para implantar otra dictadura, y se declara lerrouxista. Valle-Inclán cree que Lerroux es la figura política capaz de contrarrestar la fuerza del ejército, equivocándose flagrantemente, ya que este personaje neutralizaría en 1933 todas las reformas de Azaña [26].

[26] Pocos meses después, sin embargo, Valle-Inclán ataca a Lerroux, también en *El Sol* (20 de noviembre de 1931).

APÉNDICES

ÍNDICE DE PERSONAJES Y HECHOS HISTÓRICOS

ALAMINOS Y VIVAR, Juan

(1813-1899). Empezó su carrera militar en la primera guerra carlista. En la guerra de África mandó el regimiento de Albuera. Demostró siempre adhesión a Prim. Ascendió a teniente general en 1869.

Aparece en II, 6, III como uno de los generales de la «Parranda de Marte», y en II, 8, XIV presentando sus respetos a los duques de Montpensier.

ALCALÁ ZAMORA, Luis

N. en 1833 en Priego, Córdoba. Durante el bienio progresista fue alférez de un batallón de milicianos. En 1856 ingresó en el seminario, y fue ordenado presbítero al año siguiente. Desde 1866 colaboró con Prim, quien le depositó toda su confianza y le dio misiones especiales. Luego tuvo que emigrar a Francia, hasta que en julio de 1866 viajó a Andalucía para desempeñar nuevas comisiones. Al estallar la revolución se unió a Prim en Cádiz, se embarcó con él en la *Zaragoza*, y no se separó del general hasta su entrada en Madrid, actuando como capellán del cuartel general. Siempre fiel a sus ideas liberales, en 1869 votó en las Constituyentes por la libertad de cultos.

En I, 9, XVI aparece un «clérigo sin licencias» en quien debemos reconocer a Alcalá Zamora. Está entonces en el Café de Platerías, y dice que el candidato de los progresistas es Fernando de Portugal. En II, 1, IV tiene que huir disfrazado, y en *Baza...* lo encontramos ya en Andalucía. Pérez Galdós recuerda en *De Cartago a Sagunto* (cap. VIII) el conflicto que tuvo con Roma el gobierno de Castelar, por haber nombrado a Alcalá Zamora obispo de Cebú.

ALBUERNE, Juanita

Aparece citada varias veces en *Viva...* como tía de Fernández Vallín (v.), quien, en efecto, tenía como apellido materno el de Albuerne. No he encontrado datos sobre la veracidad histórica de este personaje. Según la novela era monja en las madres Trinitarias de Córdoba.

ALCAÑICES, Pepe

José Isidro Osorio y Silva Enríquez de Almansa, duque de Albuquerque, de Algete y de Sexto, marqués de Alcañices. N. y m. en Madrid (1825-1909). Desde 1845 era senador, pero no empezó a actuar en política hasta 1850. Amigo de O'Donnell, en 1856 apoyó a la Unión Liberal. Fue alcalde y gobernador civil de Madrid.
Entre 1868 y 1876 perdió su senaduría vitalicia y conspiró a favor de la Restauración. Después fue jefe de Palacio, y al parecer fue responsable de graves complicidades en este cargo, de lo que se hizo eco la prensa satírica entre 1880 y 1885.
Valle-Inclán lo caracteriza en *Viva...* como «patilludo, cetrino y jaque» (2, IV). Poco más adelante, Alcañices tiene una misteriosa conversación con Bradomín y le dice: «Sé que usted reprueba esa intriga» (2, IX). Se refiere, sin duda, a la intriga para hacer abdicar a don Juan de Borbón en su hijo Carlos, y por estas palabras deducimos que Alcañices iba a tener más adelante mayor participación en la trama novelesca. En 6, IV, la reina le dice a Bonifaz que enviará a Alcañices a parlamentar con los generales de la Unión, y cuando se produce la «Parranda de Marte», Isabel lo hace llamar con el mismo Bonifaz (6, IV). Por la conversación vemos que el juego político de Alcañices no era claro, es decir, no se sabía si estaba de acuerdo o no con las posturas unionistas.

ALDAY, María

Monja de las Calatravas (Madrid), tía de José Lagunero (v.). La cita Bermejo (III, p. 826).
En II, 5, XVII los personajes se refieren a la protección que esta monja prestó al coronel Lagunero como paralela de la que Juanita Albuerne, tía de Fernández Vallín, presta a éste en Córdoba.

ALFONSO XII

(1857-1885). Murió tuberculoso a los 28 años.
Aparece en *La corte...* como un niño débil y enfermizo, que ha sufrido ya un ataque de hemoptisis (9, XII). Como nació durante la privanza de Puigmoltó —que también murió muy joven, tuberculoso—, recibió «el remoquete» de Puigmoltejo (II, 1, XVI). Su escasa salud da origen a

APÉNDICE I   275

las intrigas que tienen por objeto encontrarle un sucesor: su hermana mayor, María Isabel Francisca, princesa de Asturias hasta que nació Alfonso; o el pretendiente carlista.

ALGARRA, Carlos

(1817-1886). N. en Barcelona y m. en París.
Luchó en las filas carlistas bajo las órdenes de Cabrera y de Maroto. Después tuvo una tienda en la calle Mayor de Madrid, y fue empresario de anuncios. Carlos VII lo hizo general y conde. Antes de la tercera guerra publicó un folleto en París, con un cierto matiz liberal, para tantear el terreno político, pero fue mal recibido.
En II, 9, vi aparece en Gratz junto a Carlos VII. En *Baza de espadas*, junto a Marichalar, como edecán del pretendiente, durante la visita que éste hace a Cabrera. Entre los tres preparan luego el Consejo de Londres (v.), que según la novela tendría lugar del 20 al 30 de agosto de 1868 (III, 4, viii).

ANTÓN PERULERO

Apodo con el que se designaba a Antonio de Orleáns, duque de Montpensier. V. también *naranjero*.

ANTONELLI, Giacomo

Cardenal secretario de Estado de Pío IX. Galdós le atribuye talento político y ciencia mundana en *Las tormentas del 48*, *O'Donnell* y *Prim*.
En *Viva...* aparece influyendo en la política española a través del nuncio apostólico, monseñor Franchi (8, i). Valle-Inclán lo vuelve a citar en *Correo diplomático* como inspirador de la gran intriga destinada a conseguir la abdicación de Isabel II en la rama carlista.

ANTONIO DE ORLEANS

V. *Montpensier y naranjero*.

ARAÑA, capitanes (III, 5, xii)

Se dice específicamente de los militares que no cumplen con sus compromisos —por ej., iniciar un pronunciamiento. Valle-Inclán usa la expresión al hablar de Prim en un artículo de *Ahora* (19-VII-1936):
«Fomentó pronunciamientos y cuarteladas, comprometió guarniciones, sobornó generales y sargentos. En estas trifulcas pecó, más que de temerario, de prudente, y no faltó entre los suyos quien le llamase capitán Araña (don Eugenio García Ruiz)»

En *Baza*... Prim acusa a los otros, en un momento en que decide no acudir al reclamo de los demócratas gaditanos: «Por suerte que ya conozco a esos Capitanes Araña. Ninguno quiere hacer punta, y juzgan indispensable que yo, en todo momento, me juegue estúpidamente la cabeza» (5, XII).
Pérez Galdós también usa el término:
«Al Coronel Rada lo llamo yo *Capitán Araña*. A todos embarca y él se queda en tierra» *(Prim*, cap. XV).
Y Bermejo (III, p. 771):
«Cuando notó La Torre el disgusto de los adeptos al conde de Reus, al cual daban el ridículo calificativo del *capitán Araña*...»
Después de la revolución de 1869 apareció en Madrid un periódico con este nombre.

ARDERIUS, Francisco

(1836-1886). Actor y empresario. Fue pianista del café de Minerva y corista de la Zarzuela. Viajó a París, donde Offenbach hacía furor, y al volver fundó la Compañía de Bufos madrileños. Escribió sus memorias, que llevan el título de *Confidencias de Arderíus. Historia de un bufo referida por don Antonio de San Martín*. Allí dice:
«El 15 de setiembre del año de gracia de 1866 hacía fijar en las esquinas de la capital de España [...] un cartel encabezado *Compañía de los Bufos madrileños*. Nadie sabía qué quería decir *bufo*, pero el cartel hacía furor.»
La compañía empezó sus funciones en el teatro de *Variedades*, situado en la calle de la Magdalena. La primera función fue el 22 de setiembre de 1866, y se presentó *El joven Telémaco*, con lleno completo. Los autores eran Blasco (letra) y Rogel (música). Después de esta obra, que tuvo treinta y tres representaciones seguidas, y setenta y dos durante la temporada, siguieron: *Un sarao y una soirée* de Ramos Carrión y Lustonó con música de Arieta, *Francifredo, El motín de las estrellas, El conjuro, Tanto corre como vuela, El pavo de Navidad* y *La trompa de Eustaquio*.
Del *Variedades* pasaron los Bufos al *Teatro del Circo*.

ARÉVALO, general

V. *Consejo de Londres*.

ARGÜELLES, Agustín

(1776-1844) N. en Oviedo y m. en Madrid.
Representante de Oviedo en las Cortes de Cádiz, recibió el calificativo de *divino* por los discursos que pronunció en defensa de la Constitución. Al volver Fernando VII estuvo en la cárcel, pero después del pronunciamiento de Riego fue ministro de la Gobernación. Tuvo que refu-

giarse luego en Inglaterra. Volvió a España en 1834, y contribuyó a la redacción de la Constitución de 1837. Durante la regencia de Espartero fue tutor de Isabel y de Luisa Fernanda; fue criticado por ambos bandos durante su gestión. Pedro de Répide (*Isabel II*... p. 44) reproduce esta copla:

> *El que fue divino*
> *y antes liberal*
> *como entró en Palacio*
> *se le pegó el mal.*

La derecha decía que con sus enseñanzas trataba de pervertir a las niñas.
Durante su entierro se hizo una gran manifestación liberal. Coincidió con el regreso a España de la reina María Cristina.
Valle-Inclán lo nombra en II, 9, xii..

ARJONA, general

V. *Consejo de Londres.*

ARRAZOLA, Lorenzo

(1797-1873) N. en Guadalajara y m. en Madrid. Fue una de las principales figuras del partido moderado. Consejero real, procurador general, presidente del Tribunal Supremo, diputado, senador del Reino, ministro de Gracia y Justicia por siete veces y de Estado por tres. También fue presidente del Consejo de Ministros. Se lo apreciaba como orador y como erudito.
En *La corte*... aparece como ministro en 10, ii, preocupado por las difamaciones de los emigrados y redactando una circular «con tersuras lingüísticas de dómine». Poco más adelante, González Bravo le dice a la reina, para «explorar su ánimo» que «Arrazola y Belda propenden a una avenencia con las facciones liberales» (10, xii).

ASMODEO

Era el seudónimo con que Ramón de Navarrete y Landa (1822-1897) firmaba sus crónicas sociales en *La Época*. Antes había firmado con el seudónimo de Pedro Fernández. Debió de ser un personaje muy ridiculizado por los nobles, ya que de él se decía «que forraba de hule los bolsillos de su levita o de su frac para llevarse dulces y golosinas a su casa» (Fernández Almagro, *Cánovas*..., p. 316). Escribió novelas y obras de teatro.
Ecos de Asmodeo, sección que Navarrete redactaba para *La Época*, comenzó a aparecer en diciembre de 1868; es por lo tanto, posterior a la acción de *El ruedo ibérico*.

En *La corte...* aparece colándose a último momento en el tren que conduce a los Torre-Mellada al Coto de Los Carvajales (3, XXVII).

En *Baza...*, 1, va al palacio de Salamanca a pedirle dinero. Aparece también en los *Episodios Nacionales (Bodas reales, Las tormentas del 48, Narváez y Cánovas).*

ATENEO

El viejo Ateneo funcionaba en 1868 en la calle de la Montera, 32.

Pérez Galdós describe la casona en *Prim*, cap. XII.

AUTRÁN

V. *Consejo de Londres.*

BAKUNIN, Miguel

(1814-1876) N. en Premukhino y m. en Locarno. Pertenecía a una familia rusa aristocrática. Recibió de su padre una educación liberal. Comenzó, por tradición, la carrera militar, pero no pudo someterse a la disciplina. Enfrentado con su padre, se marchó en 1835 a Moscú, donde vivió la vida universitaria del momento. Los intelectuales estaban deslumbrados por el idealismo alemán y se oponían al gobierno del zar. Bakunin decidió viajar, con dinero prestado, a Berlín, para estar en el centro del mayor movimiento intelectual de la época. En Alemania, en contacto con los círculos revolucionarios europeos, se radicaliza. Perseguido por la policía secreta del zar, se vio obligado a radicarse sucesivamente en Suiza, Bélgica y París. Bakunin llegó a París en 1844, en momentos de efervescencia revolucionaria, y en 1848 luchó en las barricadas. Defendió en sus artículos la unión de los pueblos eslavos y la destrucción del imperio austro-húngaro. Al ser hecho prisionero por los austríacos fue condenado a muerte, pero luego éstos aceptaron el pedido de extradición hecho por el zar. Estuvo preso en la fortaleza de Pedro y Pablo en San Petersburgo y, gracias a una *Confesión* que algunos juzgan denigrante, logró en 1857 la conmutación de la pena de muerte por el destierro perpetuo en Siberia. Bakunin logró huir tres años después, viajando a Japón, Nueva York y Londres.

Instalado en Florencia desde 1864, dirigió todos sus esfuerzos a lograr una «sociedad secreta, internacional, socialista y revolucionaria». En 1866 redactó un *Catecismo revolucionario*, donde expuso las ideas básicas del anarquismo: oposición al principio de autoridad, organización de la sociedad por pactos libres, propiedad colectiva de la tierra y abolición del derecho de herencia. Decidió utilizar los Congresos de la Liga de la Paz y la Libertad (Ginebra, setiembre de 1867 y Berna, setiembre de 1868) como plataforma para sus ideas, pero fracasó. Fundó entonces la Alianza de, la Democracia Socialista, cuyos principios se difundieron por España a fines de 1868, gracias al viaje de Fanelli.

Bakunin y sus seguidores, que querían ingresar en la Asociación Internacional de Trabajadores cuyos líderes eran Marx y Engels, asistieron al congreso celebrado en Basilea en 1869. Allí discutieron marxistas y bakunistas sobre un punto que se consideró de importancia fundamental: la abolición del derecho de herencia. Pero esta discusión encerraba disensiones más profundas entre ideas centralistas y autonómicas, estatistas y antiestatistas, y los medios propuestos para lograr el triunfo de la revolución, ideas que condujeron a la escisión del movimiento obrero.

Después de la derrota de la Comuna francesa en 1871, Bakunin se retiró a Locarno, donde murió.

BALART, Federico

(1831-1905) N. en Pliego (Murcia) y m. en Madrid. Fue revolucionario activo. Militó desde joven en el partido progresista. Fue periodista de *La Discusión* y del *Gil Blas*. Ocupó cargos políticos entre 1868 y 1874, y volvió a la vida privada durante la Restauración.

Escribió libros de poemas: *Dolores, Horizontes* y *Sombras y destellos*. El primero, publicado después de la muerte de su esposa, lo coloca en la línea de los buenos poetas elegíacos.

Colaboró también en *El Imparcial*, y recogió algunas de sus crónicas en *Impresiones: literatura y arte* (1894).

Valle-Inclán traza su retrato cuando lo presenta en la redacción del *Gil Blas* (II, 6, XI).

BALDOMERA, doña

V. *Larra, Baldomera.*

BALDOMERA, regencia

Alusión a la regencia de Baldomero Espartero (v.) entre 1840 y 1843.

BALDRICH, Gabriel

N. en Barcelona en 1814.

Luchó en el ejército liberal durante la primera guerra carlista. Amigo de Prim, trabajó con él en sucesivas conspiraciones desde 1863. En 1867 organizó la sublevación de Cataluña.

Ascendió a general después de la revolución de 1868. Dirigió las operaciones contra la sublevación republicana en Cataluña. Fue después capitán general de Puerto Rico. Aparece también en *La de los tristes destinos* y en *La primera República* de Galdós.

BARBÁCHANO, Eleodoro

Fue condenado a muerte el 23 de noviembre de 1866 por los sucesos de San Gil, pero logró fugarse.
Aparece junto a Prim en III, 4, xi.

BARILI, monseñor

Lorenzo Barili, arzobispo de Tiana.
Nuncio apostólico en Madrid desde el 16 de octubre de 1857 hasta el 13 de marzo de 1868.

BEATRIZ, archiduquesa

María Beatriz de Austria-Este (1824-1906).
Madre del pretendiente Carlos VII. Era hermana del duque de Módena, Francisco V. Se educó en la corte ultraconservadora de Módena, la más tradicional de las pequeñas soberanías italianas. En 1848 cayeron los tronos de Parma y Módena, pero Francisco V fue repuesto en el poder, pocos meses después, por los austríacos.
Se casó con el infante don Juan de Borbón, pero como éste se manifestaba liberal, el duque de Módena impuso la separación de los esposos; se dio la patria potestad sobre los hijos —Carlos y Alfonso— a doña Beatriz.
Al pasar Módena a formar parte del reino de Italia bajo la hegemonía de Piamonte, la archiduquesa Beatriz vivió en el palacio imperial de Praga. En 1861 se negó a recibir a Cabrera cuando éste hizo una visita a Praga con su mujer, porque no quería que su hijo participase en política. Fracasó así el proyecto del padre Maldonado, quien pretendía que don Juan renunciase al trono y se constituyese una regencia con la princesa de Beira, Cabrera y Beatriz de Austria, hasta la mayoría de edad de Carlos.
En 1868 se trasladó con sus hijos a Venecia, bajo la protección del conde de Chambord. No pudo impedir que la princesa de Beira lanzase por primera vez el grito de *Viva Carlos VII* desde las páginas de *La Esperanza*, en 1864. Al casarse en 1867 perdió la patria potestad sobre él.

BECERRA, Manuel

(1823-1896). N. en Castro del Rey (Lugo) y m. en Madrid. Era demócrata. Luchó en las barricadas de Madrid que impusieron el bienio progresista (1854). En la crisis de

1856, con Sixto Cámara, intentó mantener en vano la moral de los milicianos del tercer batallón ligero, uno de los pocos que presentó batalla para impedir la disolución del bienio. Tuvo entonces que emigrar; volvió a Madrid al declararse la amnistía.

Trabajó luego en los preparativos de la sublevación de los sargentos de San Gil y tuvo que expatriarse nuevamente, participando desde entonces en la preparación de la Gloriosa.

Ocupó cargos públicos después de la Revolución: fue ministro de Fomento en el último gobierno de Amadeo I. Después de la Restauración fue ministro de Ultramar (en 1888, 1890 y 1894) extremadamente colonialista.

Era matemático, y perteneció a la Academia de Ciencias Exactas, Físicas y Naturales.

En *Viva...* Valle-Inclán lo hace recorrer de incógnito los barrios bajos madrileños en compañía de Rivero (1, XVII y XVIII). Tal vez Valle-Inclán los presente en pareja porque sufrieron la misma evolución política hacia la derecha.

BEIRA, princesa de

María Teresa de Braganza (1795-1874). N. y m. en Lisboa. Era hermana de María Isabel, segunda esposa de Fernando VII; se casó en 1838 con su cuñado, Carlos María Isidro, que estaba viudo. Ella también era viuda del infante Pedro Carlos de Portugal, con quien había tenido al infante don Sebastián (v.). Era fanáticamente absolutista, e influyó en su nieto Carlos para que reclamara sus derechos al trono. En 1864 publicó una carta en *La Esperanza* sosteniendo que si el rey faltaba a los principios que lo consagraban, dejaba de ser rey, aludiendo claramente a la actitud liberal del infante don Juan. Terminaba la carta lanzando por primera vez el grito *Viva Carlos VII*. La princesa de Beira vivió mucho tiempo en su palacio de Trieste.

Apoyó la gestión Cascajares (v.) para «inquietar a la diplomacia vaticana interesada en la pureza del Dogma Carlista» (II, 9, VII).

Cuando el infante don Sebastián sugirió el casamiento de la infanta Isabel con Girgenti, la princesa de Beira lo repudió como hijo: «Desde Trieste, con chapurreo portugués, le descomulgaba de hijo la Señora Princesa de Beira [...] La Corte Carcunda de Trieste, santurrona y cismática, no encubría su desacuerdo con la diplomacia vaticanista...» (II, 4, IX).

BELDA, Martín

(1815-1881). N. en Córdoba y m. en Madrid. De origen humilde, ingresó en la marina y obtuvo cargos políticos muy importantes: diputado por Montilla, gentilhombre de cámara, ministro de Marina en el gabinete presidido por Narváez en 1865 y en 1867. A la muerte de Narváez conservó el cargo bajo la presidencia de González Bravo, lo que determinó el ingreso del arma en la revolución. Después de la Gloriosa emigró, y volvió a España durante la Restauración. Se afilió entonces al partido conservador, y fue recompensado con el título de marqués de Cabra.

En I, 10, XII, aparece mencionado por González Bravo cuando éste le dice falsamente a la reina que, con Arrazola, Belda «propende a una avenencia con las facciones liberales».

En II, 1, XVII se menciona a su cochero para hacer un chiste, y más adelante Belda toma la palabra en la reunión de ministros para defender la actuación de su cuñado Méndez San Julián como gobernador de Córdoba (II, 4, VI).

BENAMEJÍ, Niño de

Personaje inspirado en la obra de Zugasti, *El bandolerismo: estudio social y memorias históricas*. Al describir los sucesos de Benamejí, Zugasti dice: «El Niño era el padrino de los más famosos bandoleros, a quienes tomaba a su servicio, concediéndoles albergue en el ya citado Cortijo de *Ceuta;* otras veces los protegía en la cárcel, dándoles dinero e influyendo para su mejor defensa» (I, 193).

BERG, duque de

Es Joaquín Murat, citado humorísticamente por Valle-Inclán en II, 4, XII.

BLANCA, doña

N. en Gratz el 7 de setiembre de 1868 y m. en Barcelona en 1949. Hija primogénita de Carlos VII y de doña Margarita de Parma. Aparece jugando junto a su hermano Jaime II en II, 9, VI, con lo que Valle-Inclán comete un voluntario anacronismo.

BLASCO, Eusebio

(1844-1903). N. en Zaragoza y m. en Madrid. Autor teatral. Periodista del *Gil Blas* y de *La Discusión*. En 1866 publicó *Los curas en camisa*, sátira dedicada al P. Claret.

Tomó parte en los hechos de 1866 y tuvo que emigrar. Volvió a Madrid en 1868. Después de la revolución fue secretario particular de Rivero, cuando éste era ministro de la Gobernación. Se retiró luego de la política, pero con la Restauración tuvo un alto cargo en Comunicaciones. Se afilió entonces al partido conservador. Escribió para

la Compañía de los Bufos *El joven Telémaco,* obra que incorporó la palabra *suripanta* a la lengua castellana. Explica el proceso de formación de la palabra en *La suripanta (Olores patrios. Crónicas. IV serie, O.C.* t. XXV). En 1898 fundó la revista *Vida Nueva,* que dirigió poco tiempo. Entre 1903 y 1906 se publicaron sus *Obras completas,* en 27 volúmenes.
En II, 2, III aparece dialogando con Ayala.

BODEGA

Fue criado de Narváez. Valle-Inclán lo presenta en la escena de la agonía de su amo (I, 9, XIII), atendiéndolo y confortándolo, y contestándole con filosofía popular. Narváez vivió separado de su mujer (que residía en París), y tenía con Bodega la relación de dependencia prototípica entre el amo y el siervo que se vuelve indispensable.
Con las mismas características que Valle-Inclán lo había retratado Galdós en *Narváez* (cap. XIII); el narrador del episodio, marqués de Beramendi, dice: «Yo había oído hablar del famoso *Bodega,* del viejo soldado, compañero y servidor del general en la guerra, y ahora su ayuda de cámara y mayordomo [...] Retiróse *Bodega* con la tranquilidad del justo, sin cuidarse de obedecer a su señor en lo de llevarse el desayuno...» Bodega en todo momento se muestra impasible ante el malhumor y los gritos destemplados de su amo, quien «tan pronto le llenaba de improperios como le llamaba hijo.»

BOGARAYA, marqués de

Gonzalo Saavedra. Nació en París durante la emigración de su padre, el duque de Rivas. Fue militar, diputado, maestrante, Gran Cruz. Cuando fue gobernador de Madrid sofocó un motín de cigarreras.
Eusebio Blasco escribió su semblanza en *Los de mi tiempo* (1905).
En *El ruedo ibérico* aparece en el teatro de los Bufos (II, 2, IV), y luego en la feria de Solana (II, 5, XXVI).

BONITO, general

Apodo que la reina aplicó a Serrano (v.).

BRAVO MURILLO, Juan

(1803-1873). N. y m. en Fregenal de la Sierra, Badajoz. Llegó a Madrid en 1835. Durante la regencia de Espartero emigró a Francia. Fue moderado, de extrema derecha, y una de las pocas personalidades políticas no militares del siglo XIX. Narváez lo llamaba «el abogado».

Diputado, ministro, presidente del Consejo de Ministros en 1850. Con él se iniciaron los turbios negocios financieros que iban a conducir a la revolución de 1854.

El golpe de estado de Luis Napoleón (1851) en Francia lo animó a intentar una reforma constitucional para reforzar el poder de la monarquía y el civil sobre el militar. Intentó establecer una dictadura provisional aprovechando el atentado del cura Merino (1852), pero fracasó por la oposición de los moderados y los progresistas. Ballesteros Beretta le atribuye la frase: «Sin más insignia que este frac, ahorcaré a los generales con sus propias fajas.»

Isabel II le pidió su dimisión, por consejo de María Cristina, el 13 de diciembre de 1852.

En El ruedo ibérico aparece citado dos veces por González Bravo (I, 10, II y II, 4, v), quien lo consideraba su numen político, precisamente por querer imponerse a los militares.

CABALLERO, Juan

Célebre bandido andaluz de la primera mitad del siglo XIX. Fue segundo de José María, y luego actuó independientemente.

En El señor Juan Caballero o los hijos del camino, Fernández y González narra las aventuras de su tercera salida y posterior indulto. Ninguna de las aventuras tiene semejanza con lo que Valle-Inclán cuenta en Cartel de ferias, de modo que este folletín no puede ser la fuente. Sólo coinciden los relatos en presentar un héroe perseguido por la fatalidad, con un pasado que revierte cíclicamente sobre el presente. (En el folletín, Juan Caballero «reconoce» a una hija, pero luego la apuñala por accidente.)

CABALLERO DE RODAS

Antonio Caballero y Fernández de Rodas (1816-1876).

Comenzó a distinguirse en la primera guerra carlista. En la revolución de 1854 se pasó, en plena acción, junto con Echagüe, a las filas sublevadas.

Luchó en África, donde obtuvo el grado de brigadier. Al regresar a Madrid se batió con Nicolás María Rivero, y lo hirió, lo que le hizo impopular.

Fue uno de los militares unionistas que en 1868 protestaron por los ascensos de Concha y Novaliches, por lo que fue desterrado a Canarias; era entonces mariscal de campo (según Miraflores, Memorias, III, p. 436). Su firma aparece en el manifiesto de Cádiz (19-IX-68) junto a la de Serrano, Prim, Dulce, Serrano Bedoya, Nouvilas, Primo de Rivera y Topete. Fue ascendido a teniente general.

Después de la revolución, el gobernador militar de Cádiz dispuso que los civiles entregaran las armas (5-XII), pero los Voluntarios de la Libertad se resistieron, y lucharon en barricadas durante tres días. El 13 de diciembre Caba-

llero de Rodas ocupó la ciudad, desarmó a los Voluntarios, y detuvo a muchos, entre ellos a Fermín Salvochea.
El mismo estallido se produjo en Málaga el 1 de enero de 1869, y también fue enviado a reprimirlo Caballero de Rodas. Unos mil voluntarios mandados por Romualdo Lafuente lucharon contra cuatro mil soldados, y hubo muchas bajas en ambos bandos. Fue diputado a Cortes en 1869.
Valle-Inclán dedica a Caballero de Rodas un poco más de atención que a los otros generales de la Parranda de Marte, quizás porque pensaba detenerse en el relato de las desgraciadas actuaciones que resumimos arriba. Aparece citado en una presunta entrevista con Fernández Vallín (II, 3 i), y luego en la tertulia de los Montpensier (II, 8, xiv).

CABRERA, Ramón

(1806-1877). N. en Tortosa y m. en Wentworth. Conde de Morella. Luchó a favor del carlismo y consiguió rápidos ascensos. A fines de 1835 su fama se había extendido por España y por el extranjero. Su madre, aunque no había tenido participación en la guerra, fue hecha prisionera por los liberales y fusilada el 16 de febrero de 1836 con el consentimiento del general Espoz y Mina. Desde entonces Cabrera se convirtió, por su crueldad, en *El Tigre del Maestrazgo.*
No se acogió al convenio de Vergara, pero, derrotado, tuvo que refugiarse en Francia. Se radicó luego en Inglaterra. Volvió a la lucha en 1848, para defender los derechos de Carlos VI, pero al año siguiente tuvo que volver a cruzar la frontera.
Se casó con una aristócrata inglesa y vivió desde entonces en su finca, en Wentworth. En 1861 viajó a Praga para entrevistarse con Carlos VII e interesarse en su educación, pero su madre, la archiduquesa Beatriz, se negó a recibirlo. En 1866 envió a la princesa de Beira una carta en la que se quejaba de la escasa educación que recibían los príncipes.
En 1867 se negó a que Carlos negociara con Cascajares, por cuestiones de principios. Carlos, que necesitaba la colaboración de Cabrera para conseguir dinero para la guerra, se humilló ante él. Después de que Juan de Borbón abdicara públicamente de sus derechos, Cabrera resolvió aceptar «en forma condicional» el nombramiento de jefe supremo del ejército en formación, el 12 de abril de 1869, pero renunció alegando razones de salud el 7 de agosto del mismo año. El 4 de octubre el pretendiente, juzgándolo curado, volvió a nombrarlo, pero surgieron nuevas dificultades. Entonces Carlos VII citó a una reunión en Vevey (Suiza), el 18 de abril de 1870, para enjuiciar a Cabrera, y durante ella se lo acusó de liberal, masón y traidor.

En 1875, Cabrera resolvió aceptar como rey a Alfonso XII, y éste a su vez le reconoció el grado de capitán general del Ejército y el título de conde de Morella.

CÁCERES, marqués de

V. *Consejo de Londres*

CÁDIZ, el ruiseñor de

Se refiere al gran orador del siglo XIX, Emilio Castelar, que nació en esa ciudad.

CALA, Ramón

N. en Jerez de la Frontera en 1828. Fue republicano desde 1854. A Cala se debe el auge del republicanismo entre los gaditanos. En 1865 era presidente del Casino de obreros de Jerez.

Tuvo que refugiarse en Francia después del levantamiento del 22 de junio de 1866. Trabajó en los preparativos de la revolución de 1868 junto a Paúl y Angulo y a Salvochea. Fue diputado por Jerez a las Constituyentes de 1869, como republicano federal. Escribió en *La Igualdad* y en *El Combate*. Gran orador, se lo consideraba de honradez incorruptible.

Al ser asesinado Prim, estuvo preso, pero quedó en libertad por falta de pruebas. Publicó *El problema de la miseria resuelto por la armonía de los intereses humanos* y *Los comuneros de París: historia de la revolución federal de Francia de 1871*.

Pérez Galdós lo presenta junto a Paúl y Angulo en la redacción de *El Combate* (*España trágica*, cap. XXIII). Valle-Inclán, junto a Paúl y Angulo, La Rosa, Guillén y Salvochea, preparando el levantamiento de Cádiz (III, 5, IX).

CALDERÓN, Carlos

Político carlista, amigo del general Antonio Dorregaray. En III, 4, VIII se lo cita como posible asistente al Consejo de Londres.

CALOMARDE, Francisco Tadeo

(1775-1842). Ministro de Fernando VII desde 1824, fue el gran defensor del absolutismo. Reprimió a los liberales desde el ministerio de Gracia y Justicia. Empezó a tener problemas con el monarca al entrar en escena María Cristina.

El 29 de marzo de 1830 Fernando VII había dado una Pragmática sanción para abolir la ley sálica. Estando el rey enfermo y desahuciado por los médicos en La Granja, en noviembre de 1833, la reina Cristina fue acosada por Calomarde, Joaquín Abarca —obispo de León— y Antonini —enviado de Nápoles— para que hiciera revocar la Pragmática por el monarca. Cristina se dejó convencer, y el 18 de noviembre el rey firmó un codicilo en forma de decreto que debía permanecer secreto hasta después de su muerte. Poco después Fernando VII cayó en una especie de letargo y, al creérselo muerto, se divulgó el codicilo. Pero el rey se recuperó, y pocos días después (22 de noviembre) llegó a La Granja la infanta Luisa Carlota, quien, al enterarse del contenido del decreto firmado el 18, abofeteó a Calomarde e hizo pedazos el original del decreto. Calomarde dijo entonces la célebre frase: «Señora, manos blancas no ofenden», y, sin cumplir la orden de destierro, huyó a Francia.

La bofetada a Calomarde es recordada en *Viva mi dueño* (8, XIV) cuando se divulga que Isabel II podría abdicar en la rama sálica. Poco más adelante (9, V) se nombra a Calomarde como símbolo del absolutismo.

CAMPOS, teniente coronel

Jefe militar, amigo de Prim, que en 1866 debía pronunciar el batallón Almansa. Lo cita Galdós en *Prim*.

En *Baza de espadas* (4, XI) aparece entre los militares que acompañan a Prim en Londres.

CANDELAS, Luis

Ladrón español del siglo XIX que actuaba según la tradición del «bandido generoso». Murió ahorcado hacia 1830.

CANOFARI, José

Acompañó a Girgenti en su viaje a Madrid. El 19 de mayo de 1868 *La Nueva Iberia* trae la siguiente noticia: «El señor Canofari ha sido agraciado con la cruz de Carlos III, que llevaba sobre el pecho en el baile [de bodas] de Palacio.»

Aparece en II, 8, XV.

CÁNOVAS DEL CASTILLO, Antonio

(1828-1897). N. en Málaga y m. en Santa Águeda, asesinado. Viajó a Madrid en 1845, protegido por Estébanez Calderón, primo de su madre. Sus primeras aficiones fueron literarias. Terminó la carrera de Derecho en 1851.

Trabajó en los preparativos de la revolución de 1854, y redactó el Manifiesto de Manzanares, que tuvo como consecuencia la implantación del bienio progresista. Tuvo diversos cargos públicos y adhirió fervientemente a la

Unión liberal. Tenía fama como orador (pronunció discursos en el Ateneo desde 1853). Fue ministro por primera vez con Mon en 1864, y logró la implantación de varias leyes de tendencia liberal. En 1865 fue ministro de Ultramar con O'Donnell. Después de la sublevación de los sargentos de San Gil se le desterró por poco tiempo a Palencia. Fue diputado en el último Congreso del reinado de Isabel II. Se dedicó a los estudios históricos, e ingresó también en la Academia de la Lengua. La revolución del 68 lo sorprendió en Simancas, trabajando para su *Bosquejo histórico de la Casa de Austria*. Trató de que Isabel II abdicara en su hijo, y de que se restaurara a los Borbones. Cánovas fue el artífice del largo período de la Restauración hasta que lo asesinó un anarquista.
Escribió una novela histórica, *La campana de Huesca*, en 1852.

CARIFANCHO

Este bandido aparece citado en la obra de Zugasti, *El bandolerismo...* I, p. 232.

CARLOS MARÍA DE LOS DOLORES DE BORBÓN Y AUSTRIA-ESTE

Llamado Carlos VII por sus partidarios.
(1848-1909). N. en Leibach (Iliria) y m. en Varese (Italia). Hijo de Beatriz de Austria y de Juan de Borbón. Nació en Leibach porque sus padres se vieron obligados a abandonar la corte de Módena durante la revolución de 1848. La familia volvió cuando el duque reinante fue repuesto en el poder por los austríacos. Carlos se educó bajo la influencia de su madre y de su tío, ambos católicos y absolutistas; su padre no pudo influir en su educación porque cayó en desgracia con la familia al difundir ideas algo liberales. Don Juan tuvo que separarse de sus hijos y dejar la corte.
Cuando Módena pasó a formar parte del reino de Italia Beatriz se refugió en el palacio imperial de Praga, y allí trató de mantener a sus hijos —Carlos y Alfonso— aislados de todo posible contacto con españoles, porque no quería ver a Carlos comprometido con la aventura legitimista. En cambio, su abuela María Teresa, princesa de Beira, dio los pasos necesarios para lograr que el nieto se comunicara con sus partidarios. Desde Trieste, donde vivía rodeada de españoles, dirigía los hilos de la intriga. Cuando la archiduquesa Beatriz trasladó su residencia a Venecia, Carlos recibió la influencia de su tío, el conde de Chambord, pretendiente legitimista al trono de Francia (Enrique V).
Poco después fue a vivir a Venecia la familia ducal de Parma, y así pudo conocer Carlos a la que sería su espo-

sa: Margarita de Parma. La pareja se casó el 4 de febrero
de 1867, y se instaló en Gratz, donde Carlos, libre ya de
la tutela maternal, pudo conspirar a su antojo.
Logró que su padre abdicara sus derechos en él, e inició
en 1872 la tercera guerra carlista. Abandonó su empeño
en 1876.
Tuvo cinco hijos con Margarita, de la que enviudó en 1893;
al año siguiente se casó con Berta de Rohan.

CARLOS MARÍA ISIDRO DE BORBÓN

Llamado Carlos V por sus partidarios.
(1788-1855) Segundo hijo de Carlos IV y hermano, por
tanto, de Fernando VII. Luchó por sus derechos al trono
entre 1833 y 1840. Se casó en segundas nupcias con la princesa de Beira. Murió en Trieste.

CARRASCO, Manuel

N. en Sevilla en 1812.
En 1837 secundó en Andalucía el movimiento de La Granja. Tuvo que huir a Portugal tras el fracaso del levantamiento de 1848. Volvió a Sevilla para cooperar con el alzamiento de 1854, y durante el bienio progresista fue secretario del comité democrático y jefe de la milicia de
Sevilla.
Desde 1864 trabajó en colaboración con los centros revolucionarios de Madrid, Bruselas y Lisboa. Fue diputado en
las Cortes Constituyentes de 1869.
Valle-Inclán lo presenta en III, 5, xiv.

CASCAJARES Y AZARA, Antonio María

(1834-1901). N. en Calanda (Teruel) y m. en Calahorra (Logroño).
Fue militar desde 1846 a 1857, y tuvo simpatías por el partido progresista. Ingresó más tarde en el seminario de
Zaragoza, y se ordenó sacerdote en 1861. Fue obispo de
Ciudad Rodrigo y de Calahorra, arzobispo de Valladolid
en 1891 y cardenal en 1896.

CASTILLEJOS

Batalla de la guerra de África (1860) que se ganó por un
acto temerario de Prim. Pérez Galdós lo describe, como
Valle, recordando la popular litografía:
«Prim empuñó el mástil de la bandera; al viento dio la
tela, y con la tela unas palabras roncas, ásperas, como si
las soltara con un desgarrón de su laringe... Más por la
expresión que por el sonido las entendieron los que le ro-

deaban... Coger la bandera, echar la tremenda invocación, hincar espuelas al caballo y saltar éste sobre el tropel de moros fue todo un instante [...] El fiero caballo del General, aunque herido, descargaba sus patas delanteras sobre cuantos cráneos a su alcance cogía [...] Morazos de tremenda estatura caían hacia atrás, elevando al cielo los remos inferiores, como si fueran brazos...» (*Aita Tettauen*, II, cap. VI).

Otro personaje de Galdós afirma que «la hombrada de Prim» hubiera sido un heroísmo inútil sin la ayuda del general Juan Zabala.

CASTRO, Alejandro de

(1812-1881).N. en La Coruña y m. en Zarauz.
Fue diputado, ministro de Hacienda (1864-5) y de Ultramar (1866) en gobiernos de Narváez. Presidente de la cámara de Diputados. Fue canovista y trabajó por la Restauración. En el primer gabinete del nuevo reinado fue ministro de Estado (1874-5), y después embajador en Roma y Lisboa. A partir del 1877 fue senador vitalicio. Publicó *Apuntes y detalles que pueden ser útiles a quien escriba la historia de los acontecimientos en España desde 1873 hasta nuestros días.*

CATALINA, Manuel

(c. 1820-1886).
Uno de los actores más importantes de la época, pariente cercano de Severo Catalina. Tenía gran cultura, era también poeta, y tradujo a Coppée. Dirigió el teatro de Variedades (1848) y fue empresario del Príncipe.
En *La corte...* aparece citado por el marqués de Torre-Mellada, quien está interesado en averiguar quién hace sus pelucas (8, XI).

CATALINA Y DEL AMO, Severo

(1832-1871). N. en Cuenca y m. en Madrid. Fue una figura intelectual de la época de Isabel II: encargado de los manuscritos orientales de la Biblioteca Nacional, catedrático de hebreo en la Universidad Central, académico de la Lengua. De familia modesta, pudo estudiar gracias a su tesón y precocidad. Fue conservador, y a partir de 1863 comenzó una carrera política en continuo ascenso, ocupando, como sucede en momentos de crisis y quiebra del sistema, los cargos más variados: director de Instrucción Pública, ministro de Marina y luego de Fomento. Era amigo de Nocedal, y defendió con él el mantenimiento del poder temporal del papa. Después de la revolución de 1868 vivió en Roma durante diez meses como representante confidencial de Isabel II cerca del papa. Vivió luego en Biarritz; en 1871, al regresar a Madrid, murió repentinamente. Había redactado el manifiesto que Isabel II firmó en Pau después de su destronamiento.

Sus obras fueron publicadas en seis tomos en 1877. Entre ellas figuran ensayos sobre *La mujer, La verdad del progreso, Roma,* la historia de *La Rosa de oro, Influjo del idioma hebreo en la gramática y especialmente en la sintaxis castellana* (discurso de ingreso en la Academia), poesías y una comedia.

Valle-Inclán se burla de su talento «epigramático» en II, 4, V,

CEBALLOS

V. *Consejo de Londres.*

CEBALLOS ESCALERA, coronel

Tenía su butaca en el teatro Real al lado de la de Fernández Vallín. Hizo fusilar a éste en el puente de Montoro, al parecer para impedir que llegara a una componenda con Novaliches. Cuenta Carlos Rubio que cuando el marqués de los Llanos le preguntó por qué había fusilado a Fernández Vallín, Ceballos le contestó: «Porque estoy loco»; y agrega que en 1869 estaba en el manicomio (*Historia filosófica de la revolución española,* II, pp. 29 y ss.)

CEUTY

Nombre que la gente daba a Los Carvajales (I, 5, I), porque allí se protegía a los bandoleros. El nombre está inspirado en la obra de Zugasti (I, 87); al referirse éste al niño de Benamejí, dice: «Supe también que labraba un cortijo, en el cual se abergaban los hombres más facinerosos, los escapados de las cárceles y presidios y toda clase de malhechores, algarines, caballistas y cuatreros, por cuya razón era generalmente conocido aquel cortijo con el nombre de *Ceuta,* y nadie se atrevía a penetrar en aquel terreno, ni en sus inmediaciones, por la seguridad de ser robado o secuestrado.»

CLARET, padre

V. apéndice I.

CLAUDIO NERÓN

Nombre masónico de Paúl y Angulo (III, 3, I y III, 4, XI).

COMÍN

V. *Consejo de Londres.*

CONDE BLANC

Personaje que pretendía ser hijo ilegítimo de Fernando VII, y que contó con la protección de sor Patrocinio y de Isabel II. Resumo lo que he podido averiguar sobre él en el cap. 8.

CONCHA, José Gutiérrez de la

(1809-1895). N. en Córdoba del Tucumán (Argentina) y m. en Madrid.
Marqués de La Habana desde 1857.
Su padre, Juan de la Concha, murió en la guerra de la independencia americana.
Desde 1814 vivió en España. Su actuación más importante fue, en 1846, la represión de la rebelión gallega, por lo que fue ascendido a teniente general y premiado con cruz de San Fernando de segunda clase. En 1850-2 reprimió el levantamiento de Narciso López en Cuba, cuando era capitán general de la isla, por lo que recibió la gran cruz de San Fernando. Fue otra vez capitán general de Cuba entre 1854 y 1859.
En enero de 1854 fue trasladado a Palma de Mallorca por haber votado con la oposición durante el escándalo de las concesiones ferroviarias. Pidió entonces renunciar al ejército, pero como no fue aceptado el pedido huyó de Barcelona a Francia y volvió al producirse la revolución de julio. A partir de 1864 fue Grande de España.
Al producirse la revolución de 1868 y renunciar González Bravo, la reina le confió el formar nuevo gobierno. Se trasladó a Madrid, cuya guarnición no se había sublevado, y organizó la defensa. Pidió entonces a Isabel que regresara a la capital, pero sin su favorito, Carlos Marfori. Como la reina no aceptó esta condición, Concha le impuso la suspensión del viaje.
Al triunfar la revolución de 1868 se marchó a Francia, donde permaneció alejado de la política; elegido senador en 1871, no tomó posesión del cargo.
Al producirse la Restauración fue enviado a Cuba; en 1877 se lo nombró senador vitalicio. En este período sufrió una evolución política: votó primero con los conservadores, luego fue jefe del centro en el Senado, y más tarde se afilió al partido fusionista.

CONCHA, Manuel de la

Marqués del Duero.
Hermano del anterior, n. en Córdoba del Tucumán y m. en junio de 1874, herido durante la tercera guerra carlista.
Al morir Fernando VII adhirió a Isabel II y luchó en la primera guera carlista. En 1841 conspiró contra Espartero. Hizo una expedición militar a Portugal para sostener en el trono a la reina María de la Gloria, intervención que

le valió el título de marqués del Duero. En la tercera guerra tomó Bilbao, y murió cuando iba a atacar Estella.

Pérez Galdós hace su retrato en *Vergara* (cap. XIX), oponiendo su carácter firme al de su hermano José: «Manuel de la Concha, ya coronel, hermano de Pepe, y que si en la gallarda figura se le asemejaba, no así en el carácter, que era vivísimo, tirando a violento, poseído de la pasión militar en sumo grado y del anhelo de saber mucho y de practicar lo que aprendía.»

Valle-Inclán lo presenta en la misma línea, ya que Manuel Concha protesta airadamente por el ascenso conferido a su hermano y por la transgresión del escalafón militar (II, 4, v).

CONSEJO DE LONDRES

El 23 de mayo de 1868 Carlos VII dirigió a Cabrera una carta sobre la posibilidad de reunir un consejo en Londres entre el 20 y el 30 de julio de 1868. (En III, 4, VIII, Valle-Inclán acomoda las fechas a la cronología interna de la novela). Dicho Consejo tendría como finalidad asesorar a Carlos sobre la actitud a tomar frente a las amenazas de revolución en España y sobre sus pretensiones de heredar cuanto antes los derechos de su padre, Juan de Borbón.

Arjona, cuyo punto de vista acepta Valle-Inclán para el relato de estos sucesos, dice lo siguiente acerca de los consejeros que Carlos propuso a Cabrera: «Ignoro todos los nombres, y acaso omito algunos muy notables: los que acuden a mi memoria, con absoluta seguridad para estamparlos, son los siguientes: P. Maldonado, P. Torrecilla, duque de Pastrana, marqués de Cáceres, marqués de La Granja, marqués de la Romana, marqués de Serdañola, marqués de Tamarit, conde de Fuentes, conde de Morella, conde de Orgaz, conde de Robres, conde de Samitier, Barón de Hervés, general Arévalo, general Arjona, general Masgoret, general Tristany, Algarra, Ceballos, López Caracuel, Marco, Moneo, Autrán, Comín, Dameto, La Hoz, Vildósola.» (*Páginas de la historia del partido carlista. Carlos VII y don Ramón Cabrera*, p. 51.) Valle-Inclán transcribe la misma lista en III, 4, VIII, salvo tres nombres que omite, quizá involuntariamente. Estos nombres son los de los generales Masgoret y Tristany y el de Algarra.

CONTRERAS Y ROMÁN, Juan

(1807-1881). Luchó a las órdenes de Riego contra el duque de Angulema. Participó en la primera guerra carlista. En 1841 se sublevó contra Espartero y tuvo que emigrar a Francia. Al ser derribado Espartero volvió a Madrid; por sus servicios a Isabel II era ya mariscal de campo en

1849. En 1855 estuvo destinado en Puerto Rico; desde entonces empezó a evolucionar hacia la izquierda. Fue uno de los jefes principales del alzamiento del 22 de junio de 1866, y tuvo que refugiarse en Francia, desde donde conspiró para derrocar a Isabel II. Después de la revolución fue diputado republicano por Lorca. Se negó a reconocer como rey a Amadeo I y fue dado de baja. La República le devolvió sus dignidades, pero al relevarlo Castelar del mando en Cataluña marchó a Cartagena y proclamó el cantón murciano. Al caer el cantón, escapó a Orán a bordo de la *Numancia*. Después de largos años de destierro reconoció a Alfonso XII y volvió a España.

Según Bermejo (III, p. 774), Contreras se separó ideológicamente de Prim porque éste buscaba un rey en el extranjero, diciendo: «Yo prefiero a Cúchares (v.), que al fin es español, a ningún monarca extranjero.»

Valle-Inclán lo nombra en III, 4, xi, entre los militares que acompañan a Prim en Londres.

CORONADO, Carlos María

Catedrático de Derecho Romano en la Universidad Central. Diputado, senador del reino y ministro de Gracia y Justicia. Perteneció al partido moderado.

Valle-Inclán se encarniza con él, se burla hasta de su manera de hablar y se refiere dos veces a su dentadura postiza (II, 1, xvii y II, 6, xvii).

CORRESPONDENCIA DE ESPAÑA, LA

Apareció en 1848 con el nombre de *Carta Autógrafa*, redactado y litografiado por su fundador, Manuel María de Santa Ana (marqués de Santa Ana desde 1889).

El 1 de agosto de 1858 apareció como periódico impreso y tuvo un gran éxito; fue el de mayor tirada hasta la revolución de 1868. Sin filación política, tenía muchos lectores en las clases medias.

MARÍA CRISTINA DE BORBÓN

(1806-1878). Hija de Francisco I, rey de las Dos Sicilias. En 1829 se casó con Fernando VII por influencia de su hermana María Luisa Carlota, que ya era cuñada del monarca. Algunos autores dicen que Cristina había prometido a su hermana que, si tenía una hija, la casaría con uno de sus hijos, lo que, en efecto, se cumplió.

María Cristina fue una hábil política. Logró mantener su prestigio a pesar de su casamiento morganático con el guardia de corps Fernando Muñoz, realizado sólo tres meses después de la muerte de Fernando VII. Es verdad que el país estaba entonces convulsionado por la guerra carlista, y que apenas ésta terminó, Espartero trató de imponerse, pero Cristina fue tan hábil que abandonó el país dejándolo en difícil situación, de modo que pudo volver, triunfante, después de la regencia de Espartero. Formó una camarilla a la que estuvieron vinculados Salamanca, Sartorius, Pacheco, camarilla cuya principal ocupación eran las especulaciones financieras, y que se enriqueció escandalosamente con los ferrocarriles. Estos negocios fueron una de las causas del estallido popular de 1854, durante el cual el pueblo incendió los palacios de Cristina y de Salamanca, ambos tuvieron que huir al extranjero. Tuvo varios hijos con Muñoz, quien recibió el título de duque de Riánsares, y fue también agasajado y respetado por la aristocracia francesa.

CRUZ, Teatro de la

Fue levantado en 1737, en el mismo lugar que ocupaba el antiguo Corral de Comedias. Ribera dirigió la construcción; la fachada se consideraba una de sus extravagancias. El escenario era pequeño y la sala desproporcionada. El 15 de mayo de 1849 fue declarado *oprobio del arte* y se resolvió demolerlo, pero esto quedó entonces sin efecto. Daba hacia la Puerta del Sol por la calle de Espoz y Mina. Dice Antonio Espina (*Romea*, p. 262) que fue derribado en 1856, cuando empezaron las obras del ensanche.

CÚCHARES

(1818-1868). Célebre torero, cuyo verdadero nombre era Francisco Arjona.

CHAMORRO

En *El ruedo ibérico* aparece como personaje Dolorcitas Chamorro, «sangre ilustre de aquel famoso aguador camarillero y compadre del difunto Narizotas» (I, 3, IV). La cita se refiere a Pedro Collado, conocido por el apodo de Chamorro. Fue aguador de la fuente del Berro, entró al servicio de Fernando VII cuando éste aún era príncipe de Asturias, y se convirtió en su favorito.

CHESTE, conde de

V. *Pezuela, Juan de la.*

DAMATO, Salvador

N. en Francia en 1832, durante la emigración de su padre. Desde 1865 colaboró con Prim. En enero de 1866 fue de-

tenido, pero logró fugarse y huir a Portugal, donde se
encontró con Prim, a quien desde entonces acompañó en
el exilio. Entró clandestinamente a España en diversas
ocasiones para preparar la revolución.

«Ocupado de continuo en descifrar claves, organizar el
servicio de la correspondencia, recibir y despachar emi-
sarios, estudiar los mapas de ferrocarriles y telégrafos,
sorprender secretos de las oficinas de gobierno, reunir
cédulas de identidad y dar cuenta diaria al general Prim
de todas las operaciones, Damato se mantuvo siempre
algo apartado de ciertos círculos de la emigración que habrían podido comprometer el secreto indispensable a los
trabajos revolucionarios.» (*Los diputados...* II, 124.)

Participó en el levantamiento y defensa de Santander (20
de setiembre de 1868). Fue diputado en las Cortes Constituyentes de 1869.

Aparece en III, 5, XVI, desempeñando la función que se le
atribuye en la cita precedente.

DAMETO

V. *Consejo de Londres.*

DISCUSIÓN, LA

Periódico fundado en 1856 por Nemesio Fernández Cuesta
y Nicolás María Rivero. La redacción quedaba en la Carrera de San Jerónimo.

En 1864 fue dirigida durante seis meses por Pi y Margall,
quien sostenía en el periódico posiciones socialistas. Rivero en primer lugar y Castelar después, defendieron el
individualismo.

En 1866 tenía un brillante cuerpo de redactores. Nicolás
María Rivero hacía un artículo de fondo por semana, Roberto Robert reseñaba las sesiones de Cortes, Luis Rivera
escribía las gacetillas y Fernández y González la novela
del folletín y la crítica teatral. También colaboraron Eusebio Blasco y Manuel del Palacio.

En II, 1, VII, Valle-Inclán se refiere al «inflamado programa de *La Discusión*», y en el capitulillo VIII a los
«apasionados radicales» que la escribían.

DUERO, marqués del

V. *Concha, Manuel de la.*

DULCE, Domingo

(1808-1869). Logroño-Amélie les Bains.
Se distinguió en la primera guera carlista, en la que ascendió a teniente coronel. Al frente del cuerpo de Ala-

barderos impidió el rapto de Isabel en 1841; a causa de esta acción ascendió a coronel y se le otorgó la cruz laureada de San Fernando. Frustró la acción de La Rápita (1860), por lo que se le hizo marqués de Castellflorite. En 1862 sucedió a Serrano como capitán general de la isla de Cuba. Estuvo en los trabajos previos a la revolución de 1868, en la que no tomó parte demasiado activa por su enfermedad. Fue enviado luego a Cuba como capitán general, pero actuó con excesiva dureza y se hizo impopular incluso entre la tropa. Enfermo de cáncer, se marchó a Francia, donde murió.

ECHAGÜE, Rafael

(1815-1887). N. en San Sebastián y m. en Madrid. Participó en la guera carlista, y al finalizar ésta se afilió al partido moderado. En 1854 se pasó a las tropas revolucionarias en plena acción y fue ascendido a general. Durante la guerra de África fue herido, en la batalla del Serrallo, por lo que se le hizo conde del Serrallo y ascendió a teniente general. Era muy amigo de Serrano. González Bravo lo deportó a Canarias en 1868; participó luego en la revolución. Intervino en la última guerra carlista, especialmente en el levantamiento del sitio de Bilbao, y por esta actuación llegó a ser Grande de España.

Bermejo (III, p. 826) le atribuye las siguientes palabras, que habría pronunciado en mayo de 1868: «Hemos logrado el tan deseado acuerdo entre progresistas y demócratas, y marchando todos bajo una misma dirección no puede aplazarse el movimiento; y de lo contrario, al cerrarse las Cortes, nos veremos los generales obligados a viajar.»

Aparece citado sólo una vez en *Viva mi dueño*, 6, III, como integrante de la Parranda de Marte.

ELÍO, general Joaquín de

(1806-1876). N. en Pamplona y m. en Pau. Al morir Fernando VII no reconoció a Isabel II. Después de brillante actuación en la guerra carlista fue comandante general de Navarra. Al firmarse el convenio de Vergara continuó al frente de las fuerzas leales a don Carlos, hasta que huyó a Francia. En 1847 fue general en jefe de los carlistas del norte.

Tomó parte activa en los sucesos de La Rápita y fue detenido, condenado a muerte e indultado por Isabel II. Prometió a la reina no luchar contra ella, y sólo volvió a la guerra después de su derrocamiento. En 1873 tuvo el mando supremo. Fue ministro de Guerra de don Carlos en 1874, pero se retiró poco después por su edad avanzada.

Aparece citado en III, 4, VIII como posible asistente al Consejo de Londres.

ENRIQUE DE BORBÓN

(1823-1870). Era hijo de la infanta Carlota y de Francisco de Paula; hermano, por lo tanto, del rey consorte. Había sido uno de los posibles candidatos a rey consorte, pero sus declaraciones a favor del liberalismo lo dejaron fuera de juego. Entusiasmado por la revolución francesa de 1848, firmó en Perpiñán un manifiesto revolucionario, por lo que el 13 de mayo de 1848 Isabel II lo privó de honores, grados y condecoraciones.
Siempre fue un elemento rebelde dentro de la familia real. Según Bermejo (III, p. 755), en 1868 se acercó a los emigrados españoles que residían en París para conspirar contra la reina. Anselmo Lorenzo (*El proletariado...* p. 61) se refiere a sus ideas radicales.
Después de la revolución se batió con el duque de Montpensier (v.), y éste lo mató.
Pérez Galdós narra los pormenores del duelo, y del velorio y entierro de don Enrique, en *España trágica*.
En I, 9, XVI, lo nombran los progresistas que están en el Café de Platerías mostrando desconfianza sobre sus posiciones políticas.

EPAMINONDAS

Masón de la Estrella de Gades, que aparece en III, 5, VI. En *Cánovas*, de Pérez Galdós, aparece también un masón que lleva este nombre.

ÉPOCA, LA

Diario vespertino, inició su publicación el 1 de abril de 1849.
Dirigido por José Ignacio Escobar desde 1854, se convirtió en órgano de la Unión Liberal. Conservador y aristocratizante, *La Época* no tuvo grandes tiradas.
Tuñón de Lara lo caracteriza así: «Instrumento del canovismo alfonsino, es un diario de notables, de "gente bien", el primero que tuvo "crónica de sociedad", que se vendía por suscripción, sin descender a la venta callejera; estaba dirigido por José Ignacio Escobar (a quien Alfonso XII y Cánovas harían marqués en 1879) y teleguiado por el duque de Sesto y de Albuquerque.» (*Estudios sobre el siglo XIX español*, p. 127.)

ESCOBAR, José Ignacio

Director de *La Época* (v.).

ESCOSURA, Patricio de la

(1807-1878). Fue un político sumamente versátil. Luchó en las gueras carlistas. En 1840 defendió a María Cristina, por lo que tuvo que exiliarse. Volvió a Madrid con Prim y Serrano en 1843. Se afilió al partido moderado y alcanzó varios cargos políticos. En 1847 se hizo progresista y tuvo destacada actuación durante el bienio. Luego pasó a la Unión Liberal, y en 1866 era diputado por este partido. Después de la revolución se hizo radical, bajo la dirección de Ruiz Zorrilla.

Entre sus obras más importantes figuran las novelas históricas *Ni rey ni roque* (1835) y *Estudios históricos sobre las costumbres españolas* (1851). También escribió dramas históricos, y colaboró en diversas publicaciones periódicas: *El Museo Artístico y Literario, El Universal, El Progreso* y *El Imparcial*.

ESLAVA, Hilarión

(1807-1878). Sacerdote navarro que llegó a ser maestro de la Capilla Real. Compuso óperas y música sacra.

Valle-Inclán lo contrapone humorísticamente a Offenbach, en II, 1, xv.

ESPARTERO, Baldomero

Conde de Luchana, duque de la Victoria, duque de Morell. N. en Granátula en 1793, m. en 1879.

Era de origen muy humilde, hijo de un carretero. Entró al ejército durante la invasión francesa, y más tarde luchó en América (1815-1824). Regresó con el grado de brigadier y una buena fortuna, y se casó con la hija de un rico hacendado de Logroño. A la muerte de Fernando VII luchó contra los carlistas, obteniendo éxitos que le valieron títulos, condecoraciones (Toisón de oro) y prestigio político. Se opuso siempre a Narváez. Ocupó la Regencia al salir María Cristina del país en 1840. En 1843 tuvo que huir al triunfar los levantamientos iniciados por Narváez, Serrano y Prim. Vivió exiliado en Inglaterra hasta que regresó a Logroño. Al producirse la revolución de 1854, ante el desbordamiento popular, Isabel II lo llamó a ocupar el gobierno junto a O'Donnell. Entonces acuñó su célebre frase: *Cúmplase la voluntad nacional.*

En 1854 nació el bienio progresista, que murió sin gloria al no querer Espartero ponerse al frente de la Milicia Nacional. Se retiró a Logroño. Después de la revolución de 1868 rechazó la oferta de la corona hecha por Prim para el caso de que las Cortes lo votaran.

Amadeo I le dio el título de príncipe de Vergara, con tratamiento de Alteza Real. La República respetó sus títulos. Al volver del destierro, Alfonso XII lo visitó en Logroño.

La figura de Espartero domina la historia española del siglo XIX. El suyo es un caso interesantísimo, ya que fue un caudillo popular superado por su propia imagen, o, dicho de otra manera, un personaje que nunca estuvo a la altura de la imagen que sus correligionarios trataron de imponer. Posiblemente la historia de España habría sido otra si Espartero hubiera sido capaz de asumir su papel de *condottiero*.

Por eso se explica que su sombra esté presente a lo largo de *El ruedo ibérico*, como estuvo presente, sombra al fin, a lo largo del siglo XIX. Prim supo usarla y usufructuarla. Según Valle-Inclán, el héroe de los Castillejos vendió su espada a las camarillas apostólicas en 1843 (II, 1, VIII) para defenestrar a Espartero. Después utilizó cínicamente su frase, «cúmplase la voluntad nacional» para no hacer concesiones que perjudicaran sus ansias de poder (II, 1, XII y II, 6, X). En *Viva...* hay otras referencias a la regencia de Espartero, puestas en boca de la reina: hablando de la abdicación en su hijo Alfonso, dice: «... jamás entregaré la tierna flor de un hijo a los cuidados de otro jacobino como Espartero» (II, 4, XI). Poco más adelante la reina vuelve a recordar con alegría el fin de la «regencia jacobina» (6, VI), y cómo Prim hacía caracolear entonces su caballo frente a Palacio («Qué de vueltas da el mundo»).

ESPERANZA, LA

Periódico carlista, opositor al régimen de Isabel II y a la revolución. Apareció en Madrid el 10 de octubre de 1844 y se publicó hasta 1873.

Lo fundó Pedro de la Hoz, quien lo dirigió hasta su muerte, acaecida en 1865. Entonces continuó bajo la dirección de su hijo, Vicente de la Hoz y Liniers.

ESPOZ Y MINA, condesa de

Juana María de Vega. Fue aya y camarera mayor de Isabel durante la regencia de Espartero, cuando era tutor Argüelles (v.). Era viuda del general liberal Francisco Espoz y Mina, muerto en 1836. Publicó las *Memorias* de su marido y luego escribió las suyas propias.

Valle-Inclán cita expresamente las *Memorias* de Juana de la Vega en II, 1, VIII, y más adelante pone su recuerdo en boca de la reina (6, VI).

ESTÉVANEZ, Nicolás

(1838-1914). N. en Las Palmas de Gran Canaria y m. en París. Militar destacado en la guerra de África, hizo la campaña con el regimiento de Zamora; por su heroísmo se le concedió la cruz de San Fernando. En 1863 viajó a Puerto Rico y a los Estados Unidos, donde estudió la guerra de secesión. Participó en los levantamientos federales de 1869 y fue hecho prisionero; estuvo once meses en la cárcel, hasta la amnistía de 1870. Había sido diputado en las Constituyentes. Al ser proclamada la República fue gobernador de Madrid y ministro de Guerra. Al caer la República se exilió en Portugal y luego en Francia. Fue director literario de Garnier y participó en la redacción de diccionarios, hizo traducciones, etc.

Escribió, entre otros, *Resumen de la historia de España, Estudio sociológico y económico de las Islas Canarias, Memorias autobiográficas* (publicadas en *El Imparcial* en 1899).

Estévanez aparece como personaje en *Baza de espadas*, y Valle-Inclán usó como fuente sus *Memorias*, según se ha dicho en el cap. 7.

EULALIA, doña

María Eulalia Francisca de Asís Margarita Roberta de Borbón (1864-1958). Hija de Isabel II, se casó en 1886 con Antonio de Orleáns, hijo de los duques de Montpensier. Valle-Inclán la nombra en II, 4, xii, como asistente al rosario que dirige el padre Claret en la cámara real.

FENÓMENO, maestro

V. *Palacio, Manuel del.*

FERNÁNDEZ DE CÓRDOVA, Fernando

Marqués de Mendigorría (1809-1883).
Actuó en la guerra carlista a las órdenes de su hermano Luis, que era general en jefe del ejército del norte.
Fue jefe de las fuerzas que se enviaron a Roma en 1849 para sostener a Pío IX. Amigo y consejero de María Cristina, formó gobierno en 1854, una vez comenzada la revolución. Durante su breve presidencia, el pueblo fue ametrallado en los incendios del palacio de María Cristina y de Salamanca.
Cuenta en sus *Memorias* que en 1867 se puso de acuerdo con Serrano y Dulce para poner en el trono a los Montpensier, en caso de que Isabel fuera derrocada, y que él fue encargado de comunicárselo a los duques, mientras estaba de viaje por Andalucía. Más adelante cuenta cómo en 1868 lo llevaron preso un capitán de la Guardia Civil y un subalterno, y que después de un breve destierro en Soria, pudo exiliarse en Francia.
Fue ministro de Amadeo, y también durante la Primera República.
En sus *Memorias* usa siempre un tono moderado, tras el cual es difícil descubrir al hombre borrascoso que Valle-Inclán retrató en sus novelas.
En II, 4, vii se dice que es primo de Torre-Mellada. La reina, que lo llama *Metralla* (v.) sabe que está conspirando.

FERNÁNDEZ VALLÍN Y ALBUERNE, Benjamín

N. en 1828 en La Habana, y murió fusilado en el puente de Montoro en 1868. Sus padres eran ricos hacendados de Asturias. Estudió en Suiza y quiso ser jesuita.
En 1855 se casó con Delfina de Gálvez Cañero, hija del senador del Reino. Otra hija de Gálvez Cañero estaba casada con Augusto Ulloa.
Entre 1855 y 1860 vivió en Cuba, donde tuvo cargos públicos. Era muy amigo de Serrano y Dulce. Cuando los generales unionistas fueron desterrados a Canarias, se trasladó a Cádiz para preparar la evasión. Permaneció con Ayala más de cuarenta días. Luego se trasladó a Canarias con el pretexto de asistir al general Dulce en su enfermedad. Regresó con los desterrados en el vapor *Buenaventura*, y los siguió a Sevilla y a Córdoba.
Fue enviado por Serrano al campamento del general Novaliches para tratar de impedir la batalla de Alcolea, pero fue detenido por el coronel Ceballos Escalera y fusilado en Montoro.
En el teatro Real tenía su butaca al lado de la de Ceballos, tal como lo presenta Valle-Inclán en II, 2. Todo lo anterior lo narra Carlos Rubio en su *Historia filosófica de la revolución española* (t. II, p. 29).

FERNANDO DE COBURGO

(1816-1889). N. en Viena y m. en Lisboa. Era hijo del duque de Sajonia-Coburgo-Gotha.
En 1836 se casó con la reina María II de Portugal, y a la muerte de ésta (1853) fue regente durante dos años, hasta la mayoría de edad de su hijo, Pedro V. Fue popular en toda Europa por su espíritu liberal, su abstención en asuntos políticos, y la protección que brindaba a las humanidades. Cuando abdicó el rey Otón de Grecia se le ofreció la corona, que no aceptó, como no aceptó la de España, pese a las sucesivas ofertas que se le hicieron, antes y después de la revolución de 1868.
La idea de ofrecer a Fernando de Coburgo la corona de España partió de Olózaga, en los meses anteriores a la revolución; Olózaga pensaba de esa manera concretar los antiguos proyectos de la Unión Ibérica, tal como afirma Valle-Inclán en II, 1, x. *Prim* aceptó la idea de Olózaga, pero al parecer, ya en ese momento rechazó don Fernando la propuesta. Una de las condiciones de los progresistas era que don Fernando no se casara, para tener seguridad de que Pedro V heredaría el trono de España. Pero los problemas eran muchos: había que lograr que Napoleón III no se opusiera; suponía la posible pérdida de la soberanía de Portugal y España como estados independientes y, para don Fernando, la pérdida de la libertad doméstica (el rey se casó con la cantante Fanny Essler

—condesa de Edla por gracia del rey Guillermo de Prusia— a fines de 1869).

Valle-Inclán presenta a dos Fernando con su habitual ironía: «el desconsolado consorte de la Reina fidelísima» piensa en las bailarinas de can-can y sueña con una signorina Grimaldi (II, 1, XI). Así anticipa Valle-Inclán el desenlace de este fracasado proyecto de candidatura. De hecho, el gobierno volvió a ofrecerle —secretamente— la corona a don Fernando en 1869, y envió como emisario a Ángel Fernández de los Ríos. Este fracasó en su misión, y se resolvió mandar entonces una comisión, que fue detenida por un agrio telegrama del monarca. Se hace realidad metafórica el *¡Me compra usted un Trono!* (II, 1, VIII) de la novela, por haber sido el trono español ofrecido y rechazado tantas veces por distintos candidatos.

Según el Conde de Romanones *(Sagasta,* p. 74), la candidatura de Fernando de Coburgo se frustró en 1869 «por la pretensión del príncipe de que su esposa, su antigua amante y célebre bailarina, recibiera los honores de reina».

FRANCISCO DE ASÍS

V. Apéndice II.

FRANCHI, Alejandro

Nuncio apostólico que remplazó a monseñor Barili. Llegó a Madrid el 5 de mayo, según *La Nueva Iberia,* y fue recibido al día siguiente por la reina *(La Gaceta).*

FRASCUELO

Nombre profesional del famoso torero Salvador Sánchez (1842-1898), competidor de Lagartijo.

FRÍAS, Bernardino

Es José Bernardino Silverio Fernández de Velasco, duque de Frías desde 1852. Murió en 1890.
Grande de España de primera clase.
Aparece en II, 2, XIII, jugando en el Casino de Madrid.

FUENTES, conde de

V. *Consejo de Londres.*

FULGENCIO, padre

Padre escolapio, confesor del rey consorte. A través del padre Fulgencio conoció el rey a sor Patrocinio. El cura y la monja consideraban demasiado liberal a Narváez y, con la ayuda del rey, lograron su remplazo por el llamado

Ministerio Relámpago (v.), integrado por miembros del partido ultramontano. Esto sucedió el 19 de octubre de 1849, pero el ministerio sólo duró veinticuatro horas, y al volver Narváez al poder desterró a sor Patrocinio y al padre Fulgencio, aunque por poco tiempo.

Morayta lo acusa de inmoralidad, afirmando que «era público que vivió en relaciones íntimas con una actriz» (*Historia*, VII, 1287).

Pérez Galdós lo describe a través de un personaje en *Bodas reales* (cap. XXV).

GÁLVEZ CAÑERO, Pedro

Senador del reino. Suegro de Fernández Vallín y de Augusto Ulloa.

GAMÍNDEZ, coronel

Valle-Inclán cita a este personaje entre los militares que acompañaban a Prim en Londres (III, 4, XI).

El apellido debe de tener una errata y tratarse de Eugenio de Gaminde y Lafont, militar que luchó por el triunfo de la revolución de 1868. En 1869 fue capitán general de Cataluña y reprimió entonces la sublevación promovida por el sorteo de quintas (1870). Fue ministro de Guerra durante el gobierno de Sagasta (1872).

GERUNDIO, FRAY

Seudónimo de Modesto Lafuente (1806-1866), y título de un periódico satírico, que apareció entre 1837 y 1843 y luego entre 1848-9. Según el mismo Lafuente en su *Historia* (VI, p. 447), el periódico alcanzó popularidad por «sus chistes y chocarrerías frailunas».

GIL BLAS

Periódico satírico de ideología demócrata, que se publicó entre 1864 y 1870. Escribían en él Manuel del Palacio, Luis Rivera, Roberto Robert.

GIRGENTI, conde de

(1846-1871). Cayetano María Federico de Borbón, príncipe de las Dos Sicilias. Hijo del rey Fernando II de Nápoles y de su segunda esposa, María Teresa, archiduquesa de Austria. Hermano del destronado Francisco II, a quien Cayetano acompañó en el destierro.

Según cuenta Valle-Inclán en «Sugestiones de un libro. Amadeo de Saboya» (*Ahora*, 11-IV-1935), Pío IX aconsejó el casamiento de la infanta Isabel Francisca (v.) con Cayetano, pensando que Isabel II abdicaría en su hijo Alfonso y que los esposos Girgenti serían regentes.

Las bodas entre Girgenti y la infanta se celebraron el 14 de mayo de 1868. Los esposos partieron para Italia para asistir a las bodas del hermano de Girgenti, el conde de Caserta.

Al producirse la revolución de 1868, Cayetano fue a Andalucía para ponerse al frente de sus escuadrones en la batalla de Alcolea. Según insinúa Valle-Inclán en el artículo citado, Girgenti creía que Isabel abdicaría sin permitir que se enfrentaran las dos fuerzas, y que el marqués de Novaliches proclamaría al príncipe Alfonso, y regentes a él y a su mujer. Sin embargo, en otro artículo, Valle-Inclán había arriesgado otra hipótesis que contradice la anterior. El 18 de julio de 1935 afirmó en *Ahora* que Novaliches había suspendido las negociaciones con los revolucionarios en Alcolea «bajo el apremio de una orden con la estampilla real, transmitida por el conde de Girgenti». El 13 de agosto vuelve sobre el mismo tema, y dice que la presencia de Girgenti, el asesinato de Vallín, y la fidelidad de Novaliches a la camarilla apostólica, impidieron que Serrano (de acuerdo con Prim) proclamara a Alfonso y regente a Montpensier.

Valle-Inclán también se refirió a los esposos Girgenti en «Epitalamios napolitanos. En enero, Juan Tercero» *(Ahora,* 2-VI-1935), donde afirma: «La paz en este matrimonio fue de poca dura, como acontece con el buen vino en las tabernas. Tuvieron sus altezas un pleito civil y canónico, y una mañana apareció en su cama, muerto de un tiro en la frente, el príncipe napolitano, a quien la picaresca madrileña llamaba el conde Indigenti» (v.).

En efecto, Girgenti se suicidó, pegándose un tiro, después de un ataque de epilepsia, en 1871.

GLEBOFF, Arsenio Petrovich

No sé por qué Valle-Inclán utiliza este nombre para caracterizar a Sergio Netchaev, a quien Bakunin llamaba «Boy». Netchaev y Bakunin se conocieron en Ginebra. Netchaev era entonces muy joven —tenía veintidós años—, pero influyó poderosamente en Bakunin, aunque las relaciones entre ambos fueron muy contradictorias, y algunos autores insinúan la posibilidad de una relación homosexual. Pienso que Valle-Inclán conocía esta opinión y la dejó traslucir muy veladamente en el texto.

Netchaev murió en una cárcel rusa en 1892.

GONZÁLEZ BRAVO, Luis

Nació el 8 de julio de 1811 en Cádiz. Su padre se encontraba allí por haber seguido al gobierno como empleado de Hacienda; la familia de su madre era de Granada.

En Madrid, durante el gobierno de Calomarde, frecuentó los *clubs* revolucionarios y perteneció a sociedades secretas carbonarias. Para alejarlo de la política, el padre lo envió a estudiar Leyes a Alcalá de Henares.

Al terminar su carrera se dedicó al periodismo. Escribió en *El Español* y fundó *El Guirigay* (v.). Fue elegido diputado por primera vez en 1841. Era progresista y votó por la regencia trinitaria (no por la regencia única de Espartero). En 1843 se unió a Serrano y Narváez para destituir a Espartero, y se inclinó desde entonces al moderantismo. Tramó y sostuvo la intriga con que los moderados lograron la destitución de Olózaga por presunto abuso de confianza, atentado y coacción contra Isabel. Al ser nombrado presidente del Consejo de Ministros, clausuró en seguida las Cortes y combatió duramente a sus antiguos correligionarios. Al volver María Cristina (24-III-1844), alguien le hizo llegar una colección de *El Guirigay* y cayó en desgracia. Pidió y obtuvo entonces un cargo diplomático en Lisboa, al que renunció cuando fue elegido diputado en las elecciones de 1846. Durante el bienio progresista quiso abandonar España, y consiguió por mediación de O'Donnell el cargo de ministro plenipotenciario en Viena. En 1856 fue embajador en Londres. Ingresó en la Real Academia de la Lengua en 1863. Fue nombrado ministro de la Gobernación (1866), durante la presidencia de Narváez; en el episodio suscitado por la *Exposición de los 121* provocó un conflicto irremediable al permitir que Cheste allanara el fuero parlamentario. Tuvo el mismo cargo en el último gobierno de Narváez, y fue presidente del Consejo a la muerte de éste. En las últimas Cortes isabelinas hubo un escándalo acerca de la legalidad del préstamo ultramarino, y González Bravo resolvió cerrarlas el 18 de mayo.

Apenas se conocieron los hechos de Cádiz, González Bravo renunció, y fue sustituido por José de la Concha. Se exilió entonces en Francia. El 13 de enero de 1871 se declaró partidario del carlismo. Murió pocos meses después, en Biarritz.

Debió de tener una personalidad interesante y contradictoria. Fue amigo de Bécquer, Valera y Castelar. Pérez Galdós traza un retrato muy desfavorable de él en *Bodas reales*. En *El ruedo ibérico* se recuerdan desde el principio los pecados juveniles de González Bravo, cuando la duquesa de Fitero dice que «es un ambicioso con una historia muy negra» (I, 2, v). En I, 10, III es doña Pepita Rúa la que recuerda a la reina «los tiempos de *El Guirigay*», y el narrador ratifica en II, 1, III que a González Bravo «nunca las momias apostólicas le perdonaron el remoquete» de «El Majo del Guirigay».

En I, 3, XXIV el narrador da su definición del personaje y en I, 9, IV está su retrato. En I, 10, XII se pone en acción el maquiavelismo político de González Bravo cuando aconseja a la reina llamar a Miraflores. El narrador no aclara que Miraflores y González Bravo eran enemigos políticos, de modo que el lector necesita conocer la historia para entender la doblez de este último.

En cuanto a la actitud de González Bravo frente a la revolución, sabemos por el relato histórico de Bermejo que aquél desechó una tras otra las denuncias que recibía, y que seguía cometiendo errores políticos —como desterrar a los generales— con la mayor inconsciencia. Por eso el narrador dice: «El Majo del Guirigay presumía tener en la mano los hilos de la conjura militar, o, cuando menos, tales seguridades daba en Palacio» (II, 9, III).

También se preocupa el narrador por destacar su genio malhumorado y su hablar «duro y sin reservas», su tono áspero, sobre el que el benévolo biógrafo de González Bravo, Luciano de Taxonera, también se ha explayado. No he encontrado, en cambio, referencias al origen judío que le atribuye Valle-Inclán.

GRANJA, marqués de la

V. *Consejo de Londres.*

GRIÑÓ, María

Madre de Ramón Cabrera (v.), fusilada en 1836 por los liberales.

GUILLÉN, Rafael

N. en Cádiz en 1829 o en 1839, m. en combate durante el levantamiento republicano de 1869.

Desde 1864 propagó las ideas democráticas y socialistas junto con su amigo Ramón Cala. En 1867 fue deportado a Ceuta. Volvió a Cádiz para preparar el levantamiento del 9 de agosto en compañía de Paúl, Salvochea y La Rosa. Integró las Juntas revolucionarias de Cádiz y Jerez, y luego fue comandante del Primer Batallón de Voluntarios de Cádiz.

Diputado a las Constituyentes en 1869. Ese año levantó una partida y se unió a Paúl y Angulo, Salvochea y el cura Romero en la Sierra de Ubrique. El 15 de octubre de 1869 fueron vencidos. A Guillén lo mataron las tropas mientras estaba herido e indefenso en el camino de Benoaján.

Valle-Inclán lo nombra junto a Paúl y Angulo, La Rosa, Cala, Carrasco y Salvochea en III, 5.

GUIRIGAY, EL

Periódico fundado por Luis González Bravo (v.) hacia 1837. En él atacaba virulentamente a los personajes del

gobierno: Donoso Cortés, Alcalá Galiano, Bravo Murillo, Narváez. Dirigió una violenta campaña contra María Cristina, a la que llamó «ilustre prostituta».
González Bravo firmaba con el seudónimo de Ibrahim Clarete.

HERVÉS, barón de

V. *Consejo de Londres.*

HIDALGO, Baltasar

(1833-1903). N. en Marchena (Sevilla) y m. en Madrid. Se distinguió en la guerra de África, por lo que obtuvo el grado de comandante, y condecoraciones. Al volver a España participó activamente en política, y pidió licencia absoluta para poder hacerlo libremente. Participó en el levantamiento de San Gil, y pudo refugiarse en el extranjero. Trabajó con Prim, que lo nombró su secretario. Después de la revolución del 68 pidió ser destinado a Cuba, donde ascendió en 1869 a general de brigada. En 1872 participó en la guerra contra los carlistas, fue herido y ascendido a general de división. Durante la República fue nombrado por Pi y Margall capitán general de Castilla la Nueva. Después del golpe del 3 de enero de 1874 fue desterrado a Canarias. A partir de 1878 colaboró con Sagasta. En 1889 ascendió a teniente general. Fue senador vitalicio. Pérez Galdós lo presenta en la acción del cuartel de San Gil en los últimos capítulos de *Prim*. En *Baza de espadas* se lo nombra sólo en 4, XI y en 5, VII.

IBERIA, LA (NUEVA)

Órgano del partido progresista, comenzó a publicarse el 15 de junio de 1854. Su primer propietario y director fue Pedro Calvo Asensio; al morir éste en 1863 le sucedió Práxedes Mateo Sagasta, en cuyas manos llegó a ser el segundo periódico de Madrid (el de mayor venta era *La Correspondencia*).
Fueron redactores en la primera época Ventura Ruiz Aguilera, Gaspar Núñez de Arce, Ángel Fernández de los Ríos y Carlos Rubio.
El periódico dejó de publicarse poco después de 1871, cuando el partido cumplió con su programa.
La redacción, que era un tradicional centro de conspiradores, quedaba en la calle de Valverde. En los últimos años de *La Iberia* figuran en su redacción José Ortega Munilla y Miguel Moya.

IMPARCIAL, EL

Diario de información, de inspiración demócrata-radical. Después de la revolución fue el segundo periódico de

Madrid. Su director, Gasset y Artime, fue ministro de Zorrilla.

INDIGENTI, conde

Deformación del nombre del conde de Girgenti. Está documentado en una carta de la princesa de Beira a su hijo Sebastián, el 3 de julio de 1868. Se refiere a Girgenti, «a quien en Madrid llaman el Conde Indigenti». (Publicada por el conde de Rodezno, *La princesa de Beira...*, p. 290.) Valle-Inclán la recoge en II, 4, IV y II, 4, VIII.

ISABEL II

V. Apéndice II.

MARÍA ISABEL FRANCISCA DE ASÍS DE BORBÓN

(1851-1931). Princesa de Asturias hasta que nació el príncipe Alfonso en 1857.
Valle-Inclán cuenta en «Sugestiones de un libro. Amadeo de Saboya» *(Ahora, 11-VII-1935)* cómo Pío IX convenció a la infanta para que se casara con el conde de Girgenti. Doña Isabel no lo quería y alegó haber hecho voto de castidad, pero «para salvar estos escrúpulos y decidirla a matrimoniar con el pretendiente napolitano fue necesario que viniese de la Corte pontificia una carta autógrafa del Santo Padre». Cuenta luego Valle-Inclán los avatares de esta carta: encontrada por los patriotas en Palacio, Amable Escalante la recogió y entregó a Prim. Luego la tuvo en su colección Antonio Romero Ruiz, pero la carta desapareció después de Sagunto.

ITURZAETA, José Francisco

(1788-1855). Famoso calígrafo cuyos modelos de escritura se utilizaban en la escuela en el siglo XIX.
Lo cita Galdós en *Bailén, El Grande Oriental, El 7 de julio, Los duendes de la camarilla.*
En Valle-Inclán, II, 5, XXIII: «Saludo militar, media vuelta, y sale más jaquete que un ocho de Iturzaeta.»

IZQUIERDO, Rafael

N. en Santander en 1820. Al producirse la revolución de 1868 era segundo cabo y gobernador de Sevilla; había quedado subordinado al general Vasallo el 19-VIII-68.
Era moderado, sirvió en la Guardia Real y en el cuerpo de Alabarderos, defendió al conde de San Luis, y en 1856 sostuvo al ministerio O'Donnell. Recibió en 1867 la gran

cruz de Carlos III por luchar en la provincia de Tarragona contra los revolucionarios de Baldrich.

Según Vilarrasa y Gatell (*Historia*, p. 190), Rafael Izquierdo se pasó a la revolución por despecho amoroso, al ser rechazado por la reina: «Cuéntase que don Rafael Izquierdo, persona de educación, de corteses maneras y de buena figura, hubo de dirigir una mirada que no era de respeto a la elevada señora que ocupaba el trono [...] según se dice, hubo de hacer algunas demostraciones que hicieron creer que trataba a su Reina con poco recato [...] y el gabinete dispuso que Izquierdo saliese de Madrid.»

Al conocer la sublevación de Cádiz, Izquierdo se encerró en los cuarteles con casi todos los batallones de Sevilla y dejó fuera al general Vasallo, quien no pudo hacer nada por impedirlo. Paúl y Angulo cuenta en sus *Memorias...* que tanto Izquierdo como La Serna ofrecieron tomar parte en el levantamiento «después que estuviese iniciado» (p. 35).

En *Baza de espadas* (III, 5, IV) Valle-Inclán recoge la versión de Vilarrasa : «El Mariscal de Campo Don Rafael Izquierdo, Segundo Cabo de la Capitanía General de Sevilla, rencoroso, según se dijo, por augustos desdenes, también cabildeaba con los cortesanos de San Telmo.»

También acepta la versión de la *Memoria* de Vasallo (v.), en lo que se refiere al envío de anónimos que comprometían a Izquierdo (III, 5, XVIII).

JAIME, don

Jaime de Borbón y de Parma (1870-1931). N. en Vevey (Suiza) y m. en París. Hijo de Carlos VII y de Margarita de Parma.

Heredó los derechos invocados por su padre, y fue reconocido por los carlistas como Jaime III en 1909.

Durante la primera guerra mundial se declaró aliadófilo —como Valle-Inclán— provocando un cisma en el partido, ya que éste, en general, era germanófilo. Desautorizó a los germanófilos en un manifiesto de 1918.

Murió sin sucesión.

JOSELITO MARÍA

Alias El Tempranillo, rey de Sierra Morena.

José Pelagio Hinojosa (1805-1833), célebre bandido andaluz que se acogió a indulto, y desde entonces trabajó al servicio del rey para proteger a los caminantes. Fue asesinado por un antiguo bandido de su cuadrilla. Es héroe de romances populares, y de uno de los folletines de Fernández y González.

Citado en II, 5, XVI y XXI.

JUAN DE BORBÓN

N. en Aranjuez en 1822 y m. en Brighton en 1887.

Heredó los presuntos derechos al trono de España al morir su hermano Carlos VI en 1861. Pero don Juan era

liberal y había firmado una declaración el 1-XII-1860, en
Trieste, haciendo alusión a principios revolucionarios.
Pocos meses después firmó dos declaraciones en las que
consideraba como fuente de derecho al sufragio universal.
Se dijo entonces que don Juan estaba influido por Cabrera.
El 26-VII-1862 don Juan escribió a Isabel II una carta en
la que renunciaba, con toda su descendencia, a los derechos al trono de España. Pero, en setiembre de 1866, su
hijo Carlos le escribió pidiéndole que ratificara o desmin-
tiera este hecho. Don Juan, que residía en Brighton, aconsejado por su secretario, Enrique Lazeu, no contestó. Otro
acto que la familia no perdonó al infante fue el haber
felicitado a Víctor Manuel cuando éste desalojó a los
Borbones de Nápoles.
En la biografía de Carlos VII escrita por el conde de
Rodezno se dice que el padre Maldonado se había propuesto conseguir la renuncia de don Juan a su derecho
al trono, y luego la regencia mancomunada de María Teresa, Cabrera y Beatriz de Austria *(Carlos VII,* p. 26). En
efecto, don Juan abdicó a sus presuntos derechos el 3
de octubre de 1868.

LA DE LOS TRISTES DESTINOS

Es el título del *Episodio nacional* de Galdós que comienza
con el fusilamiento de los sargentos de San Gil y termina
con la huida de la reina a Francia, tras la revolución
de 1868.
Pérez Galdós usó como título una frase shakesperiana,
que pronunció con tono apocalíptico en las Cortes Aparisi
y Guijarro, para referirse a Isabel II, cuando se aprobó
el reconocimiento del reino de Italia en 1865. Aparisi
profetizó entonces la caída del trono.
Valle-Inclán repite la frase en III, 5, IV: «La de los Tristes
Destinos fue por muchos años Ninfa de los Cuarteles.»

LA HABANA, marqués de

V. *Concha, José.*

LA HOZ, Vicente

Director de *La Esperanza* (v.) desde 1865.
V. *Consejo de Londres.*

LA ROSA, Gumersindo

N. en Cádiz en 1842.
Desde muy joven se afilió al partido republicano. Participó
en las conspiraciones de 1866 y 1867, y en el frustrado

intento del 9 de agosto de 1868. Viajó con el capitán Lagier en el vapor *Buenaventura* para trasladar hasta Cádiz a los generales desterrados en Canarias. Diputado a las Constituyentes de 1869. Tomó parte en la insurrección republicana de ese año, y tuvo que emigrar.

Aparece con el nombre masónico de Tiberio Graco en III, 3, I. Valle-Inclán lo describe brevemente en III, 5, XII.

LAGUNERO, coronel

José Lagunero y Guijarro (1823-1879).

Se distinguió en la guerra de África en numerosos combates. Era muy amigo de Prim. En 1862 fue desterrado a Canarias por O'Donnell, a causa de sus ideas republicanas. Al año siguiente sufrió la misma pena, y entonces pidió el retiro del ejército. Trabajó desde ese momento a favor de la revolución. En 1867 se unió a las fallidas tentativas de Prim de iniciar un pronunciamiento en Valencia, levantando partidas en Cataluña y Alto Aragón, con Baldrich, Contreras, Moriones y otros (julio y agosto), pero tras el fracaso volvió al exilio.

Al triunfar la revolución fue reincorporado al ejército; después de la Restauración volvió a exiliarse y conspiró con Ruiz Zorrilla. Regresó a Madrid, gravemente enfermo, para morir. Los republicanos organizaron una gran manifestación durante su entierro.

En II, I, IV, hay una referencia a su fuga —disfrazado— y a su escondite en un convento, protegido por su tía, la monja María Alday (v.). Bermejo (t. III, p. 826) lo cuenta de esta manera:

«Con estas cosas (mes de mayo de 1868) coincidió la llegada a Madrid de don José Lagunero, que debía salir en la tarde del mismo día para París y Londres con varias letras y la orden de marcha para el general Prim. Lagunero trajo a sus compañeros la noticia de que podía contarse con la sublevación con el regimiento de caballería que se encontraba de guarnición en la frontera de Portugal. El gobierno empleó todos cuantos recursos pudo por medio de su vigilante policía con el objeto de averiguar el domicilio donde se ocultaba Lagunero; sabían las autoridades que en otra ocasión parecida, en la que también conspiraba, se había refugiado en el convento de las monjas Calatravas, en donde tenía una tía muy rica llamada doña María Alday.»

LARRA, Baldomera

Larra tuvo tres hijos con su mujer, Josefa Wetoret: Luis Mariano, autor de zarzuelas, Adela y Baldomera. Adela se casó con Diego García Noguera y fue amante de Amadeo I. Baldomera se casó con Carlos Montemar, que fue médico de Amadeo por influencia de su pariente, Francisco de Paula Montemar. Este último fue conspirador, gran amigo de Prim, y gestionó después de la revolución la candidatura de Amadeo al trono de España.

Al abdicar Amadeo, Carlos Montemar emigró a América y dejó a Baldomera en la pobreza, y a cargo de numerosa familia. Se hizo entonces «banquera», es decir, se dedicó a tomar dinero y dar un fabuloso interés, lo que le dio gran popularidad. Cuando no pudo hacer frente a las deudas fue procesada, en 1876. Se la condenó a seis años y un día de prisión, pero fue absuelta en 1881.

Tanto Adela como Baldomera aparecen en los *Episodios Nacionales* de Galdós *(Amadeo I* y *Cánovas).*

LASERNA, brigadier

Jefe de cuartel, que sustituyó a Izquierdo en el gobierno de Sevilla. Se había comprometido a participar en la revolución una vez que ésta hubiera comenzado.

Se lo cita en III, 5, ii y II, 5, vi.

LASUEN

Se lo cita como partidario de don Juan en II, 9, ix. ¿Será errata por Enrique Lazeu, que fue su secretario?

LECHUGA

Bandido de Benamejí, sastre de profesión, citado por Zugasti *(El Bandolerismo,* II, p. 57).

Está en las tres novelas de *El ruedo ibérico:* en I, 5, i, en II, 5, xxxiii y en III, 5, xi. En esta última se lo nombra como dispuesto a sublevarse con los demócratas de Cádiz.

LEGANÉS

Allí había un depósito de «vagos» en la época isabelina: «Unos desórdenes en Andalucía (en 1857) ocasionaron las *cuerdas de Leganés,* de lamentable celebridad; allí enviaba el gobierno a muchos infelices que no habían cometido delito alguno» (Ballesteros Beretta, *Historia,* VIII, p. 58). Valle repite varias veces dentro del texto de *Viva mi dueño* «¡Cuerdas de Leganés!» y resulta interesante citar la descripción que Morayta hace de ellas:

«Narváez, inspirado en el propósito, no de castigar, sino de deshonrar a los partidos extremos a título de persecuciones políticas, ordenó por sí y ante sí y con notorio menosprecio de las leyes, las célebres *cuerdas a Leganés.* Tratando como vagos y gente de mal vivir a cuantos le estorbaban o merecían las iras de la policía, eran cada noche

sacados de sus casas o de los cafés y tabernas, o cogidos
en las calles, centenares de individuos, que eran trasladados a los sótanos del Principal y a los del Gobierno Civil
[hoy la Dirección de Seguridad], para ser atados de dos
en dos y todos a una cuerda, y así conducidos a Leganés,
en cuyo punto habíase establecido el llamado depósito
de vagos, y en el cual se les hacía pasar buen número
de días, infiriéndoseles todo género de malos tratos.»
(*Historia...*, VIII, p. 193).

LERSUNDI, Francisco de

(1817-1874).
En 1814 participó en el complot contra Espartero, que
tenía por objeto raptar a Isabel y a su hermana. Desde
1851 fue teniente general.
En 1853 fue presidente del Consejo de Ministros, después
de la dimisión de Bravo Murillo, desde abril hasta setiembre. Era ultraconservador.
En 1866 fue destinado a Cuba por O'Donnell, pero destituido cinco meses después por no poder contentar a los
separatistas. Volvió al mismo cargo en 1867 y se mantuvo
hasta 1869, sin reconocer otro poder que el de Isabel II,
a quien dirigía sus telegramas. Bloqueó toda posibilidad
de solución pacífica en la isla.
Se lo cita en II, 8, v por su conflicto con el padre Jacinto
Martínez, obispo de La Habana.

LETONA, brigadier

Fue amigo de Serrano. Luchó contra los carlistas en 1874.
El 7 de julio de 1868 fue desterrado a las Islas Baleares,
pero pudo quedarse en Asturias, donde preparó la re-
volución.
Aparece formando parte de la «Parranda» de Marte» en
II, 6, iii. La noticia de su detención está en II, 9, xvi.

LÓPEZ DE AYALA, Adelardo

López de Ayala es una figura interesante porque une a su
condición de poeta celebrado, su actividad política y su
participación en el movimiento revolucionario de 1868.
Su tamaño descomunal, su fuerza física y sus obras literarias comenzaron a ser familiares en Madrid a poco
de su llegada, en el otoño de 1849. En 1851 estrenó *Un
hombre de estado* y *Los dos Guzmanes* en el teatro Español, la zarzuela *Guerra a muerte* (con música de Arrieta)
en el Teatro del Circo, y *Castigo y perdón* en el Príncipe.
Pero no tuvo demasiado éxito. En cambio, se consagró
en 1854 durante su lucha contra los progresistas: estrenó
entonces dos zarzuelas llenas de alusiones políticas, *Los
comuneros* y *El conde de Castralla*, logrando con la pri-

mera una manifestación opositora al gobierno, y que la
segunda fuera prohibida. Esto, más sus artículos satíricos
en *El Padre Cobos*, lo hicieron famoso.

El gobierno de Narváez lo premió en 1857 con un acta
de diputado, pero en las Cortes se opuso tenazmente a la
Ley de Imprenta (censura) que hizo aprobar Nocedal. Se
alejó después de los moderados e ingresó en la Unión
Liberal; con el gobierno de O'Donnell fue otra vez diputado.

El 18 de mayo de 1861 obtuvo un éxito clamoroso con *El
tanto por ciento*, y fue colmado de elogios. Cuenta Eusebio
Blasco *(Memorias íntimas*, p. 136) que la noche del estreno, Hartzenbusch, de pie y dirigiéndose al público, gritó:
«Señores, Calderón ha resucitado.»

A raíz de ese éxito decidió refundir *El alcalde de Zalamea*
obra a cuya representación acuden los personajes de *La
corte de los milagros* (3, XXII).

En 1865, durante el nuevo gobierno de O'Donnell, Ayala
volvió a ser diputado. Cuando los unionistas comenzaron
a conspirar contra Isabel, fue uno de los primeros en
declararse montpensierista. Se lo desterró a Lisboa, pero
pudo regresar a sus tierras extremeñas, y servir de enlace
con el palacio de San Telmo. Gertrudis Gómez de Avella-
neda, que acudía todas las noches a la tertulia de la
infanta Luisa Fernanda, llevaba los mensajes.

Ayala, que estuvo en Cádiz preparando el alzamiento, fue
a bordo del *Buenaventura* a buscar a los generales desterrados en Canarias. Hizo lo posible para que llegaran a
Cádiz antes que Prim, pero no tuvo éxito.

Fue el redactor del célebre manifiesto que se firmaría en
Cádiz el 19 de setiembre, cuyas últimas palabras son
«¡Viva España con honra!»

Ayala tuvo una importante actuación en la batalla de
Alcolea. Fue el segundo parlamentario que Serrano mandó
a Novaliches para tratar de impedir el enfrentamiento
—el primero, Vallín, fue fusilado. Ayala salvó la vida,
pero no pudo evitar la lucha. Al lado de Pedro Antonio de
Alarcón contempló la batalla sobre el puente de Alcolea.
Suspendida la lucha, volvió a parlamentar, y esta vez logró
que las tropas del gobierno se sumaran a las revolucionarias.

Fue ministro de Ultramar durante el gobierno provisional
que presidió Serrano; más tarde fue ministro de Amadeo
de Saboya y de Alfonso XII. Murió el 30 de diciembre de
1879, siendo presidente de las Cortes. Luis de Oteiza ha
escrito una curiosa biografía panfletaria sobre este personaje.

Tiene larga actuación en *La corte de los milagros* y en
Baza de espadas.

LÓPEZ CARACUEL

V. *Consejo de Londres*.

LUIS MARÍA CÉSAR DE BORBÓN

V. *Conde Blanc.*

MARÍA LUISA FERNANDA

(1832-1897).
Hermana menor de Isabel II. Se casó en 1846 con el duque de Montpensier. La hija de ambos, Mercedes, fue la primera esposa de Alfonso XII.

LLANOS, Virgilio

Republicano federal, amigo de Estévanez y de Eusebio Blasco. Pérez Galdós lo cita en *La primera República.* Declara su ideología en I, 9, xvi.

LLAUGIER, capitán

Es Ramón Lagier (cfr. Rodríguez Solís, Eusebio Blasco y Pérez Galdós).
Capitán de la marina mercante, de quien cuenta Eusebio Blasco en *Españoles y franceses* que enviaba cartas constantemente a los demócratas Rivero, Castelar, Figueras, Roberto Robert. En 1868 salió en el vapor *Buenaventura* para buscar a los generales desterrados en Canarias, quienes gracias a una intriga bien urdida, llegaron a Cádiz después de Prim. Según Blasco, fue Ayala quien lo propuso para llevar a Cádiz a los desterrados de Canarias.
Es un personaje importante en Galdós, quien lo hace maestro y amigo de su personaje Santiaguito Ibero. En los *Episodios* también se nombra a sus hijas Esperanza y Teresa, arrastradas a la prostitución mientras estaban en un colegio francés.
Valle-Inclán lo cita en III, 2, vii y III, 5, ix.

MALDONADO, padre

Sacerdote que tuvo mucha influencia en Palacio. Preparó la conjura de la Rápita, en la que tomaron parte personajes tan dispares como el rey consorte, el marqués de Salamanca y los duques de Pastrana.
Según el conde de Rodezno *(Carlos VII,* p. 26), más tarde el padre Maldonado se propuso conseguir la abdicación de don Juan (v.) y nombrar una regencia tripartita hasta la mayoría de edad de Carlos, compuesta por la princesa de Beira, Cabrera y Beatriz de Austria.
Estas ideas se comentan en I, 9, xii y en III, 4, viii se lo nombra en primer término como posible asistente al Consejo de Londres (v.). (

MARCO

V. *Consejo de Londres.*

MARFORI, Carlos

(1818-1892). N. en Loja y m. en Madrid. Era hijo de un cocinero italiano. Se casó con Asunción Fernández de Córdova, prima segunda del general Narváez, pese a la oposición de la familia.

Cuando cayó el ministerio de Narváez en 1851, acompañó a éste al exilio que le impuso Bravo Murillo, y logró ganarse su amistad.

En 1856 fue diputado a Cortes, y después de la caída de Espartero fue gobernador civil de Madrid, cargo desde el que persiguió con saña a los liberales, quienes lo acusaron de vejar personalmente a los detenidos.

Inició su relación con la reina a comienzos de 1867 —cuando Isabel se despidió de Tenorio, enviado como ministro plenipotenciario a Berlín (17-I-1867).

Fue ministro de Ultramar y, poco antes de la revolución, intendente de la Real Casa y Patrimonio. Marchó al exilio con Isabel II. Después de la Restauración volvió a Madrid, fue diputado, y más tarde senador vitalicio.

MARGARITA DE PARMA

(1847-1893). Hija del duque Carlos III, muerto por los revolucionarios parmesanos. La madre, María Luisa de Borbón, era hermana de Enrique V, conde de Chambord. Al morir María Luisa en 1864, los hijos fueron a vivir a Venecia. Allí conoció Margarita a don Carlos, con quien se casó el 4 de febrero de 1867.

MARICHALAR, Miguel

Fue el primer carlista militante que don Carlos conoció en el destierro de Venecia, lo que hizo que el pretendiente le profesara un gran cariño durante toda su vida.

Cuando Carlos y Margarita se casaron, fue primer gentilhombre de Cámara. Acompañó al pretendiente durante toda la guerra.

Auxiliaba a Carlos en sus aventuras galantes. Fue padrino de la boda de la ex-amante de Carlos VII, Paula de Somoggy, con A. de Trabaledo.

MARTÍNEZ VILLERGAS, Juan

N. en Vallodolid en 1817 y m. en Zamora en 1894. Gran humorista, y el primer poeta satírico del siglo XIX. Era republicano. Autor de una *Antología epigramática* y de *Los políticos en camisa.*

MARUXO

Bandido nombrado por Zugasti (*El bandolerismo*, II, 63). Valle-Inclán lo cita en I, 5, I, en II, 5, XXXIII, y en su artículo de *Ahora*, de fecha 16 de agosto de 1935. En éste dice que debido a la viruela que contraían en las cárceles andaluzas, casi todos los bandidos tenían «velido un ojo o cribada la jeta».

MATEO

En III, 4, VI, Cabrera llama a Práxedes Mateo Sagasta (v.) «Señor de Mateo», porque éste era su primer apellido. El padre se llamaba Clemente Mateo y Sagasta.

MEDIA LUNA

Cortijo del infante don Sebastián (v.), donde daba refugio a los bandoleros. Citado en I, 9, IV.

MEDINACELI, ducado de

Por el número de títulos y fortunas es la casa más importante de España. El duque de Medinaceli era descendiente de Alfonso el Sabio por su nieto, el infante don Fernando de La Cerda.
El palacio de los duques de Medinaceli quedaba frente al de Villahermosa, al terminar la carrera de San Jerónimo, entre la calle del Prado y el paseo del Prado. Fue construido a fines del siglo XVI o principios del XVII. (Una buena descripción, en Mesonero Romanos, *Nuevo manual histórico-topográfico-estadístico y descripción de Madrid*, 1854.)

MÉNDEZ SAN JULIÁN, Romualdo

Fue gobernador civil de Barcelona hasta el 1 de agosto de 1868, fecha en que Novaliches lo destituyó por creerlo peligroso para el orden público (Miraflores, *Memorias*, III, p. 438). Pero poco después a Novaliches se le relevó del mando de Cataluña y se lo remplazó por Cheste.
El 6 de agosto, Méndez San Julián fue nombrado gobernador civil de Sevilla.
En *El ruedo ibérico* Valle-Inclán funde deliberadamente las personalidades de Méndez San Julián y de Julián de Zugasti. Este último fue nombrado gobernador de Córdoba en marzo de 1870 por Nicolás María Rivero, entonces ministro de la Gobernación. A Zugasti le fue encomendada la misión de acabar con el bandolerismo en Andalucía, y sus métodos contaron con el expreso asentimiento de Prim. En la provincia de Córdoba, Zugasti aplicó por

primera vez la ley que luego se llamó «de fugas». Silvela
repudió en las Cortes los métodos de Zugasti, denuncian-
do la muerte de más de sesenta presuntos delincuentes,
en el término de un mes (set.-oct. de 1870), a manos de
la Guardia Civil.
Zugasti se defendió en su libro *El bandolerismo: estudio
social y memorias históricas* (Madrid, 1876-1880), que Valle-
Inclán usó como fuente para *La corte de los milagros*.

MENDIGORRÍA, marqués de

V. *Fernández de Córdova, Fernando*.

MENDIZÁBAL, Juan Álvarez de

(1790-1853). Ministro de Hacienda en 1835, 1836 y 1842. Importantísima su ley de desamortización de bienes en poder
de manos muertas.

MENESES, Antonio

Era favorito del rey consorte, al que ayudaba en sus actividades financieras por lo menos desde 1852. Fue jefe
de la casa de don Francisco en el exilio de Pau; el ex rey
logró que se le otorgara en 1875 el ducado de Baños.
Según Villalba Hervás (*Recuerdos*, p. 228), Meneses era
amante del rey consorte.

MERELO, Manuel

(1829-1901).N. y m. en Madrid. Terminó las carreras de
Derecho y de Ciencias. Actuó en la revolución de 1854, durante la cual fue detenido y luego liberado por el pueblo.
Ingresó en la milicia y estuvo en prisión después del golpe
de estado de 1856. Militó luego en el partido de Martos.
Escribió en *La Democracia* y en *La Discusión*. Trabajó
intensamente para preparar la revolución de 1868. En 1869
fue diputado e hizo una importante enmienda en la Constitución sobre la libertad de cultos. Poco después fue
director general de Instrucción Pública.
Después de la Restauración se dedicó a la literatura y a
la enseñanza. En 1877 fue procesado por su *Historia de
España* y separado de su cátedra, la que se le devolvió
en 1881. Fue más tarde senador vitalicio.
Los detalles de su actuación en *Baza de espadas* los sacó
Valle-Inclán de *Memorias íntimas de un pronunciamiento*,
de Paúl y Angulo.

MERINO, cura

(1789-1852). En II, 5, XXIX, referencia a Martín Merino,
quien intentó asesinar a Isabel II y murió ajusticiado.

MESSINA

General que colaboró en la preparación de la revolución de 1868. Lo cita Bermejo (t. III, carta 23).

METRALLA

La reina llama *Metralla* a Fernández de Córdova en *Viva mi dueño*, 4, VII. Según él mismo cuenta en sus *Memorias*, el apodo surgió tras la revolución de 1854, cuando los progresistas lo acusaron de «haber ametrallado al pueblo por espacio de tres días consecutivos» *(Mis memorias íntimas*, p. 292).

Fernández de Córdova ordenó a Joaquín de la Gándara que despejara a los amotinados frente a la casa de la reina Cristina, y éste hizo varias cargas contra la multitud, dejando muchos muertos. «Fue esta matanza la que provocó los más enconados sentimientos contra el "ministerio metralla" de Córdova», dice Kiernam *(La revolución de 1854*, p. 69).

Galdós relata estos hechos en *La revolución de julio*, capítulo XXIII.

MILÁNS DEL BOSCH, Lorenzo

Luchó en la primera guerra carlista. Acompañó a Prim en varias tentativas revolucionarias. Estaba desterrado y condenado a muerte; pudo volver a España después de la revolución. Diputado en las Cortes Constituyentes de 1869. Aparece en II, 6, III; III, 4, IV y III, 4, XI.

MIRAFLORES, marqués de

Manuel Pando Fernández de Pineda (1792-1872). Perteneció al partido moderado. Fue embajador en Londres en 1834. En 1846 presidió el Consejo de Ministros. En 1851 fue ministro de Estado con Bravo Murillo. Volvió a ocupar la presidencia del Consejo de Ministros en 1863. Fue presidente del Senado hasta poco antes de la revolución de 1868. Para impedir la revolución, aconsejó a la reina liberalizar un poco su política, llamando a gobernar a la Unión Liberal. Al morir Narváez , Miraflores trató de impedir, sin conseguirlo, el nombramiento de González Bravo (v.).

Fue académico de la Historia, y escribió sus *Memorias*.

MÓDENA, duque de

Francisco V (1819-1875). Reinó en una de las cortes más tradicionales de Europa. Fue derrocado por los revolucionarios en 1848, pero repuesto poco después por los austríacos. En su corte vivieron la archiduquesa Beatriz de Austria y Juan de Borbón, padres de Carlos VII, en cuya educación influyó poderosamente el duque de Módena.

Francisco V nunca reconoció el gobierno de Isabel II en España ni el de Luis Felipe en Francia, por considerarlos usurpadores.

En 1859 perdió su ducado, y pasó los últimos quince años de su vida en Austria.

MOLÍNS, marqués de

V. *Roca de Togores, Mariano.*

MONEO

V. *Consejo de Londres.*

MONTPENSIER, duque de

Antonio María Felipe Luis de Orleáns (1824-1890). N. en Neuilly y m. en Sanlúcar de Barrameda. Fue el quinto hijo de Luis Felipe de Francia. Su padre negoció el casamiento con Isabel II, pero se opuso Inglaterra. Más tarde, Napoleón III vetó su candidatura al trono de España. Se casó con la infanta María Luisa Fernanda el mismo día que Isabel y Francisco (10-X-1846).

Su residencia habitual era el palacio de San Telmo, en Sevilla, donde los infantes tenían una especie de corte paralela. Algunas gentes hablaban de la tacañería del duque, y no le perdonaban que comerciara con las naranjas de San Telmo, hecho que le valió el apodo de *naranjero* (v.).

Los Montpensier se pronunciaron a favor de la revolución de 1868, fueron desterrados el 7 de julio y se radicaron en Portugal. Antonio de Orleáns buscó el apoyo de la Unión Liberal y dio dinero para la revolución: tres millones de reales, cifra que, según Melchor Fernández Almagro, era escasa, pero se debe tener en cuenta que «los movimientos políticos no resultaban demasiado costosos en aquellos tiempos de vida barata y fáciles arranques personales» (*Historia política...* I, 13).

Los montpensieristas pretendían que Isabel abdicara en su hermana o en el príncipe Alfonso, y que se nombrara a los duques regentes del reino. Llevado el problema a las Cortes Constituyentes, Montpensier continuó con sus pretensiones, y subvencionaba a catorce periódicos para que apoyaran su candidatura.

Pero Montpensier no logró hacerse popular, y su duelo con el infante Enrique (v.) hizo imposible su candidatura. Este lo había agravado de tal manera en dos manifiestos que el duque se vio obligado a batirse. El duelo tuvo lugar el 12 de marzo de 1870, y Montpensier mató a don Enrique al tercer disparo.

En las elecciones del 16 de noviembre de 1870, Montpensier obtuvo veintisiete votos. Al ocupar el trono Amadeo, renunció al grado de general del ejército y fue desterrado a Baleares, pero regresó como diputado por el distrito de San Fernando. Su hija María de las Mercedes se casó con Alfonso XII, y desde entonces el duque vivió alternativamente en París y en Sevilla.

MORELLA, conde de

V. *Cabrera, Ramón.*

MORO, FLORO

«Ya que por incidencia he vuelto a hablar del *Diario Español*, recordaré que por su redacción pasó el famoso *Floro Moro Godo*, o sea Florencio Moreno Godínez, siempre pobre; pero siempre elegante a pesar de lo deteriorado de su indumentaria, soberbio en medio de su inseparable indigencia, de gran talento y superior pereza, que pasaba las noches andando por Madrid y dormía de día en las míseras casas de huéspedes donde se albergaba, a pesar de lo cual vivió más de ochenta y cinco años, sin saber cada día si al siguiente tendría manjares que comer y cama en donde dormir. Eso sí, siempre fue honrado, caballeroso, y si sus pocas y dispersas obras pudieran reunirse en un volumen sería considerado como uno de los escritores más cultos y de más talento del siglo XIX.» (Julio Nombela, *Impresiones y recuerdos*, II, p. 413.)

Murió en 1906 ó 1907. Escribió folletines. Nombela vuelve a hablar de él en III, 353.

Entiendo que como homenaje a este escritor —con tantos puntos de contacto con Alejandro Sawa— Valle-Inclán lo presenta en la reunión del Ateneo que se describe en I, 9, VII.

MUÑOZ (de Tarancón)

Agustín Fernando Muñoz, duque de Riánsares y marqués de San Agustín.

(1808-1873). Se casó morganáticamente con María Cristina tres meses después de quedar ésta viuda de Fernando VII. El casamiento se hizo público el 13 de octubre de 1844. A pesar de su origen humilde Muñoz fue aceptado por la nobleza francesa y española.

En I, 9, XVII, Segismundo le dice a Bonifaz: «no sueñes que vas a ser el Muñoz de Tarancón. Era otro el caso», refiriéndose a necesidades de dinero y poder.

NAPOLEÓN III

Se lo nombra en *La corte de los milagros* por su veto a la candidatura de Montpensier: «El Emperador de los

franceses le pone el veto al hijo de Luis Felipe ¡Oficial!
Montpensier, Rey de España, desencadenaría una guerra
con Francia» (8, x). La misma noticia se repite en 9, xii.

NARANJERO

Apodo que se daba al duque de Montpensier (v.) por vender las naranjas del palacio de San Telmo.
V. por ej. *La de los tristes destinos*, cap. VI, de Pérez
Galdós: «Los que le critican —añadía [Angel Cordero]—
por vender las naranjas de los jardines de San Telmo son
esos perdidos manirrotos, que no saben mirar el día de
mañana...»
El infante don Enrique (v.) firmó un manifiesto a principios de 1870 en que aludía a los Montpensier llamándolos
con este apodo (v. Fernández Almagro, *Historia política...*, I, p. 65).

NARIZOTAS

Apodo popular dado a Fernando VII. Según G. de Reparaz
(*Los Borbones en España*, M., 1931) la siguiente copla:

> *Ese narizotas*
> *cara de pastel*
> *que a los liberales*
> *no nos puede ver...*

era desfigurada por el propio monarca de esta manera:

> *Ese narizotas*
> *cara de pastel*
> *a negros y blancos*
> *os ha de j...*

NARVÁEZ, Ramón María

(1800-1868). N. en Loja y m. en Madrid. Duque de Valencia.
Era extremadamente autoritario y reprimió duramente
cualquier alteración del orden.
Luchó en las guerras carlistas. En 1838 empezó su vida
política como diputado. Fue enemigo de Espartero y,
según algunos, por eso se inclinó al moderantismo. Tuvo
que emigrar durante la regencia del duque de la Victoria,
y conspiró contra él desde Francia, como María Cristina.
Desembarcó en Valencia en 1843, donde inició la lucha
contra las tropas del gobierno. Al triunfar sobre Espartero,
Olózaga quedó como jefe de gobierno, pero tuvo que huir
luego, víctima de una conspiración de los moderados.
Narváez ocupó su lugar en mayo de 1844 y permaneció
casi dos años en el cargo; tuvo que dimitir por problemas

con la reina María Cristina a raíz de las bodas de Isabel y María Luisa Fernanda.

Fue otra vez presidente del Consejo de Ministros entre octubre de 1847 y enero de 1851 —salvo la interrupción de un día (19 a 20 de octubre de 1849) en que fue remplazado por el ministerio *Relámpago* (v.). Al iniciar su gobierno en 1847 hizo promesas de liberalismo y permitió el regreso de Espartero, pero los aires revolucionarios del 48 le hicieron seguir con su política de mano dura.

Reapareció la figura de Narváez después del bienio progresista. Gobernó hasta octubre de 1857, fecha en que renunció para no tener que ascender a Puigmoltó. De esta época son las célebres «cuerdas de Leganés», llamadas así porque desde Leganés (v.) salían, atados unos a otros con cuerdas, los políticos deportados a las posesiones ultramarinas.

Volvió al poder tras el gobierno largo de O'Donnell, en setiembre de 1864, y entonces el empuje del liberalismo le impuso algunas reformas: amnistía por delitos de imprenta, elecciones limpias, etc. Pero se desató una nueva ola represiva al publicar Castelar su artículo *El rasgo* y producirse la cadena de sucesos que culminaron con la Noche de San Daniel (10-IV-1865). Fue sustituido entonces por O'Donnell. La reina volvió a llamar a Narváez el 10 de julio de 1866, tras la sublevación del cuartel de San Gil.

Gobernó hasta su muerte —el 23 de abril de 1868— en el estilo más reaccionario.

La denominación *El espadón de Loja* es de origen popular. Ballesteros Beretta (*Historia*, VIII, p. 9) lo define así: «El *Ban de Loja* o *Espadón*, como le calificaron, era un gobernante duro y de concepciones reaccionarias que encuadraban a maravilla en los cánones del moderantismo.» Además de Valle-Inclán, han dejado su retrato literario Baroja y Galdós.

NIÑA, LA

Denominación popular de la revolución de 1868.

También se denominó *La Niña* a la Constitución de Cádiz, como documenta Irribarren (*El porqué de los dichos*, s.v. *Pepa*), quien trae la siguiente copla:

> *La niña bonita*
> *que en Cádiz nació*
> *el aire de Francia*
> *mala la pusió.*

Más tarde se denominó así a la República.

NIÑO TERSO

Apodo que daban sus contrarios a Carlos VII. Lo documenta Galdós: «Yo la tranquilicé diciéndole que la toma

de Madrid por el *Niño Terso* no estaba tan próxima como ella había visto en sueños.» (*De Cartago a Sagunto*, capítulo IX.)
En 1868 hubo un periódico satírico con este nombre.

NOCEDAL, Cándido

(1821-1895). N. en La Coruña y m. en Madrid. En su juventud fue liberal, y después fuertemente reaccionario, afiliado al partido carlista. Fundó *La Constancia* y *El Siglo Futuro*, colaboró en *El Padre Cobos*. En 1856 fue ministro de la Gobernación durante el gobierno de Narváez. Defendió la censura de prensa y la unidad católica. Fue miembro de la Real Academia Española y de la Academia de Ciencias morales y políticas.
Era cuñado de González Bravo y de Julián Romea. Valle-Inclán hace su retrato en II, 4, XVI.

NOMBELA, Julio

Seudónimo de Santos Justo (1836-1919).
Amigo y compañero de Bécquer. Escribió folletines, y en algún caso continuó los de Fernández y González; también compuso romances de ciego. Fue secretario de Ríos Rosas y de Cabrera. Ya setentón escribió sus memorias, a las que tituló *Impresiones y recuerdos;* son un interesante documento de la vida artística y política del siglo XIX.

NOUVILAS, Ramón

Firmó el manifiesto de Cádiz (19-IX-68). Fue republicano federal en 1873.
Es uno de los generales que participa en la «Parranda de Marte» (II, 6, III).

NOVALICHES, marqués de

V. *Pavía y Lacy, Manuel.*

NUEVA IBERIA, LA

V. *Iberia, La (Nueva).*

O'DONNELL, Leopoldo

(1809-1867). N. en Santa Cruz de Tenerife y m. en Biarritz. Por su victoria contra los carlistas (1839) se le concedió el título de conde de Lucena, y por sus victorias en la guerra de África (1859-1860) el de duque de Tetuán.
O'Donnell y Narváez fueron las figuras político-militares más importantes del reinado de Isabel II. En 1854, O'Donnell se sublevó contra el gobierno de San Luis, y fue obli-

gado por las circunstancias a publicar el *Manifiesto de Manzanares*, en el que hizo promesas al pueblo que luchaba en las barricadas. Isabel II tuvo que llamar a Espartero al gobierno, y O'Donnell ocupó entonces la cartera de Guerra. Formó el partido de la Unión Liberal con la derecha del progresismo y la izquierda del moderantismo, y logró desplazar del poder a Espartero. Se mantuvo en el poder durante un año, pero luego fue sustituido por Narváez. Volvió a ser presidente del Consejo de Ministros entre 1858 y 1863, manteniendo en estos años un difícil equilibrio, al que contribuyeron sus victorias en África. Volvió a gobernar tras los sucesos de la Noche de San Daniel y procuró, sin conseguirlo, atraerse a los progresistas. Prim promovió sucesivas sublevaciones que O'Donnell debió reprimir. La más sangrienta fue la de los sargentos de San Gil, con sesenta y seis fusilamientos. Después de la represión, la reina le pidió la renuncia y le dio el cargo a Narváez.

O'Donnell decidió entonces que «no volvería a pisar el Palacio mientras fuese Reina de España doña Isabel II» (Bermejo, III, p. 732) y se autoexilió en Francia. Cuando murió se repatriaron sus restos y se le tributaron todos los honores.

La sombra de O'Donnell está presente en las dos primeras novelas de *El ruedo ibérico*: «El Capitán General de los Ejércitos, Duque y Grande, que con su bengala imponía el ritmo de quiebras y mudanzas, había estirado el descomunal zancajo en tierra francesa. El héroe de Luchana se fue del mundo para no ver aquellos amenes.» (II, 8, XIV). En II, 6, IX se recuerdan las concesiones de O'Donnell a la monja Patrocinio: «Yo le he visto solicitar con una vela verde la bendición de la Monja Milagrera»; hecho que Villalba Hervás cuenta de estas manera: «... el propio O'Donnell, después de entregarle considerables sumas para ayudar a la fundación de nuevos conventos, hubo, mal que le pesase, de empuñar el cirio en las procesiones de San Pascual, que la redomada intrigante regía como superiora» (*Recuerdos*, p. 211).

OLÓZAGA, Salustiano

(1805-1873). N. en Logroño y m. en París.
Estuvo preso por conspirador durante el reinado de Fernando VII y logró huir a Francia. Volvió a Madrid durante la regencia de María Cristina. Fue diputado y redactor de la Constitución de 1837. Orador brillante, fue uno de los máximos dirigentes del progresismo. Embajador en París durante la regencia de Espartero (1840), durante el bienio progresista (1854) y después de la revolución de 1868. En 1843 se enemistó con Espartero y pronunció un famoso discurso que terminaba con las palabras *¡Dios salve a la reina, Dios salve al país!* Después de la caída de Espartero formó gobierno, pero los moderados lo acu-

saron de coaccionar a la reina para que ésta firmara la disolución de las Cortes. Fue exonerado y pudo huir al extranjero. Volvió a España en 1848. Durante el bienio progresista se reconcilió con Espartero y fue diputado en las Cortes Constituyentes de 1855. En 1861, durante un célebre discurso que duró dos días (11 y 12 de diciembre), elaboró el divulgado concepto sobre «los *obstáculos tradicionales* que se oponían a la libertad de España»: el clero y la monarquía.

Trabajó intensamente para preparar la revolución de 1868. Fue después presidente de la comisión que redactó la Constitución de 1869 y más tarde embajador en París.

Perteneció a la Academia de la Lengua, a la de la Historia, a la de Ciencias Morales y Políticas y a la de Jurisprudencia.

Olózaga es uno de los poquísimos personajes que tiene un retrato positivo en *El ruedo ibérico*: «Don Salustiano, por este tiempo, era un hermoso viejo de patilla blanca, epicúreo, sanguíneo, verboso, que aún conservaba joven la mirada y fuegos endrinos de ingenio y travesura en los párpados» (I, 1, x). Se recuerdan sus amores con Rafaelita Quiroga (v.), y sus sueños de lograr la unión de España y Portugal, sus problemas con Isabel —a quien nunca perdonó que dijera que la había obligado a firmar en 1843— y sus desavenencias con Prim (II, 1, xii; III, 2, viii, y III, 5, xvi).

OÑATE

Ciudad situada a 12,5 km. de Vergara. Durante las guerras carlistas fue varias veces corte de don Carlos. Hay en la ciudad un célebre seminario citado en II, 9, viii.

En I, 9, xii se habla del «fanatismo de la Corte de Oñate», representado por Carlos VII.

ORGAZ, conde de

V. *Consejo de Londres*.

ORTEGA, Jaime

(1816-1860). Fue fusilado en Tortosa por su participación en el levantamiento de La Rápita.

Se distinguió durante la primera guerra civil. Tras solicitar su retiro, luchó contra la regencia de Espartero; en 1843 volvió al servicio activo con el grado de teniente coronel. Se afilió al partido moderado.

Al triunfar la revolución de 1854 emigró a Francia, donde, al parecer, trabó amistad con Montemolín y le juró fidelidad. En 1860 participó en el levantamiento de La Rápita, pero se negó a confesar quiénes habían sido sus cómplices.

PALACIO, Manuel del

(1831-1906). N. en Lérida y m. en Madrid.
Su padre era militar y tuvo diversos destinos, por lo que
Manuel viajó por casi toda la península. Durante su estancia en Granada fue uno de los integrantes del grupo de
artistas llamado *la cuerda granadina;* sus componentes se
denominaban *nudos,* y cada uno tenía un mote. A Manuel
del Palacio lo llamaban *el fenómeno* «por un don singularísimo de su vista, que le permitía leer a cualquier distancia, colocado el escrito en cualquier posición, en una
habitación casi a oscuras o después de mirar al sol cara
a cara durante algunos minutos» (Hernández Girbal, *Fernández y González,* p. 81).
Otros integrantes de la cuerda fueron también famosos: el
folletinista Fernández y González y Pedro Antonio de
Alarcón.
Hizo periodismo político de ideología progresista. Fundó
con Luis Rivero la revista satírica *Gil Blas.* Fue director
de *Nosotros* (1858-9), *El Mosquito* (1864-9), *El Comercio*
(1860), *El Pensador Ilustrado* (1866), y colaboró en *La Discusión* y más tarde en *El Imparcial.* En colaboración con
Luis Rivera publicó *Museo cómico o tesoro de los chistes, cuentos y fábulas* (1863), y *Cabezas y calabazas* (1864).
Fue uno de los mejores sonetistas españoles del siglo XIX;
usó el soneto tanto para temas serios como satíricos.
También versificó leyendas tradicionales al estilo de Zorrilla. Desterrado a Puerto Rico en 1867 por un soneto
soez dedicado a Isabel II, regresó el 20 de marzo de 1868,
y volvió poco después a la cárcel del Saladero, de donde
fue liberado el 29 de setiembre con los demás presos políticos.
Otras obras: *Doce reales de prosa y algunos versos gratis*
(1864), *De Tetuán a Valencia haciendo escala en Miraflores*
(1865), *Un liberal pasado por agua* (1888), *Mi vida en prosa. Crónicas íntimas* (1904).
Manuel del Palacio ingresó en la Real Academia Española
en 1892. Valle-Inclán dio en el Ateneo una conferencia
sobre él, de la que Francisco Madrid nos conservó una
cita (p. 293). En *El ruedo ibérico* lo presenta en el escenario del Ateneo (I, 9, VII) y en la redacción del *Gil Blas*
(II, 6, XI).

PALOMO, Juan

Apodo de Diego Padilla, capitán de «Los siete niños de
Ecija».
«Juan Palomo no era un nombre y un apellido, sino un
apodo de aquella frase vulgar que dice: *Juan Palomo, yo
me lo guiso y yo me lo como.* Lo que quiere decir que
Diego Padilla, que tal era el nombre de Juan Palomo, no
necesitaba de nadie para nada, o lo que es lo mismo, que
se bastaba a sí propio para cualquier empeño de honra»

(Fernández y González, *Los siete niños de Ecija*, Madrid, 1873, p. 22).

PASTOR, Joaquín

Marino en cuya casa se reunían en Cádiz los revolucionarios. Citado por Bermejo (III, p. 816), y por Paúl y Angulo, *Memorias*...
En III, 5, XIV, Valle-Inclán sigue el siguiente relato de Paúl y Angulo: «Los Señores Topete y Primo de Rivera, decimos, porque el uno no creía deber desembarcar primero la marina y porque el otro no creía deber empezar sólo con los paisanos y con el regimiento de Cantabria, el caso es que, cuando ya era demasiado tarde para retroceder esos señores cometieron la gravísima falta de prescindir de todo y de todos, abandonando, sin escuchar observaciones, la casa del marino Señor Pastor, donde nos hallábamos reunidos» (p. 38).
Después de la revolución integró la Junta provisional de Cádiz.

PASTRANA, duque de

En su oratorio juraban los que iban a participar en la conjura de La Rápita (Villalba Hervás, *Recuerdos*, p. 198), V. *Consejo de Londres*.

PATROCINIO, sor María de los Dolores y

Rafaela Quiroga (v.) (1811-1891). N. en Cuenca y m. en Guadalajara.
Cuando era monja concepcionista en el convento de Caballero de Gracia comenzaron a correr noticias de sus milagros —impresión de llagas en las manos y costado— que utilizó políticamente. Dijo que había tenido revelaciones que aseguraban la ilegitimidad de Isabel II y, como esto favorecía al partido carlista, se le siguió una causa por impostora (1836), tras la que fue condenada a destierro en Talavera de la Reina. Patrocinio se retractó de sus afirmaciones, y las llagas, al parecer, se le cicatrizaron. Fue consejera del rey consorte, y luego también de Isabel II. Fundó varios conventos a expensas de la Corona. Emigró con la reina y volvió a España con la Restauración.
Se inició su causa de beatificación.

PAÚL Y ANGULO, José

N. en Jerez de la Frontera y m. en París, el 23 de abril de 1892.

De acomodada familia jerezana, trabajó en 1868 con su dinero y su influencia por el levantamiento de Andalucía. Diputado a las Cortes Constituyentes de 1869. Fue redactor de *El Amigo del Pueblo* y director de *La Igualdad* y *El Combate*. Lanzaba furibundos ataques contra Prim —a quien consideraba traidor a la revolución—, por lo que se le acusó del asesinato del general. En 1869 estaba ya afiliado a Alianza bakuninista de Ginebra. En 1870, según Estévanez, «Paúl y Angulo organizaba en París una peregrinación a Roma, para la cual estaba reclutando emigrados españoles, aventureros italianos y demagogos franceses. Proponíase disolver, no sé si a latigazos, el concilio ecuménico que a la sazón estaba celebrándose en la ciudad papal. Desistió Paúl de su aventurada empresa cuando ya tenía más de noventa afiliados, en virtud de una carta que le dirigió Mazzini (y que yo leí algunos meses después) rogándole que no intentara semejante cosa por ser una locura». (*Memorias*, p. 329).

Según el mismo Estévanez, en 1879 se encontró con él en Nueva York, y en 1887 en Buenos Aires.

Paúl y Angulo escribió *Memorias íntimas de un pronunciamiento* (1869) (libro que Valle-Inclán usó como fuente para *Baza de espadas*) y *Los asesinos del general Prim y la política en España* (1886).

El retrato que hace Galdós *(España trágica,* cap. XIX) coincide fundamentalmente con el de Valle-Inclán: «Lucila le miraba espantada. Nunca había visto aquel rostro cribado por la viruela y encendido del ardor de la sangre... Los cristales azules de las gafas hacían veces de ojos, simulando los de un ser fantástico, de esos que representan el papel aterrador en los cuentos de los niños. El marcado ceceo andaluz y las patillas negras completaban el cariz temerón y provocativo del viajero, que sin que nadie le excitara rompió en estas exaltadas manifestaciones...»

PAVÍA Y LACY, Manuel de

Marqués de Novaliches (1814-1896). N. en Granada y m. en Madrid.

Hizo una brillante carrera militar, distinguiéndose en la guerra contra los carlistas. A los treinta años ya era teniente general. En 1840 se le hizo marqués.

En 1853 fue gobernador y capitán general de Filipinas. Se casó con la condesa de Santa Isabel, marquesa viuda de Pomar, aya de la infanta Isabel, y él mismo fue luego mayordomo y montero mayor del príncipe Alfonso.

Fue uno de los generales moderados más leales al trono, al que defendió en Alcolea el 28 de setiembre de 1868. Fue herido en la mandíbula, y perdió la batalla. Se negó más tarde a prestar juramento a Amadeo I y fue dado de baja del ejército. Al ser proclamado Alfonso XII fue a Valencia a recibirlo, y éste le otorgó el Toisón de Oro.

En *El ruedo ibérico* tiene bastante actuación, directa o indirecta. La reina confía sin reservas en él (se lo indican las barajas en I, 10, IV). La monja Patrocinio lo favorece, y pide a la reina que lo ascienda a capitán general« en premio a sus méritos y acrisolada lealtad» (I, 10, XI). En el Teatro de los Bufos, Valle-Inclán se burla de su piedad haciéndolo afligir del «escrúpulo de haber atisbado, por el rabo del ojo, a los bajos de las suripantas» (II, 2, IV). Asciende a capitán general junto con Concha (II, 4, VI), lo que produce conflicto entre los militares. Más adelante aparece en sus funciones de mayordomo real, y Valle-Inclán hace por fin su retrato en II, 8, VI. Pérez Galdós lo muestra en su función de ayo del príncipe a lo largo de varios capítulos de *La de los tristes destinos.*

PEDRO ANTONIO

Es Pedro Antonio de Alarcón, quien estuvo con López de Ayala (v.) en Alcolea. Valle-Inclán reúne como por casualidad a estos dos personajes en II, 3, XXV y XXVI, porque seguramente los iba a presentar juntos cuando la acción estuviera más adelantada.

PEPA (VIVA LA)

Desde 1814 encubría el grito *Viva la Constitución de Cádiz,* y era un grito subversivo. Se la llamó *la Pepa* porque fue jurada el 19 de marzo, día de San José. También llamaban a la Constitución *la Niña* (v.) y *la Niña bonita.* Iribarren *(El por qué de los dichos)* trae la siguiente copla:

> *Por gritar Viva la Pepa*
> *me metieron en la cárcel*
> *y después que me sacaron*
> *¡Viva la Pepa y su madre!*

PERALTA, brigadier

Era unionista y estaba empleado en la inspección del ferrocarril de Cádiz. Peralta estaba comprometido con Izquierdo para iniciar la sublevación en Sevilla. Los dos ofrecieron a Paúl y Angulo —según narra éste en *Memorias íntimas de un pronunciamiento,* p. 35— tomar parte en el movimiento «después que estuviese iniciado». Valle-Inclán lo cita en III, 5, II y VI.

PÉREZ DE LA RIVA, Antonio

Agente de Prim. Había preparado para la sublevación de 1868 las guarniciones de Ceuta, Sevilla, San Fernando,

Cádiz y otras. Pero la correspondencia de Pérez de la Riva fue interceptada y se lo desterró a Canarias, al mismo tiempo que era trasladada la guarnición más comprometida —la de San Fernando—, se detenía a algunos oficiales, y Guillén era obligado a salir de Cádiz. Paúl y Angulo sustituyó a Pérez de la Riva como agente de Prim en Andalucía.

Después de la revolución integró la Junta provisional de Cádiz.

PEZUELA, Juan de la

Conde de Cheste, marqués de la Pezuela (1809-1906). N. en Lima y m. en Madrid.

Fue discípulo de Lista y Hermosilla. Escribió poesías y alguna comedia. Tradujo *La Divina Comedia, Los Lusiadas, La Jerusalén libertada* y *Orlando furioso.* Fue académico desde 1845 y director de la Real Academia Española en 1875.

Luchó contra los carlistas en la primera guerra. Reprimió la sublevación de 1848 y fue nombrado capitán general de Madrid. Fue capitán general de Cataluña en 1867.

PI Y MARGALL, Francisco

(1824-1901). N. y m. en Madrid.

Vivió en Madrid desde 1847 y se doctoró en Derecho. De familia modesta, trabajó para poder estudiar. Se dedicó al estudio de la literatura y de las lenguas extranjeras. Fue crítico literario de *El Correo.* Desde 1854 se dedicó a la política; expuso sus ideas federativas en *La reacción y la revolución* (1854). Hizo la edición de las obras de Juan de Mariana para la Biblioteca de Autores Españoles. A partir de 1857 colaboró en *La Discusión,* donde defendió el socialismo como ideología democrática.

En 1864 dirigió este periódico y, tras el frustrado levantamiento del cuartel de San Gil tuvo que exiliarse en París, donde permaneció hasta que fue elegido diputado para las Cortes Constituyentes de 1869.

Fue ministro de Gobierno de la Primera República y sucedió a Figueras como presidente del Poder Ejecutivo. Después de la Restauración, siguió defendiendo las ideas republicanas federales y fue diputado en 1886, 1891 y 1893.

PIDAL, Pedro José

(1800-1865). Marqués de Pidal.

Participó en el levantamiento de Riego. Al triunfar el absolutismo fue condenado a ocho años de cárcel, pero luego pudo acogerse al indulto general. Fue diputado por Asturias en 1838, pero se opuso a la regencia de Espartero y tuvo que huir a París en 1840. En 1843 volvió a ser

diputado. Fue ministro de la Gobernación en los gabinetes
de Narváez, de 1844 a 1846, de 1849 a 1851 y en 1856. Estuvo
luego como embajador en Roma hasta 1858.
Menéndez y Pelayo anotó sus *Estudios literarios* (1890).
En III, 2, VIII se lo cita como autor de la intriga contra
Olózaga en 1843.

PÍO IX

José María Mastai-Ferretti. Fue papa entre 1846 y 1878.
Comenzó su pontificado con una amnistía general, tratan-
de de atraerse la simpatía de los liberales. Pareció entonces que la ortodoxia se aliaba con el nacionalismo y la
revolución. Pero el idilio acabó pronto; en 1849 (9 de febrero), los liberales proclamaron la república y abolieron
el poder temporal del papa. Pío IX, refugiado en Gaeta,
pidió auxilio a Francia, Austria, España y Nápoles. Las
tropas francesas tomaron por asalto Roma, el 29 de junio
de 1849. España mandó cuatro mil hombres al mando del
general Córdova y luego cinco mil quinientos al mando
de Zabala, pero tuvieron que regresar sin luchar, porque
el general en jefe de las tropas francesas declaró que no
permitiría la ayuda de nadie para reinstaurar la autoridad
del papa.
Nápoles y Piamonte fueron las regiones italianas donde
prendió más temprano y más fácilmente el liberalismo; la
casa de Saboya dirigió el proceso de unificación de Italia
(Víctor Manuel, padre del futuro rey de España —Amadeo I— anexionó algunos estados pontificios y fue excomul-
gado por Pío IX; la excomunión fue levantada para que
Amadeo pudiera reinar en España). La potencia campeona
del absolutismo era Austria, dueña del reino Lombardo-
Véneto, y con gran influencia sobre Parma, Módena y
Toscana.
En 1864, Pío IX publicó el *Syllabus errorum* (registro de
errores), en el que condenó el racionalismo, el liberalismo,
la democracia, el sindicalismo, el modernismo, etc.
En 1870, aprovechando que Napoleón III había retirado sus
tropas de Roma a causa de la guerra franco-prusiana, los
patriotas la ocuparon, completando la unidad italiana.
Pío IX se recluyó entonces en el Vaticano, considerándose
prisionero como protesta por la ocupación de los Estados
Pontificios.
Roma no reconoció el gobierno de Isabel II hasta 1848,
después de la enérgica represión de Narváez contra los
liberales.
Isabel II, según afirma Aranguren, «tuvo a gala ser *más
católica que ningún otro Soberano de su tiempo*, y así,
en 1854, en ocasión de la proclamación del Dogma de la
Inmaculada Concepción, regaló al Santo Padre una tiara
de dos millones de reales; gestión católico-pública, militante y constante que le valió el que en 1867 —repárese en la

fecha: justo en vísperas de la Revolución— Pío IX le confiriese la más alta condecoración vaticana, la "Rosa de Oro"» (Moral y sociedad, p. 114).

La Santa Sede, en efecto, parece haber querido proteger y librar de errores — y aun de pecados— a la reina de España, tratando incluso de frenar las severidades del confesor de la reina, el padre Claret (v.).

En El ruedo ibérico son importantes personajes políticos —como lo eran históricamente— el nuncio apostólico monseñor Barili y su sucesor monseñor Franchi, a través de los cuales se percibe la influencia de monseñor Antonelli, cardenal secretario de Estado de Pío IX.

Ellos son quienes aconsejan el casamiento de la infanta Isabel Francisca con Girgenti.

Creo que en algún momento Valle-Inclán pensó en agregar a esta problemática —la influencia política del papa en España— el conflicto mismo de los Estados Pontificios, como lo demuestra el haber situado el episodio Un bastardo de Narizotas en Roma, y las numerosas referencias a los carbonarios y a los patriotas garibaldinos dentro del texto de El ruedo ibérico.

PLATERÍAS, Café de

En este café los progresistas tenían tradicionalmente sus tertulias. En Pérez Galdós aparece varias veces como escenario: «En el Café de Platerías se reunían a media tarde, después de la oficina, media docena de prosistas chapados y claveteados, como las históricas arcas que en los pueblos guardan las viejas ejecutorias y los desusados trajes». (O'Donnell, cap. V).

PONCE, teniente coronel

Citado entre los militares que acompañan a Prim en Londres (III, 4, xi).
Quizás se trate de Ponce de León, jefe del batallón republicano que ocupó la plaza de Antón Martín en 1873, y que aparece en La primera República de Pérez Galdós.

PONS, capitán teniente

Citado entre los militares que acompañan a Prim en Londres (III, 4, xi).
Es Adolfo Pons y Montels, amigo de Estévanez, que aparecía en lugar del capitán Meana en la primitiva redacción de Alta mar.

PRIM Y PRATS, Juan

(1814-1870). N. en Reus y m. en Madrid.
Comenzó su carrera militar como voluntario en la primera guerra carlista. Luego ingresó en el regimiento de Zamora.

Recibió varias heridas que le valieron sucesivos ascensos; a los veintiséis años ya era teniente coronel.

Comenzó su carrera política en 1841, al ser electo diputado por Tarragona. Votó a favor de la regencia de Espartero, pero luego conspiró para derrocarlo y reprimió a sus conciudadanos sublevados en Reus. Se le otorgaron entonces los títulos de vizconde de Bruch y conde de Reus. Al triunfar sobre Espartero, Narváez fue capitán general de Madrid y Prim, gobernador de la plaza. Ambos, al frente de las tropas, desfilaron frente a Isabel.

En 1847 fue a Puerto Rico, donde ocupó la capitanía general de la isla por un año y medio. Implantó el terrible *código negro* para castigar la rebeldía de los esclavos.

De Puerto Rico se marchó a París. Durante estos años viajó continuamente por Europa; en 1853 fue como observador a la guerra ruso-turca. Algunos historiadores creen que por esta época se inició en la masonería.

Con la Vicalvarada regresó a España. Tuvo heroica actuación en la guerra de África, especialmente en la batalla de los Castillejos (v.).

Se casó con Francisca Agüero, que le aportó un millón de duros como dote. Compró un castillo en los montes de Toledo, con trece mil hectáreas como lugar de caza.

Al volver de África, los festejos que se le tributaron fueron delirantes. La reina le concedió la grandeza de España y lo hizo marqués de los Castillejos.

En 1861, O'Donnell lo nombró jefe de las fuerzas españolas que, junto con Francia e Inglaterra, debían terminar con la anarquía en México. Francia quiso imponer como emperador a Maximiliano de Austria, y España e Inglaterra se retiraron.

Al volver a España, desde su cargo de senador vitalicio intentó sacar de la postración al partido progresista. La represión de los moderados lo llevó al destierro en Oviedo, levantado en septiembre de 1864.

Al producirse los graves acontecimientos de «la noche de San Daniel» (10-IV-1865) pidió en el Senado enérgico castigo para las autoridades que habían ordenado la represión. Desde entonces preparó sucesivos alzamientos destinados a fracasar, y huyó, ya a Francia, ya a Portugal. Organizó la sublevación de los sargentos de San Gil (22 de junio de 1866), pero, al parecer por adelantarse el movimiento, llegó tarde a Madrid para ponerse al frente de la sublevación.

En 1866 reunió la asamblea de Ostende, pactando con los demócratas «para destruir todo lo existente en las altas esferas del poder». Se instaló en Bruselas, y en la reunión del 30 de junio de 1867 se reconcilió con Olózaga. Vivió luego en Ginebra, Bélgica y Londres.

El 12 de setiembre de 1868 salió de Southampton y viajó disfrazado hasta Cádiz, para iniciar la revolución. De allí viajó a Cataluña por barco y luego a Madrid, donde fue recibido triunfalmente el 7 de octubre. En el primer gobierno de la revolución, Serrano fue presidente y Prim ministro de Guerra. Al promulgarse la nueva Constitución, Serrano fue regente y Prim, jefe de gobierno y ministro de Guerra (17 de junio de 1869).

Pocos días después de que las Cortes eligieran a Amadeo como rey de España, Prim fue asesinado. Se culpó de su muerte a los republicanos, especialmente a Paúl y Angulo, pero nada pudo probarse fehacientemente.

En *La corte de los milagros* diversos personajes hablan de las actitudes del dirigente progresista, figura clave de la revolución. Las damas de la tertulia de Torre-Mellada, partidarias de Montpensier, le aplican uno de los apodos que le daban sus enemigos: *Pringue* (v.), y se refieren a las tratativas de progresistas y carlistas (I, 3, IV). En I, 6, XIV, Segismundo Olmedilla dice que la reina «va a bailar entre dos Juanes: don Juan Prim y don Juan Pezuela». Valle-Inclán hace decir a este personaje lo que Pérez Galdós atribuye a Narváez en *La de los tristes destinos*. En esta novela, los emigrados en Francia comentan que las últimas palabras de Narváez fueron «*Esto se acabó: dejo a España entre dos Juanes*. Los Juanes eran Pezuela y Prim, Reacción y Libertad...» En I, 8, III un pasajero del tren que conduce a Torre-Mellada y a Adolfito a la corte dice que los bandidos se esconden en el coto de Prim, en los montes de Toledo, con lo que el tenaz perseguidor del bandolerismo en Andalucía viene a resultar un protector de bandidos...

Más adelante, Adolfo Bonifaz expresa con admirable lucidez su pensamiento político que, curiosamente, creo que coincide con la opinión del autor. Luego de afirmar que el ejército jamás consentirá otra dictadura que la del mismo ejército, dice: «De Prim a Narváez, son todos ellos más absolutistas y menos constitucionales que Calomarde. Prim es Narváez con acento catalán y sin gracia gitana.» La primera vez que el narrador se refiere a Prim, cosa que suce en *Viva mi dueño*, 1, VIII, lo hace para recordar su traición a Espartero en 1843. Luego introduce en el relato el famoso *bando negro* (II, 2, XII) que, por su crudeza, vale más que cualquier diatriba del narrador.

Valle-Inclán presenta a Prim jugando muchas intrigas para evitar que la revolución pudiera tener resonancias populares. Una de éstas, en la que estaba de acuerdo con la reina María Cristina, era propiciar un cambio que impidiera la revolución. Este cambio significaba desplazar a González Bravo y formar un ministerio Cánovas-San Luis (III, 2), ministerio que al convocar a elecciones, habría dado mayoría a los progresistas en las Cámaras. En el libro cuarto de *Baza de espadas*, titulado precisamente *Tratos púnicos*, Valle-Inclán muestra cómo Prim trata de engañar a todos y traza su retrato —el más largo de la trilogía— en el capitulillo x. Prim es sólo un ambicioso: «Comprometiendo pactos con las sesudas calvas moderantistas y las desmelenadas democracias, buscaba

centrarse en un justo medio, que presentía propicio al logro de sus grandes ambiciones.»
Prim es el antihéroe de *El ruedo ibérico*. Valle-Inclán no hace ninguna concesión: en sus novelas, Prim es un personaje de una sola pieza, un traidor, un cobarde, un aventurero. Completa su retrato en los artículos publicados en *Ahora* en 1935.
Pérez Galdós, en cambio, acoge en sus novelas diferentes versiones sobre el comportamiento político y militar de Prim. Pone estas versiones en boca de diferentes personajes: unos lo admiran hasta el delirio, otros lo desprecian, otros lo consideran indispensable para hacer la revolución. Pérez Galdós procura de esta manera no dar un juicio terminante sobre esta figura tan compleja.

PRIMO DE RIVERA, Fernando

(1831-1921). N. en Sevilla y m. en Madrid.
Egresó del Colegio militar con el grado de subteniente en 1847. Ascendió por su actuación en los sucesos de 1848. Como comandante del regimiento de Burgos ayudó a sofocar la rebelión del 22 de junio de 1866, por lo que ascendió a teniente coronel. A principios de 1868, estando de guarnición en Granada, logró restablecer la tranquilidad en varios puntos de Andalucía. Estaba comprometido con Topete para iniciar la revolución el 9 de agosto de 1868, pero a último momento decidió postergar el alzamiento, por temor de que los republicanos lo coparan. Después de la revolución siguió en Granada, encargado de conservar el orden, por lo que en diciembre de 1868 ascendió a coronel. En octubre de 1869 reprimió la insurrección republicana en Zaragoza y ascendió a brigadier. Luchó contra los carlistas y por su brillante actuación en esta guerra fue ascendido a mariscal de campo.
Dio su apoyo a Pavía durante el pronunciamiento de Sagunto. Era capitán de Castilla la Nueva al ser proclamado Alfonso XII. Tomó Estella el 19 de febrero de 1876, por lo que se le concedió el título de marqués de Estella y la gran cruz de San Fernando. En 1877, Cánovas lo hizo senador vitalicio. Fue gobernador general y capitán general de Filipinas en 1880, y volvió al mismo cargo en 1879; estuvo con él en las colonias su sobrino, Miguel Primo de Rivera y Orbaneja.
Valle-Inclán lo presenta por primera vez en III, 5, x, cabildeando con Topete, López de Ayala, Vallín y Sánchez de Castro para retrasar el proyectado alzamiento del 9 de agosto en Cádiz hasta la vuelta de los generales unionistas.

PRINGUE

Una de las denominaciones injuriosas que se daban a Prim (I, 3, IV).

Pérez Galdós la pone, como Valle, en boca de un personaje; precisamente en la de Paúl y Angulo en momentos en que regresa a España tras la amnistía de 1870: «... Dígame, pollo: ¿cuándo traen ustedes al bebé..., al inocente Alfonsito? ¿Ya están de acuerdo con *Pringue?*» *(España trágica,* cap. XIX.)

Según Estévanez *(Memorias,* p. 240) sus enemigos llamaban a Prim patuleo, pillo, ambicioso, cáncano resucitado, noy con espuelas, pesetero y asesino.

PUIGMOLTÓ

Según Villalba Hervás su nombre era Antonio, y en 1857 «gozaba en Palacio de incontrastable influencia» *(Recuerdos,* p. 181). Era teniente de ingenieros y la reina pidió su ascenso. Narváez se negó a concederlo porque Puigmoltó pertenecía a un cuerpo de escala cerrada y para no hacerlo, dimitió en octubre de 1857.

Según Carmen Llorca, Puigmoltó se llamaba Enrique y su biografía es la siguiente: «Nació en agosto de 1827 y en 1843 entró en la escuela de Ingenieros. Gallardo militar, afectado por una intensa y crónica afección herpética, como la reina. En los reconocimientos médicos que se le practican, no se hace alusión a ninguna enfermedad pulmonar. Destinado de Baleares a Galicia, no llega a su punto de destino, se queda en Madrid.» Por Real Orden del 8 de marzo de 1856 pasa a prestar servicios en el Regimiento del arma, de guarnición en la Corte. Continúa diciendo Carmen Llorca: «Obsérvese que la enfermedad padecida por Puigmoltó es de naturaleza herpética, por lo que resulta sumamente peregrina la idea de Valle-Inclán en *El ruedo ibérico* al quererle atribuir la paternidad de Alfonso XII porque los dos sufrieron de la misma enfermedad: tuberculosis. Desde siempre, en Palacio se hacían grandes pedidos de pastillas pectorales Guimard porque la reina se resintió siempre de los bronquios, y prueba de ello es que murió de una bronquitis» *(Isabel II,* p. 129).

El 23 de abril de 1857 se rehabilitó en él el cancelado título de vizconde de Miranda, que había pertenecido a la familia Puigmoltó. Este hecho se comentó en *La discusión* del 5 de mayo de 1857.

En febrero de 1858 se le destinó a Valencia.

QUESADA, Jenaro

(1818-1889). Militar que estuvo siempre al servicio de la monarquía. Participó en las tres guerras carlistas. Luchó contra los sublevados en el cuartel de San Gil en 1866. Se mantuvo alejado de los sucesos del sexenio revolucionario, peleando en la tercera guerra carlista y declarándose luego partidario de Alfonso XII.

Valle-Inclán lo cita en III, 2, II y V. Es el general que da la orden de destierro a los duques de Montpensier.

QUIROGA, Rafaelita

María Rafaela Quiroga es el nombre de sor Patrocinio. En 1835, siendo Salustiano de Olózaga gobernador civil de Madrid, fue procesada sor Patrocinio (v.). Se la encontró culpable de impostura y fue condenada a trasladarse a otro convento que quedara por lo menos a cuarenta leguas de la corte. Olózaga hizo cumplir la sentencia. Sor Patrocinio salió con traje seglar y con pasaporte expedido a su nombre verdadero para Talavera de la Reina.

La gente murmuró sobre las relaciones entre Olózaga y sor Patrocinio quienes, al parecer, se hicieron muy amigos, pero no he encontrado referencias a un enamoramiento anterior a la entrada de la Quiroga en religión —como supone Valle-Inclán en II, 1, x.

RÁPITA, LA

Según Eugenio García Ruiz: «En la conjura [de la Rápita] estaban el conde de Cleonard, el padre Maldonado, altas dignidades civiles, militares y eclesiásticas, el rey consorte, el ministro de Gracia y Justicia y muchos funcionarios. También favorecían la conjura Luis Bonaparte y su esposa y la madre de ésta, la condesa de Montijo. Los papeles encontrados a Ortega comprometían a muchos grandes de España, generales, varios obispos, etc., por lo que O'Donnell, al volver de África, dio una amplia amnistía» (*Historias*, II, p. 640).

Valle-Inclán se refiere a esta conjura en contra de Isabel II y a favor de Carlos VI a través de un personaje en I, 9, xii y en el discurso de narrador en II, I, xvi. En los dos lugares se establece un paralelo entre la conjura de La Rápita y la que se desarrolla en los meses previos a la revolución de 1868, en la que «el Gran Camarillón del Rey consorte intrigaba como antaño» para que la reina abdicara en Carlos VII.

RELÁMPAGO, MINISTERIO

Se llamó así al ministerio que se constituyó por influencia del padre Fulgencio (confesor del rey) y de sor Patrocinio. Estos, y otros personajes de la camarilla ultraderechista, consiguieron que la reina despidiera a Narváez el 19 de octubre de 1849 y nombrara en su remplazo al conde de Cleonard.

El ministerio Relámpago duró sólo veintisiete horas porque la reina, aconsejada por María Cristina, volvió a llamar a Narváez.

La reina lo recuerda en I, 10, viii.

REUS, conde de

V. *Prim, Juan.*

REUS, condesa de

Francisca Agüero, mujer de Prim. Se casaron en 1856 en París; fueron testigos de la boda Olózaga, embajador de España, y el príncipe Napoleón Bonaparte. Isabel II le concedió, como regalo de boda, la banda de María Luisa con flor de brillantes.

REY DE NAVARRA

Personaje que aparece en I, 3, x. Podría estar inspirado en uno que Pedro de Répide retrata de la siguiente manera: «Luis de la Cerda, de la casa de Parcent y descendiente de Alfonso el Sabio y de San Fernando y de San Luis y de la casa imperial de Suabia, amaba más la bohemia que la vida engolada, y la vida en Fornos que en los palacios familiares» *(Recuerdos...)*

RIVERA, Luis

(1826-1872). N. en Valencia y m. en Madrid. En Madrid se dedicó principalmente a la política y al periodismo. Tomó parte en la revolución de 1868. Escribió en varios periódicos liberales hasta que fundó el *Gil Blas*, donde defendió sus ideas republicanas. Más tarde dirigió *El Siglo Ilustrado*.
Escribió varias obras de teatro: *Madrid por dentro, Amores falsos, El honor y el trabajo, Luna de miel, El estudiante de Salamanca, ¡Presente, mi general!* Escribió poesías y una novela: *Los hijos de la fortuna.*

RIVERO, Nicolás María

(1814-1878). M. en Madrid. El 3 de febrero de 1814 fue colocado en el torno de la Casa de expósitos de Morón, Sevilla. La nodriza y su marido lo adoptaron. Pudo estudiar con enorme sacrificio, y terminó las carreras de medicina y abogacía.
En 1848 era ya diputado. Al año siguiente firmó el manifiesto del partido demócrata. La revolución de 1854 lo encontró en la cárcel del Saladero y fue liberado por el pueblo. Brillante orador en las Cortes Constituyentes de ese período. El 3 de marzo de 1856 fundó *La Discusión* desde donde propiciaba un entendimiento con los progresistas radicales. El 22 de junio de 1866 luchó en las barricadas de Antón Martín, y luego pudo permanecer oculto en Madrid hasta la revolución de 1868. Fue presidente de la Junta Revolucionaria y luego Alcalde de Madrid.
Fue presidente de las Cortes Constituyentes (12-II-1869 a 4-I-1870). Luego fue ministro de la Gobernación, cargo desde el cual reprimió el bandolerismo, nombrando a Julián de Zugasti (v.) gobernador de Córdoba en marzo

de 1870. Votó en las Cortes por la candidatura de Amadeo
y a la renuncia del rey fue presidente del Congreso.
Fue una personalidad muy interesante; revolucionario constante hasta 1868, era, sin embargo, un demócrata de derechas, monárquico.
Valle-Inclán dice de él en *Ahora* (16 de agosto de 1935):
«Don Nicolás María Rivero les predicaba (a los ilusos
demócratas republicanos) con el ejemplo, y desde lejos,
con su bronco ceceo, les aconsejaba la conveniencia de
hacerse monárquico para alcanzar algún hueso de la Gloriosa.»

ROBERT, Roberto

(1837-1873). N. en Barcelona y m. en Madrid.
Se le considera uno de los mejores costumbristas catalanes por sus cuadros de la vida barcelonesa. Al llegar a
Madrid fundó el *Diario madrileño* y *El Tío Crispín*; por
esta última publicación estuvo condenado a dos años de
prisión. En 1864 empezó a colaborar en *La Discusión.*
Fue diputado republicano en las Cortes de 1869 y ministro
plenipotenciario en Suiza. Periodista en *La Ilustración
Republicana Federal* (1871-2) y director de *El Cohete*, periódico dominical con ilustraciones de José Luis Pellicer.
Escribió obras comprometidas, como por ej., *La espumade-
ra de los siglos* (1871), en cuyo prólogo niega la validez
de escribir obras que no ayuden al progreso y a la democracia, y *Los comuneros sin petróleo.*

ROBLES, conde de

Mencionado en III, 4, VIII. Debe de haber una errata y
tratarse del Conde de Robres. V. *Consejo de Londres.*

ROCA DE TOGORES, Mariano

(1812-1889). Marqués de Molíns desde 1848, Grande de España en 1863 y Toisón de oro en 1873. N. en Albacete
y m. en Lequeitio.
Estaba afiliado al partido moderado. Se distinguió como
orador, especialmente en la acusación contra Olózaga
(1843). Fue ministro de Marina con Narváez (1847-1849) y
con Sartorius (1853-1854). Embajador en Londres entre
1863 y 1866. Fue canovista y trabajó para lograr la Restauración. Al producirse ésta, fue embajador en París y
más tarde ante la Santa Sede. Senador vitalicio, dirigía
la minoría conservadora.
Fue director de la Real Academia Española. Escribió poesías y otras obras críticas y literarias.

ROMEA, Julián

(1813-1868). N. en Murcia, y murió en Loeches en agosto
de 1868.

Se dedicó al teatro por vocación y por necesidad, ya que su familia sufrió persecuciones durante la represión liberal de 1823. Se casó con la actriz Matilde Díez. Gravemente enfermo, se alejó del teatro, pero volvió a representar en 1863.
Era cuñado de González Bravo y de Cándido Nocedal. Publicó un libro de *Poesías* en 1846, que fue reeditado en 1861.
Es imposible que actuara en 1868, tal como pretende Valle-Inclán en I, 3, XXII, ya que estaba muy grave.

RONCALI, Joaquín de

(1811-1875). N. en Cádiz y m. en Madrid. Marqués de Roncali en 1867 y Grande de España en 1868. En 1868 sustituyó a Arrazola en Gracia y Justicia durante el gobierno de Narváez. Fue ministro de Estado con González Bravo hasta la revolución de setiembre.

ROS DE OLANO, Antonio

(1808-1886). General español que participó en la guerra de África. Fue también diputado, senador, presidente del Consejo de Guerra y Marina.
Aparece en II, 4, VII.

RUBIO, Carlos

(1832-1871). N. en Córdoba y m. en Madrid. Abandonó sus estudios de Derecho en Madrid para dedicarse a la literatura. Colaboró en *El Semanario Pintoresco*, *La Ilustración* y *Las Novedades*, donde escribió poesías y cuentos fantásticos. Estaba afiliado al partido progresista. Tomó parte en la sublevación de los sargentos de San Gil y tuvo que huir a Inglaterra. Fue secretario de Prim.
Periodista de *La Iberia*, polemizó con Castelar, que escribía en *La Democracia*.
Escribió novelas, libros de poemas, reunió sus cuentos en 1868 y escribió libros de historia. El más importante: *Historia filosófica de la revolución española*, que Valle-Inclán usó como fuente para *El ruedo ibérico*.
Aparece citado sólo una vez en *Viva mi dueño*, 1, XII.

RUIZ ZORRILLA, Manuel

(1833-1895). N. en Burgo de Osma y m. en Burgos.
Perteneció a la milicia nacional, de la que fue comandante en Soria en 1856. Fue diputado de la minoría progresista. Fue uno de los organizadores de la sublevación de San Gil y tuvo que emigrar.
Después de la revolución fue ministro de Fomento en el gobierno de Serrano y luego de Gracia y Justicia. En 1870

fue presidente del Congreso, donde luchó por imponer la candidatura de Amadeo de Saboya. Ministro de Gobierno en el primer gabinete del nuevo rey, volvió a formar gobierno poco antes de su abdicación. Al producirse la Restauración se proclamó republicano, y fue desterrado el 4 de febrero de 1875. Conspiró constantemente desde el exilio. Volvió a España gravemente enfermo, para morir. Vivió veinte años en la emigración. Las cartas de su archivo, que han sido citadas por Iris Zavala como posible fuente de información para Valle-Inclán *(Historia y literatura...)*, fueron publicadas por Alvarez Villamil y Llopis.

SACO, Eduardo

Murió en 1898. Escribió en el *Gil Blas, Los Sucesos* y *La Iberia.* Después de la revolución de 1868 dirigió *La Gaceta de Madrid* y fue administrador de la Imprenta Nacional. En 1893 fundó el periódico *La Situación.*
Escribió obras de teatro: *Un marido de encargo* (1867), *Celos con celos se curan* (1873), *Una extravagancia* (1876). También publicó *El teatro por dentro* (1878).
Valle-Inclán lo presenta en el Ateneo en I, 9, VII.

SAGASTA, Práxedes Mateo

(1827-1903). N. en Logroño y m. en Madrid. Estudió en la Escuela de Ingenieros de Caminos de Madrid. Fue progresista desde su juventud. Ejerció su profesión en Valladolid y en Zamora; en esta última ciudad fue presidente de la Junta Revolucionaria en 1854. Durante el bienio progresista fue diputado en las Cortes Constituyentes y redactor de *La Iberia.* Al terminar O'Donnell con el bienio, se exilió en Francia y regresó a Madrid acogiéndose a la amnistía.
Al morir Calvo Asensio en 1863, compró *La Iberia.* Desde su banco de diputado progresista atacó al gobierno y luego predicó el retraimiento del partido (8-IX-63 y 20-XI-65). Participó en la sublevación de Villarejo, conducida por Prim, y con él tuvo que refugiarse en Portugal. Conspiró luego en Inglaterra y Francia, y regresó a España para preparar el levantamiento de los sargentos de San Gil (22-VI-66). Fue condenado a muerte, pero pudo huir a Francia, donde estuvo hasta 1868.
Al triunfar la revolución fue ministro de la Gobernación durante el gobierno de Serrano (8-X-68 al 18-VI-69). Tuvo actuación importante en las Constituyentes de 1869. Fue luego ministro con Prim (18-VI-69 al 27-XII-70). Votó la candidatura de Amadeo de Saboya. Jefe del partido constitucional, opuesto al radical de Ruiz Zorrilla.
En 1875 aceptó la Restauración y formó el partido fusionista, que se alternó en el poder con el liberal conservador desde 1885.
Valle-Inclán presenta a Sagasta en Londres, en casa de Prim (III, 4, III), hablando de una conferencia sobre la

que el lector no sabe nada todavía. En el capitulillo IV se aclara que se trata de una conferencia que debería sostener con Cabrera, aplazada por el general con pretextos de enfermedad. La conferencia tiene luego lugar en casa de Cabrera (III, 4, VI).

Valle-Inclán presenta a Sagasta como un hábil político que, en la entrevista con el astuto Cabrera, pierde «todas sus artes paparrucheras de gran farandul» al oírse llamar «Señor de Mateo». En el capitulillo IX se reproducen unas aleluyas contra el pretendiente carlista que se atribuían a Sagasta. En suma, Valle-Inclán lo presenta humorista, ingenioso, tramposo, y con su caricaturesco «rizo del tupé erecto sobre las cejas» (capitulillo XI). Sobre este «tupé sagastino» su biógrafo, el conde de Romanones, dice: «En el magno encuentro que en aquellos días (cuando era ministro de la Gobernación, tras la revolución de 1868) mantuvo con Castelar nació la leyenda del tupé, porque agresivo como nunca, abundante y rizoso se le descompuso en tal forma, que se lo sacudía, como el león la melena, en el momento de la acometida. Así, y para en adelante, el lápiz del caricaturista trazará su figura» (*Sagasta*, p. 62).

En sus artículos de *Ahora*, Valle-Inclán se refiere al impenetrable silencio que Sagasta —ministro de la Gobernación cuando Prim fue asesinado— guardó siempre sobre el suceso. Valle-Inclán insinúa que Sagasta sabía que los Borbones eran culpables de la muerte de Prim, pero que, por los cargos públicos que ocupó bajo Alfonso XII, no podía hablar *(Ahora*, 20-IX-35).

Pérez Galdós presenta con mucha simpatía a Sagasta en su destierro de París en *La de los tristes destinos* (cap. XXII).

SALAMANCA, José de

(1811-1883). N. en Málaga y m. en Carabanchel. Conde de los Llanos, marqués de Salamanca.

Participó en el levantamiento de Torrijos (1831), pero no fue descubierto. Diputado en 1836. Comenzó a actuar en las finanzas asociado con Buschental. Su influencia política y su fortuna personal fueron en aumento, aunque con muchos altibajos. Fue ministro de Hacienda en 1847.

Enemistado con Narváez (éste perdió en cierta ocasión mucho dinero en la Bolsa por seguir consejos de Salamanca), conspiró contra él y tuvo que huir a Francia (1848). También tuvo que huir en 1854, acusado por los revolucionarios de turbios manejos en la construcción del ferrocarril. Fue amigo de María Cristina, y los palacios de ambos fueron incendiados durante las jornadas de julio de 1854.

En 1868, al producirse la revolución, estaba en San Sebastián, con la Corte, y según Natalio Rivas «trató de convencer a la reina para que le entregara el príncipe para

hacerlo proclamar [en Alcolea]. Serrano lo hubiera hecho...» *(Anecdotario,* p. 125).
Según Fernández Almagro, en cambio, junto con Alcañices
aconsejó a la reina Isabel abdicar en su hijo y confiar la
regencia a Espartero *(Historia...,* I, p. 16).
Valle-Inclán lo presenta en su palacio en III, 1, en reunión
con los «sesudos carcamales de la disidencia moderada»,
haciendo lo posible por evitar la revolución.

SALAZAR

Citado en el soneto atribuido a Villergas en II, 6, XI, y
poco más adelante por sor Patrocinio, con aviesa intención (II, 6, XV). Se trata del general Allende Salazar, ayudante de campo de Espartero, a quien éste envió como
emisario ante la reina en 1854. Allende Salazar expuso las
condiciones que imponía Espartero para tomar el poder
con tanta claridad, que ofendió a la reina, al rey, y a otros
personajes de la corte.

SALVOCHEA, Fermín

Pertenecía a la adinerada burguesía de Cádiz, ciudad donde
nació el 1 de marzo de 1842. Estudió entre los quince y los
veinte años en Inglaterra. El mismo trazó su biografía
espiritual: «lo primero que leí fue *El judío errante,* más
tarde, en Inglaterra, Thomas Paine me hizo internacional.
Estas palabras del maestro: "Mi patria es el mundo, mi
religión el hacer bien y mi familia la humanidad" queda-
ron para siempre grabadas en mi mente, y a ellas he pro-
curado ajustar mi conducta. Después, Roberto Owen me
enseñó las excelencias del comunismo y Braudlaugh me
convirtió en convencido ateo. Lo demás vino por sí solo»
(La Revista Blanca, 1-XI-1902). En 1862 era falansteriano,
según afirma en *Tierra y Libertad,* (19-VII-1902). En 1866
participó en la conspiración secreta que tenía por objeto
liberar a los presos por los sucesos del cuartel de San
Gil, que habían sido conducidos al castillo de San Sebastián e iban a ser deportados a Manila. Desde entonces
actuó en los círculos democráticos y en las asociaciones
obreras clandestinas.
Participó, junto a Paúl y Angulo, en el frustrado levantamiento de Cádiz del 9 de agosto de 1868 y, poco después,
en la revolución.
Salvochea volvió a luchar en Cádiz, junto a los Voluntarios
de la Libertad, entre el 10 y el 13 de diciembre, para re-
sistir la entrega de armas dispuesta por el gobernador
militar. El general unionista Caballero de Rodas logró
desarmar y detener a los Voluntarios, y entre ellos a
Salvochea, que no quiso huir.
En los levantamientos federales de 1869 luchó junto a
Paúl y Angulo y Guillén, y huyó, al ser derrotados, a

Gibraltar, París y Londres. Volvió a España con la amnistía de 1870, y posiblemente en ese año se afilió a la Internacional.
Durante la Primera República fue gobernador de Cádiz, y luego presidente del comité administrativo del cantón hasta que Pavía tomó la ciudad a principios de agosto. Salvochea fue encarcelado entonces en el Peñón de la Gomera, de donde huyó siete años después. Residió en Tánger hasta 1886, fecha en que pudo volver a España por la amnistía decretada al morir Alfonso XII. Volvió a Cádiz y fundó el periódico anarquista *El Socialismo* (1886-1891). Estaba en la cárcel cuando en 1892 estalló la sublevación de Jerez de la Frontera; el gobierno acusó a Salvochea de haberla preparado desde la cárcel, y se lo condenó a doce años de prisión. En 1899, al ser liberados los prisioneros detenidos por el proceso de Montjuich, quedó también en libertad.
La figura de Salvochea interesó a Valle-Inclán en fecha muy temprana, ya que se refiere a él en su artículo *El anarquismo español*, publicado en *El Universal* de México el 2 de junio de 1892. Luego lo introdujo como personaje en el libro *Alta mar*, de *Baza de espadas*, y le dedicó bastante espacio en *El trueno dorado*.

SAN LUIS, conde de

V. *Sartorius, Luis José.*

SÁNCHEZ BREGUA, José

(1818-1897). N. y m. en La Coruña.
De familia humilde, luchó como soldado raso en la primera guerra carlista. Desde 1844 hasta 1850 estuvo en Filipinas. En 1852 ascendió a capitán. Se distinguió en la guerra de África. En 1868 ascendió a general de división. Fue subsecretario de Guerra con Prim y, después de la muerte de éste, capitán general de Galicia. Reprimió la insurrección federal de El Ferrol, por lo que fue ascendido a teniente general y poco después luchó exitosamente en el norte contra los carlistas. Después de la Restauración ocupó diversos cargos, y desde 1881 fue senador vitalicio.

SARDOAL, Ángel

(1841-1898). Es Ángel Carvajal y Fernández de Córdova, marqués de Sardoal, Grande de España de 1.ª clase. Emparentado con casi toda la nobleza española. En 1867 entró por primera vez en el Congreso como representante de la provincia de Cáceres. Apoyó la revolución de setiembre. Diputado en las Cortes Constituyentes de 1869, votó la candidatura de Amadeo y se afilió luego al zorrillismo. Con la Restauración escaló los más altos puestos de la política. Combatió a Cánovas, como enemigo personal de Romero Robledo.

SARTORIUS, Luis José

(1817-1871). Conde de San Luis. Era de familia polaca. Lo protegió Bravo Murillo, y empezó su carrera como periodista. Desde *El Heraldo* atacaba violentamente la política del regente Espartero. Ascendió rápidamente, gracias a su amistad con María Cristina. Elegido diputado para las Cortes de 1843, se afilió al partido moderado. En 1847 fue ministro de la Gobernación durante el gobierno de Narváez. Reglamentó la propiedad literaria, por lo que varios poetas lo homenajearon con una *Corona*.
El 19 de setiembre de 1853 fue presidente del Consejo de Ministros, y con sus torpezas políticas provocó la revolución de 1854. Después fue embajador en Roma.
Fue presidente del Congreso en las últimas Cortes de Isabel II. Durante esa época escribió *La cuestión preliminar* (1868).

SEBASTIÁN, infante don

(1811-1875). N. en Brasil y m. en Pau. Era hijo de María Teresa de Braganza, princesa de Beira (v.) y del infante Pedro Carlos de Portugal.
Durante la guerra carlista tomó partido por el pretendiente. En 1860 reconoció a Isabel II y se casó con la infanta María Cristina, hermana del rey consorte. Vivió desde entonces en Palacio, y fue al exilio con la familia real.
Valle-Inclán se hace eco, en un artículo de *Ahora* («Epitalamios napolitanos. En enero, Juan tercero» 2-VI-1935) de la siguiente anécdota:
«Cuentan que, en vísperas de la revolución setembrina, el general carlista don Ramón Cabrera decía en Londres al general revolucionario don Juan Prim:
—Si fuese usted a España, no se olvide de ahorcar al tuerto de un balcón del Palacio Real.
Pidió el soldado de África esclarecimientos, pues ignoraba quién fuese el tuerto, y el héroe del Maestrazgo aclaró con iracundo desacato que se refería a la serenísima persona de don Sebastián:
—Cuélguele usted, y aun será poco castigo para sus traiciones.»
Esta anécdota la cuenta Bermejo en su *Estafeta de Palacio*, por lo cual es indudable que Valle-Inclán usó a Bermejo como fuente para la discutida entrevista Prim-Cabrera.
En este mismo artículo, Valle-Inclán vuelve a insistir en lo que ya había afirmado en *Viva mi dueño:*
«Este serenísimo fue uno de los más diligentes mediadores en los conciertos para el casorio de su cuñado el conde

Gaetano de Girgenti, hijo del ya difunto rey Bomba, con la infanta doña Isabel Francisca, a quien el populacho madrileño ha preferido siempre llamar "la Chata".»
Valle-Inclán vuelve sobre el tema en «Sugestiones de un libro. Amadeo de Saboya» *(Ahora*, 11 de julio de 1936). V. esta historia *s.v.* Isabel Francisca.)
Por otra parte, don Sebastián aparece citado en *La corte de los milagros* como «notorio padrino de la gente bandolera» (5, i), y se alude a su cortijo de la Media Luna como refugio de bandidos en 9, iv, hechos documentados por Zugasti, quien en *El bandolerismo...*, I, 111, dice: «el secuestrado Orellana estuvo en el cortijo de la Media Luna, que pertenecía al infante don Sebastián».

SERRANO BEDOYA, Francisco

(1813-1882). N. en Quesada —Jaén— y m. en Madrid.
Intervino en las guerras carlistas. Fue ayudante de campo de Espartero y dado de baja en 1843. Dos años después volvió a España y se le reconoció el grado de teniente coronel.
Antes de la revolución de julio fue detenido e internado en un cuartel de Zaragoza; al triunfar la revolución se le nombró gobernador de esta provincia. Fue elegido diputado a las Cortes Constituyentes del bienio progresista y luego gobernador militar de Madrid. Después de la guerra de Marruecos se afilió a la Unión Liberal. Poco antes de la revolución de 1868 fue deportado a Canarias. Después de la revolución fue nombrado general en jefe del ejército de Granada, y combatió a las partidas republicanas en Andalucía. Reorganizó la Guardia Civil, de la que fue director general. Participó en la tercera guerra carlista. Reconoció como rey a Alfonso XII.
En *El ruedo ibérico* aparece citado sólo una vez, entre los generales de la Parranda de Marte (II, 5, iii).

SERRANO Y DOMÍNGUEZ, Francisco

(1810-1885). N. en San Fernando —Cádiz— y m. en Madrid.
Espartero, Prim y Serrano fueron los generales que ocuparon los más altos cargos en el siglo xix.
Al acabar la primera guerra civil carlista, Serrano era mariscal de campo, teniente general en 1843 y capitán general en 1856, por la actuación que tuvo en la disolución del bienio progresista.
Fue capitán general de Cuba, el cargo que más beneficios dejaba a quienes lo usufructuaban. Dos veces embajador en París, diputado, senador, presidente del Senado, ministro de Guerra, de Estado y Ministro Universal.
Después de la revolución de setiembre fue presidente del Gobierno provisional, regente del Reino, presidente del Consejo de Ministros. Con don Amadeo, presidente del Consejo de Ministros. Con la República, presidente del

Poder Ejecutivo. Después de la Restauración fue presidente del Senado y embajador en París.

En 1830 fue encargado de llevar a Fernando VII el pliego que tenía la orden de fusilamiento de Torrijos, por lo que se le acusó de ser su asesino. (Valle-Inclán recoge esta versión en su artículo de *Ahora* del 13 de agosto de 1935, versión que, como él mismo aclara, tomó de *Impresiones y recuerdos* de Julio Nombela.)

En 1843 contribuyó a la caída de Espartero y, para poder dirigir la revolución, marchó a Barcelona con González Bravo. La Junta revolucionaria lo nombró Ministro Universal.

Después del casamiento de la reina se hizo público el problema de su desavenencia conyugal. Entonces era Serrano el favorito de la reina y, con Salamanca y Bulwer, ministro inglés, pretendía influir en el gobierno. La privanza del general Serrano hizo creer a los progresistas que por su intercesión iban a alcanzar el poder, pero Narváez volvió a tallar en política y Serrano resolvió pactar con él y retirarse —aceptó el cargo de capitán general de Granada—, ya que el rey exigía su alejamiento para volver a vivir al lado de la reina.

Al alejarse, Serrano facilitó la vuelta al poder de los moderados, por lo que fue llamado el *Judas de Arjonilla*, por alusión a una de sus posesiones en Andalucía (era terrateniente de la provincia de Jaén).

Se casó luego con Antonia Domínguez, hija única de los condes de San Antonio, veinte años más joven que él, bellísima, ambiciosa y hábil para las intrigas políticas.

Durante la Vicalvarada se hallaba Serrano en su finca de Jaén; desde allí se dirigió a Manzanares para encontrarse con O'Donnell y redactó, con Cánovas, el célebre *Manifiesto*. Serrano fue capitán general de Madrid y se destacó en la acción contra los milicianos a la caída de Espartero. Dirigió, en esas jornadas, el ataque contra el edificio de las Cortes. El gobierno de O'Donnell lo hizo embajador en París, en remplazo de Olózaga, pero dimitió al producirse la «crisis del rigodón de honor» con la que cayó O'Donnell. Volvió entonces a su cargo en el Senado.

Entre 1859 y 1862 fue capitán general de Cuba. En enero de este último año recibió el ducado de la Torre y la Grandeza de España.

Serrano estaba en Cuba cuando Prim fue destinado a su misión en México, y trató de influir sobre la reina para que ésta castigara el fracaso de la gestión de Prim, pero el caudillo logró que el gobierno aprobara su conducta. Era amigo de O'Donnell, y estuvo afiliado a la Unión Liberal desde los comienzos del partido.

El día de la sublevación del cuartel de San Gil, Serrano dio muestras de valor, presentándose solo en el cuartel de la Montaña donde estaba acuartelado el batallón del Príncipe. Dominó a la tropa sublevada con su palabra y su presencia, y luego atacó San Gil por detrás, mientras

O'Donnell lo hacía por el frente. En premio a su lealtad y arrojo, Serrano recibió el Toisón de Oro.

A los pocos días de estos sangrientos sucesos, reprimidos con verdadera saña, O'Donnell tuvo que dimitir —desde entonces (julio de 1866) se exilió en Francia—. Volvió Narváez al poder, y la oposición pidió a la reina que restableciera el imperio de la ley, pedido que le llegó a través de Serrano. Narváez resolvió detenerlo y lo hizo conducir al castillo de Santa Bárbara, en Alicante, donde la prisión fue breve a instancias de la reina.

En 1867 murió O'Donnell, y entonces la jefatura del partido unionista pasó a Serrano. Según cuenta Fernández de Córdova en sus *Memorias*, ya en el otoño de 1867 se presentaron en su casa Dulce y Serrano con el objeto de comprometerlo para que, si una revolución hiciese caer a Isabel II, la corona recayese en Luisa Fernanda, duquesa de Montpensier.

En julio de 1868, Serrano y otros generales unionistas fueron acusados de conspirar y desterrados a Canarias. Dos días después del levantamiento de Cádiz, llegaron a la plaza en el vapor *Buenaventura*. Ya Prim y los demócratas habían lanzado la revolución.

Serrano dirigió las acciones en la batalla del puente de Alcolea y trató de llegar a un acuerdo con Novaliches, mientras Prim viajaba a Barcelona. El acuerdo con Novaliches —cuyas bases se desconocen— fracasó, y se entabló la batalla. El 3 de octubre Serrano entró triunfalmente en Madrid y tuvo que esperar a Prim para constituir el Gobierno provisional, del que fue presidente. Según el marqués de Villa-Urrutia, Serano llegó a Madrid con el propósito de coronar a Luisa Fernanda, pero la revolución en la capital la habían conducido los progresistas al grito de ¡abajo los Borbones!

Las Cortes Constituyentes de 1869 confirmaron a Serrano en la presidencia del Poder Ejecutivo. Más tarde, el 15 de junio, fue nombrado regente del Reino, con tratamiento de Alteza, hasta que fuera elegido el futuro rey de España, y quedó así encerrado en lo que Castelar llamó *la jaula de oro*.

Más tarde ocupó los cargos a que nos referimos al principio de este artículo. La importancia de éstos no debe hacernos creer que fuera un excelente político. De hecho, no logró imponer sus proyectos, que al final del proceso revolucionario incluían proclamar una República conservadora que lo tuviera como presidente (siguiendo el modelo francés de Mac Mahon).

Al parecer, tuvo escasa participación en los preparativos de la Restauración, principalmente por oposición de su mujer, quien así se vengaba de las vejaciones a que la sometían las damas alfonsinas.

Valle-Inclán no concede demasiado espacio a Serrano en *El ruedo ibérico*. Su pensamiento y actuación aparece disimulado bajo el denominador común de «los generales unionistas» o «la Parranda de Marte».

Contribuye a desvalorizar la figura de Serrano el hecho de que aparezca muchas veces desde el punto de vista de la reina, que recuerda sus antiguos amores con él. Valle-Inclán pone en boca de la reina la terrible frase: «¡El general Bonito se ha vuelto contra mí! ¡Lo hice cuanto es, no he podido hacerle caballero!» (I, 2, VII), por lo que cobra relieve la exclamación de Dolorcitas Chamorro: «¡Compromisos de honor, Serrano!» (I, 3, IV).

Cuando se habla, mucho más adelante en la novela, de la importancia política que podría llegar a tener Serrano, otro personaje (el médico de Redín) alude otra vez a las razones de la suerte del general: «Está ya muy feo el general Bonito».

La desvalorización de Serrano se intensifica al insistir Valle-Inclán en presentarlo desde el punto de vista de la reina:

«—¡El duque de la Torre no puede olvidar los favores que ha recibido de Vuestra Majestad!

Se achuscó la Señora:

—¡Y qué favores, Jeromo! ¡La flor y la nata!...» (II, 4, VIII). Por otra parte, tanto la reina como algunos nobles están de acuerdo en afirmar que la revolución quedaría abortada si se llamara a Serrano a formar gobierno, cosa a la que se oponen el padre Claret y Patrocinio (II, 4, XI). También Adolfo Bonifaz aconseja a la reina llamar a Serrano (II, 4, XIV), pero ésta afirma que tal cambio político disgustaría a la Santa Sede.

El retrato que Pérez Galdós hace de Serrano coincide fundamentalmente con el de Valle-Inclán (*O'Donnell*, cap. XI): «Tenía Serrano, capitán general de Madrid, lo que Andalucía llaman *ángel*. Más que a su guapeza, por la que obtuvo de real boca el apodo de *General Bonito*, debía los éxitos a su afabilidad, ciertamente compatible, en el caso suyo, con el valor militar temerario, en ocasiones heroico.»

Compárese con el retrato que traza Valle-Inclán en *Ahora* (13-VIII-35): «El general Serrano fue uno de aquellos afortunados espadones isabelinos, ingrato, cortesano, tornadizo, de cortas luces y pocos escrúpulos, pero con mucha simpatía personal para el navajeo de las zaragatas políticas.»

SUIZO, Café

Eusebio Blasco, en *Del Suizo a la Suiza (Impresiones de viaje*, 1868), lo recuerda con estas palabras: «¡Rincón adorado, posada literaria, círculo vicioso y república de las letras! En él hemos recibido casi todos nuestro bautismo de tinta. En él se han escrito las primeras gacetillas, y las primeras escenas, y las primeras entregas, y los primeros artículos de fondo. En él se oyeron las primeras frases de

Manuel del Palacio y los primeros chistes de Correa y los primeros discursos de Gaspar Núñez de Arce» (p. 8). Quedaba en la calle de Sevilla.

TAJO

El Tajo (Texo) se cita en II, 1, xi como símbolo de la Unión Ibérica, a la vez que se recuerda, humorísticamente, la «Profecía del Tajo» de Fray Luis de León: «Bajo los miradores reales, el río sacaba fuera mucho más del pecho, y sólo por escrúpulo de la luna no descubría las vergüenzas.»

TAMBERLICK, Enrique

(1820-1889). Fue el gran tenor de la época, disputado por todos los escenarios europeos. En 1846 ó 1847, cantó, modestamente, en el Teatro del Circo, pero a partir de 1860 las empresas se lo disputaban a precio de oro (Fernández de Córdova, *Memorias*, p. 296).
Cantó en 1865 en la inauguración de los Campos Elíseos en Madrid; ese año, Pérez Galdós le dedica algunas de sus crónicas en *La Nación*. Cuenta Pérez Galdós en sus *Memorias*, que al llegar Prim a la Puerta del Sol, triunfante después de la revolución de 1868, iba precedido de Tamberlick, que cantaba el himno de Garibaldi.
Es posible que Valle-Inclán, que sólo lo nombra en II, 6, ix, proyectara recoger esta escena, digna de figurar en *El ruedo ibérico*.

EL TEMPRANILLO

V. *Joselito María.*

TETUÁN, duque de

V. *O'Donnell, Leopoldo.*

TIBERIO GRACO

Nombre masón de Rafael La Rosa (en *Otra castiza de Samaria* Valle-Inclán lo había llamado Pomponio Mela).

TOPETE, Juan Bautista

(1821-1885). N. en Tuztla (México) y m. en Madrid.
Hizo rápida carrera en la Marina de Guerra. Se afilió a la Unión Liberal en 1861. Fue diputado en las Cortes de 1862. Tomó parte en el bombardeo de Valparaíso y en el combate de El Callao (1866), fue herido en este último y ascendió a brigadier. Al volver fue nombrado capitán del puerto de Cádiz, cargo que conservó hasta el triunfo de la revolución de 1868.

Firmó un manifiesto revolucionario a bordo de la *Zaragoza*, el 17 de etiembre de 1868. La escuadra intimó la rendición de la plaza y el gobernador militar entregó entonces la ciudad y se adhirió a la revolución.

Topete era edicto incondicional de Montpensier y simpatizó siempre con los grupos más conservadores. Durante el gobierno provisional fue ministro de Marina y diputado en las Cortes Constituyentes. Cuando se eligió rey a Amadeo I renunció, pero aceptó ir a recibirlo a Cartagena al conocer el atentado contra Prim. Fue ascendido a contra-almirante en 1871.

Al proclamarse la República estuvo preso durante unos días en la cárcel militar de San Francisco de Madrid. Fue otra vez ministro de Marina al ocupar Serrano el gobierno el 3 de enero de 1874. Con la Restauración volvió a la vida privada, pero más tarde reconoció a Alfonso XII. Fue ascendido a vicealmirante en 1881.

Topete aparece en *Baza de espadas* como cobarde y traidor, tal como lo presenta Paúl y Angulo en *Memorias íntimas de un pronunciamiento*.

TORRE, duque de la

V. *Serrano y Domínguez, Francisco.*

Padre TORRECILLA

V. *Consejo de Londres.*

TRÁGALA

Hay muchas letras para el *trágala*. Transcribo la siguiente, reproducida por Iris Zavala *(Masones, comuneros y carbonarios,* Documento XXIX)

El Trágala nuevo
Ya no lo arrancas de la Nación

Trágala o muere vil servilón
ya no la arrancas
ya no la arrancas
ni con palancas
de la nación.

(Madrid, Imprenta de don Antonio Martínez, 1822.)

TRIESTE

En 1813 fue ocupada por los austríacos, que le impusieron su régimen absolutista. En 1848 hubo un intento, rápidamente sofocado, de instaurar la república triestina; a partir de 1866 fue el único puerto austríaco.

Pasó a poder de los italianos el 3 de noviembre de 1918, al acabar la primera guerra mundial.
Valle-Inclán se refiere a la «Corte Carcunda de Trieste, santurrona y cismática» en II, 4, ix. Allí vivía la princesa de Beira.

TRISTE CHATAS [sic]

Se trata de la canción de Atala, que se divulgó por toda España y fue popular durante el siglo xix. El título de una de las versiones es «Canción nueva de Atala. En ella se declaran los amores de la misma y el ardiente Chactas».
Al referirse a los amores entre Salustiano Olózaga y Rafaela Quiroga (v.), Valle-Inclán recuerda la canción: «Aquella Rafaelita que cantaba en la tertulia el Triste Chatas» [sic] (XI, 1, x).

ULLOA, Augusto

(1823-1879). N. en Santiago de Compostela y m. en Madrid. Pertenecía a una familia gallega tradicional. Estudió la carrera de Derecho, y fue profesor de Derecho político y penal en la Universidad Central. Colaboró en *El Clamor Público, La Nación, El Tribuno*, y fue ferviente progresista hasta su ingreso en la Unión Liberal. Durante el bienio progresista ocupó la subsecretaría de Estado; en 1857 fue nombrado director general de Ultramar y más tarde ministro de Fomento en el gabinete unionista presidido por Mon. Fue enviado a Italia durante las negociaciones para el reconocimiento del reino.
Trabajó en la preparación de la Gloriosa, y en su casa se reunieron a principio de junio los dieciocho generales ofendidos por los ascensos de Concha y Novaliches.
Diputado a las Cortes Constituyentes (1869), fue uno de los redactores del proyecto de Constitución. En la elección de rey votó por Amadeo de Saboya. Después del grito de Sagunto consiguió que el gobierno de Serrano fuera reconocido por las grandes potencias, y logró reanudar las relaciones diplomáticas con el Vaticano, rotas desde 1868.
Estaba casado con una hija del senador Gálvez Cañero, y era cuñado de Fernández Vallín. Publicó un estudio sobre la esclavitud en la *Revista de Indias* (1868).

UNIÓN IBÉRICA

En 1863, los republicanos ibéricos proyectaron destronar a Isabel II y remplazarla por Luis de Portugal, como soberano de los dos países. Al parecer los conjurados contaban con el apoyo de grupos italianos.
En 1865 se preparó un pronunciamiento, que fracasó, y que iba a estallar con el lema de *Unión ibérica*. Poco des-

pués Olózaga patrocinó la misma idea al proponer la candidatura de Fernando de Coburgo para rey de España, idea que fue aceptada por los progresistas.

UTRILLA

En II, 8, XIV, Valle-Inclán se refiere a los «fraques de Utrilla». Este conocido sastre madrileño aparece también en *Mendizábal*, de Pérez Galdós.

VALENCIA, duque de

V. *Narváez, Ramón.*

VALERA, Juan

Aunque Valle-Inclán lo presenta en el Ateneo en marzo o abril de 1868, no es seguro que estuviera en Madrid para esta fecha, ya que viajó a París en diciembre de 1867 para casarse. En el verano de 1868 estaba en Biarritz con su mujer, y en setiembre, en vista de los acontecimientos políticos, Valera decidió ir a Madrid, adonde llegó el 26 de ese mes. Se han publicado varias cartas de Valera a su mujer, describiendo los hechos revolucionarios (reproduce algunas Carmen Bravo Villasante en su *Vida de Juan Valera*).
En I, 9, VII), se lee: «Rasgueaba una larga carta libidinosa, con citas latinas del vate mantuano, Juanito Valera.» La fama de Valera como corresponsal «picante» se había extendido por Madrid por lo menos desde su estancia en Brasil (1851), luego se acrecentó con las cartas que enviaba desde Rusia (1856-7). Es posible que Valle-Inclán las conociera a través de Manuel Azaña, quien en 1926 publicó su primer estudio sobre Valera («Valera en Rusia», *Nosotros*, Bs. As., enero-febrero de 1926, núms. 200 y 201).
Valle-Inclán ya lo había introducido como personaje en *Una tertulia de antaño*.

VASALLO o VASSALLO, Francisco de Paula

Fue nombrado capitán general de Sevilla el 6 de julio de 1868. Llegó allí el 19 de julio, tras dejar el mando de Granada. En su nuevo destino, Vasallo recibía anónimos constantemente, que le avisaban sobre la tarea de los conspiradores. Estos anónimos señalaban particularmente a su segundo, el general Izquierdo (v.). Vasallo se los mostraba a los interesados y no hacía más por falta de pruebas.
El 19 de agosto, al conocerse la sublevación de Cádiz, Izquierdo se encerró en el cuartel con varios batallones, dejando fuera a Vasallo, y sumándose de este modo a la revolución.

Vasallo nada pudo hacer, y aceptó la invitación de las fuerzas revolucionarias de exiliarse en Gibraltar.
Este relato está extraído de la *Memoria del general Vasallo sobre el alzamiento de Sevilla, de cuyo distrito era capitán general* (publicada por Miraflores, *Memorias*, III, 461-477), que escribió para atestiguar que no estaba en el secreto de la revolución y que —aunque era liberal— no podía participar en ella por sus juramentos y palabra de honor.
Las palabras de Izquierdo en III, 5, XVIII refieren con exactitud parte de la *Memoria* citada.

VERITAS, PADRE

Bandido citado en *El bandolerismo...* de Zugasti (I, p. 186).

VICTORIA, duque de la

V. *Espartero, Baldomero*.

VILLERGAS

V. *Martínez Villergas, Juan*.

ZABALA, Juan

(1804-1879). N. en Lima y m. en Madrid. Luchó en Perú contra los independentistas y regresó luego a España. Participó en la guerra carlista. Tomó parte en las negociaciones que precedieron al abrazo de Vergara. Luchó en África; al mando del segundo cuerpo de ejército contribuyó a la victoria de los Castillejos. Se distinguió en la acción de Sierra Bullones, lo que le valió el título de marqués de Sierra Bullones. Afiliado a la Unión Liberal, fue ministro de Marina con O'Donnell en 1865.
Durante la Primera República se retiró de la política. Serrano lo llamó luego y volvió a luchar contra los carlistas. Dimitió por motivos políticos.
En II, 2, XV se recuerda su actuación en África. Luego se le pospone en los ascensos para las vacantes de capitán general (II, 4, VII), por lo que participa en la «Parranda de Marte» (II, 6, III) y es detenido (II, 9, XVI).

LA REINA, EL REY Y EL PADRE CLARET EN LA HISTORIA Y EN LA NOVELA

A) LA REINA ISABEL II EN LA HISTORIA Y EN LA NOVELA

La «reina castiza»

Al caracterizar a Isabel II, Valle utiliza, como siempre, la técnica de destacar unos pocos rasgos y repetirlos hasta que nos quedan grabados y esquematizados, como sucede con la caricatura, y, entre otras técnicas de vanguardia, con la pintura expresionista. ¿Cuáles son los rasgos que Valle ha elegido para trazar su retrato de Isabel? Entre los físicos, destaca sus ojos azules, el labio abultado, la gordura, la piel enrojecida. El color de su piel no era signo de salud, sino de la enfermedad que padeció desde la infancia, una enfermedad herpética a la que Valle alude directa o indirectamente: «La Reina de España, frondosa, rubia, herpética...» (I, 2, v); «gozosa y encendida de la fiesta» (I, 2, x); «encendida y risueña» (I, 2, xi); «flamencota, herpética, rubiales» (I, 10, v); «disimulaba con mitones el rosicler herpético de las manos, achorizadas y gigantonas como pedía el centro de dos mundos» (II, 8, v). Algunos han atribuido su intemperancia sexual a esta misma enfermedad, que le producía escozores en distintas zonas del cuerpo. Así Carlos Rubio, quien afirma que tenía «una enfermedad que le produce el mismo efecto que a otras personas la toma de una medicina afrodisíaca» (*Historia*, p. 51). Es posible que Valle-Inclán aluda a esto cuando dice, irónicamente: «La Señora, purpúrea de piadosos fervores...» (I, 22, x).

La gordura de la soberana está vista sarcásticamente algunas veces: «un suspiro feliz deleitaba sus crasas mantecas...» (I, 2, IV); «luce sus opulentas mantecas en una roja sinfonía de sombras...» (II, 4, IV); pero otras, con el tópico generalizado de la gracia, españolismo y simpatía de la reina: «se abanicaba con aquel su garbo y simpatía de comadre chulapona...» (I, 2, IV); «La Reina sacaba con sandunga el morrete: Envuelta en un peinador de lazos, con desgonce de caderas y celosos arreboles, pasó a su alcoba» (II, 4, XIII). En cambio, creo, nunca desvaloriza sus ojos: «El azul celino de sus ojos sonreía en el cerco de lágrimas» (I, 10, VII); «Los augustos ojos —claro celaje madrileño— miraban aquella locura compasivos y chanceros» (II, 2, V). El labio inferior abultado es, como se sabe, rasgo físico común de los Borbones, por eso la reina «mirándose los dedos llenos de tinta, beata y maliciosa, engordaba el labio borbónico» (II, 4, VI).

Todos los autores que han estudiado el reinado y la personalidad de Isabel II, tanto los que la denigran absolutamente como los que la miran con cierta simpatía y tratan de explicar y comprender sus errores, coinciden en señalar el afecto y simpatía que le tenía el pueblo por su modo campechano, su figura, digamos, no sofisticada, su hablar populachero, su gracia «española». Valle-Inclán no es indiferente a esto, como vimos en algunos de los ejemplos citados, y también en los siguientes: «La Católica Majestad sonreía conqueridora y frescachona, con la sonrisa de la comadre que vende buñuelos en la Virgen de la Paloma» (I, 10, XII); «Para todos tenía una zumba popular y amable la Majestad de Isabel II» (I, 2, VI). Al respecto es ilustrativo citar algunas anécdotas que traen los autores del siglo XIX. En 1847, los progresistas decidieron organizar una serie de manifestaciones con el objeto de ganar a la reina para su causa. Las manifestaciones consistían en vitorear y aplaudir a la joven reina en sus apariciones en público. El grupo de manifestantes (pagado con dinero del Estado, distribuido generosamente en beneficio de su propio partido por Patricio de la Escosura) se excedió en sus manifestaciones, como se desprende del relato de Morayta (*Historia*, t. VII, p. 1187), que hoy nos suena tan ingenuo:

> El aplauso, y son frases de un testigo presencial, y hasta los requiebros que la dirigieron sus admiradores tratando de rendirla homenaje, no sólo como a reina, sino como a mujer de corta edad y simpática presencia, escandalizaron a todas las personas graves.

Y agrega en nota algo no menos sabroso:

> Un mal trazado, con marsellés al hombro y sombrero gacho en la cabeza, traje muy usado entonces por la gente flamenca, subió al coche de la reina, y durante largo rato fue diciéndola flores y frases picantes que la hicieron reír no poco; y otros obsequiáronla con piropos y saetas, tan comunes entre los maleantes y desocupados. El principal pecado de aquellos entusiasmados consistió así, en tratar a la reina como a mujer, cosa, en verdad, que a ella no la ofendió» (*id.*, nota en página 1189).

En cierta ocasión, el Gobierno resolvió suspender la manifestación que todos los años se organizaba para el 2 de mayo frente al obelisco que recuerda a las víctimas de los fusilamientos. La reina, que acostumbraba vestir de luto en ese día, trató de impedirlo diciendo estas palabras, que reproducen los historiadores:

> ¿Qué es eso de prohibir la manifestación? Que se haga: yo soy muy española y de las de la Virgen de la Paloma, que llevan la navaja en la liga. (Villalba Hervás, *Recuerdos...*, p. 219.)

La situación tiene algo de ese patriotismo «de pandereta» que satiriza Valle-Inclán en el capitulillo X del libro cuarto de *Viva mi dueño*:

> La inolvidable fiesta, donde leves instantes habían sido las horas, terminó con un honesto fandango, que bailaron la Primorosa y Malas Cachas. —Estrellas del tablado flamenco, que sabían conducirse en los salones sin alzar un demasiado la pierna—. La Reina Nuestra Señora aplaudió, con los ojos húmedos de emocionado rocío:
> —¡Mi adorada España!

Otra característica de la reina, destacada en la novela, es la falta de puntualidad:

> El Señor González Bravo esperaba en la cámara regia. Esperó mucho tiempo. La Señora jamás se dignó acudir puntual a sus regias audiencias (I, 10, XII).

El general Fernández de Córdova lo dice en sus *Memorias*:

> Las horas de comer, de recibir a los ministros, de despacho, de audiencias, etc., no las regularizaba bien Su Majestad o las variaba cada día, y así hartas veces salía yo de Palacio a las siete o las ocho de la noche, habien-

do entrado, para tomar la orden y el santo, al mediodía (*Memorias*, t. II, p. 147).

Crueldad y bondad

En su informado libro sobre Isabel II, Carmen Llorca asevera concienzudamente que, a pesar de sus errores o fragilidades humanas, la reina poseía «el inmenso mérito de su bondad». Porque Isabel, junto a su leyenda negra, tiene también una leyenda blanca, o mejor, rosa, a la que también Benito Pérez Galdós rinde tributo en *La de los tristes destinos*. Esta leyenda incluye la variante de considerar a Isabel como víctima de los políticos liberales que la utilizaron de mil maneras para disfrazar sus ansias de poder. El extremo de esta leyenda consiste en afirmar que las fragilidades humanas de Isabel son una consecuencia de la «mala educación» recibida durante la regencia de Espartero, durante la cual, como dijimos, tuvo ayos liberales.

Sin embargo, no puede excusarse a la reina de las terribles represiones que casi siempre estaban a cargo de Narváez, y los escritores más radicalizados aun la acusan de pedir que se aumentara el número de los ajusticiados o de no querer conceder el indulto. Así, dice Fernando Garrido en su *Historia del reinado del último Borbón de España* (Madrid, 1869):

> Isabel no podía ignorar la situación de Madrid. No tenía ya la excusa de ser una niña; los años habían pasado sobre ella, y su juicio debía hallarse bastante formado para discurrir acerca de las cosas [se refiere a la represión de 1848] (t. III, p. 43).

Y Ballesteros Beretta:

> Cuando en Palacio pedían más castigos [después de la sublevación de los sargentos de San Gil], exclamó O'Donnell: —¿Pues no ve esa señora que si se fusila a todos los soldados cogidos, va a derramarse tanta sangre que llegará hasta su alcoba y se ahogará en ella? (*Historia*, t. VIII, p. 75).

Pero, según Lafuente-Valera (*Historia*, t. VI, p. 533), la reina, en 1848, no quería que se fusilase a nadie.

Valle-Inclán la presenta cruel aunque no criminal:

> El palo, numen de generales y sargentos, simbolizaba la más oportuna política en las cámaras reales. La Señora encendida de erisipelas, se inflaba con bucheo de paloma: —¡Pegar fuerte, a ver si se enmiendan! (I, 1, IV).

El dinero

Otro de los lugares comunes sobre Isabel II es su prodigalidad, la que solía ejercer, por cierto, a costa de los
dineros del Estado. No debemos olvidar que su reinado
es el de los grandes negocios financieros en los que eran
consumados maestros el marqués de Salamanca, la reina
madre y su marido, el duque de Riánsares. Es la época
de los grandes banqueros, de las jugadas espectaculares
en la Banca, de las concesiones y tendido de vías férreas.
Aparte de la acumulación de capital lograda por este grupo, la reina daba no poco que hablar a las gentes con su
generosidad, la que ejercía a favor de antiguas y nuevas
amistades, o por el fácil y popular camino de la beneficencia.

Como ejemplo de lo primero citaremos el caso de las
que podríamos llamar «piedras fantasmas». La reina necesitaba un millón de reales para recompensar a alguien
de su amistad, y Agustín Esteban Collantes, entonces
ministro de Fomento, resolvió autorizar la contratación
de 130.000 cargos de piedra (un cargo equivale a la tercera parte de un metro cúbico) con destino a la reparación
de carreteras. Las piedras debían amontonarse a orillas
del Manzanares, pero como nunca nadie las vio, la de-
fraudación fue denunciada, y Esteban Collantes debió
comparecer ante el Senado. Fue absuelto, y, en cambio,
se consideró culpable a uno de sus subordinados (Morayta, VIII, p. 193, y Pirala, II, p. 341).

Como personaje de Valle-Inclán, la reina parece no
conocer el valor del dinero, como se deduce de las preguntas sobre el valor de uno o dos millones de reales que
dirige a su servidumbre en el libro *La Rosa de oro*. La
reina quiere enviar un regalo a Pío IX para corresponder
a la distinción de que éste la ha hecho objeto:

> Pues he pensado mandar un millón de reales para la
> limosna de San Pedro. ¿Te parece que será poco? Yo,
> francamente, no sé lo que puede hacerse con esos cuar-
> tos (I, 2, IV).

y más adelante dice a la duquesa de Fitero:

> Tengo en pensamiento mandar dos millones a la limos-
> na de San Pedro. ¿Será poco? Claro que no pretendo
> pagar tan señaladas muestras de amor como me da el
> Santo Padre. ¡Eso no se paga! ¿Quedaré mal con dos
> millones, Eulalia? (I, 2, V).

En el lector avisado estas disquisiciones de la reina evocan necesariamente los discursos que en las sesiones de Cortes Constituyentes del 1, 2 y 15 de diciembre de 1869 pronunció el entonces ministro de Hacienda, Laureano Figuerola. Al referirse a la desaparición de objetos de valor en el Palacio de Oriente, en este caso la vajilla, dice:

> Hasta hay el hecho singular de que uno de esos servicios de plata se fundió por 25.000 duros como legítima retribución de aquella Rosa de Oro, cuya historia todos conocéis (citado por Villalba Hervás, *Recuerdos...*, página 297).

Poco más abajo, también en I, 2, v, la reina dice:

> Dos millones, tengo idea de que en los últimos monos le pedía Paco a Narváez... Dos millones debe ser una cantidad decente, porque en el pedir nunca se queda corto Pacomio.

lo que por cierto tiene gracia, y más aún si sabemos que, según los rumores de la época, el rey consorte pedía dos millones por cada niño que se bautizase con su apellido... (Rafael Gomuz, *Memorias secretas de Isabel de Borbón, por un testigo ocular*, Madrid, 1868, p. 17.)

De esta misma reina, que, al parecer, no conoce el valor de los millones, dice Valle que era «muy experta tasadora de alhajas» (I, 2, II), lo que no puede dejar de evocar, en la mente de quienes conocen los sucesos, los tristes aconteceres históricos de la noche de San Daniel, que ya comentamos.

Otro episodio relacionado con este tema es el de las alhajas que Isabel se llevó al salir del territorio español después del triunfo de la revolución de 1868. En las sesiones de Cortes Constituyentes ya citadas, Laureano Figuerola acusó a la reina de haber robado alhajas de la corona evaluadas en 42 millones de reales. Cánovas la defendió argumentando que esas alhajas eran personales.

Por supuesto que las acaloradas críticas contra la reina producidas en los años revolucionarios se enfriaron durante la Restauración. Cuando Isabel muere, el 9 de abril de 1904, el periódico conservador *La Epoca* publica una necrológica en la que se enuncia que «no conocía el valor del dinero» y que «el mayor de sus dones fue la prodigalidad».

Amantes, cartas y bula pontificia

Con respecto a estos temas, Valle-Inclán no necesitó mucha imaginación para componer la figura de la reina: sus amores han pasado prolijamente a la historia, y su lista puede leerse en la biografía que le dedicó Carmen Llorca. Aun el *pollo real* —para el que Valle inventa la figura del Barón de Bonifaz— podría estar inspirado en un personaje que menciona el folleto panfletario de Rafael Gomuz ya citado. En el folleto se describe así al personaje:

> ... era el primer perdido de los que pululaban por las calles de la capital, que hacía gala de sus asquerosos amores en cafés y casinos, mostrando aquellos sucios papeles a quien quería leerlos, y que por sus servicios en palacio llegó a llamársele *pollo real* (p. 14).

Es cosa muy comentada por los historiadores que Isabel II tuvo problemas a causa de sus cartas de amor. Carmen Llorca afirma que Natalio Rivas conservaba las cartas que la reina escribió al marqués de Bedmar (su amante en 1848), y las califica de »las cartas más castizas y más llenas de faltas de ortografía que puedan existir». (*Isabel II*, p. 97).

Sobre la importancia de ciertas cartas para la política española —recuérdese que en *Viva mi dueño* la reina escribe al papa una carta donde le expone sus escrúpulos sobre la legitimidad de su heredero— dice Pi y Margall:

> [La candidatura del duque de Montpensier o de su esposa] dependía de la comprobación o no de ciertos misteriosísimos documentos que se decía existir en Londres y que, según referencias, probaban el mejor derecho que tenía al trono Luisa Fernanda sobre Isabel II, o por lo menos sobre el príncipe Alfonso.

Y agrega en nota:

> Un sesudo historiador, hablando de estos misteriosos documentos, dice «Nada más delicado que hablar de estos documentos. Debo, sí, decir, y me atengo al dicho de la opinión, que según unos, probaban la ilegitimidad de Isabel II; según otros, la del príncipe Alfonso, luego rey. De ellos se daban tales pormenores que hubiérase dicho, a creerlos, que habían sido patrimonio del público. Conviene no confundir estos documentos con unas cartas olvidadas por la reina en un *bureau* de su **alojamiento de Oviedo cuando su viaje a Asturias en**

1859, que fueron a parar a manos del comité progresista de aquella capital; que las dio a leer a algunos amigos, pero que no hizo mal uso de ellas, aun yéndole tanto en aquel juego. Tampoco parece no debían ser los mismos de que el rey Don Francisco se valió, conforme al dicho de las gentes, en tantas ocasiones, para amenazar a su esposa y a los gobiernos; pues aquéllos, así se dijo, fueron por él entregados en pago de muchos favores y no poco dinero» (*Historia*, IV, p. 404).

Valle-Inclán también alude repetidas veces a una bula pontificia otorgada a Isabel II «pro causa naturae» (II, 1, XIX). En el folleto de Gomuz citado se dice lo siguiente:

> Isabel de Borbón [...] tenía (y tendrá sin duda, si continúa pagando los dos millones de *limosna* que le *costaba*), una célebre bula para faltar a sus deberes conyugales, para romper la fe de esposa que juró ante los altares de Cristo; bula cuya concesión se halla fundada en razones que sólo puede encontrar la curia romana [...] El temperamento ardiente, los padecimientos herpéticos hereditarios de Isabel de Bordón, la ineptitud física de su marido para llenar a satisfacción los deberes conyugales, y otras causas semejantes, son las razones en que se apoya la clerizontería de Roma, para facultar a aquella señora a que se dedique a los más detestables vicios, faltando a Dios y a la moral, mediante la *limosna* consabida.

También Garrido (t. III, p. 1182) afirma la existencia de la bula:

> [A principios de 1868] el cinismo de la prensa neocatólica llegaba a su colmo, e Isabel, empujada por la camarilla frailesca, se dedicaba a sus amoríos y devaneos con la seráfica unción a que le daba derecho la bula pontificia.

Religiosidad

Durante la época moderada se evidenció una notable separación entre la moral pública y la moral privada, sin duda porque los órganos represivos de la sociedad eran tan fuertes, y estaban a la vez tan corrompidos, que los individuos casi se veían obligados a actuar con hipocresía. En un breve e interesante trabajo sobre la moral social del siglo XIX, José Luis Aranguren ha señalado la disociación entre las formas exteriores de la religión y el escepticismo interior, lo que producía un acatamiento superficial a preceptos morales que no se respetaban en la vida privada (*Moral y sociedad*, Madrid, Edicusa, 1970).

En las novelas, Valle-Inclán presenta a una reina muy preocupada por las formas exteriores del culto religioso, y sometida tanto a la jerarquía eclesiástica como a elementales prácticas supersticiosas. La reina es víctima de sus pasiones y de quienes debían perdonárselas: el Sumo Pontífice, el padre Claret y su marido oficial. Como sus problemas de conciencia son muchos, necesita también el consejo y apoyo moral de sor Patrocinio, quien cobra caros sus servicios. Pero Valle-Inclán está lejos de presentarnos una víctima pasiva del terror religioso; presenta, en cambio, una Isabel II en delicado equilibrio entre un temperamento alegre, juvenil, sensual, caprichoso, que suele cumplir con su «antojo real», y un personaje oficial sometido temporalmente a las intrigas de la camarilla ultramontana, compuesta por el rey, el padre Claret y sor Patrocinio. Como necesitaba que le perdonaran mucho, era obligado que su sometimiento fuera mayor:

> Sobre su conciencia turbada de lujuria, milagrerías y agüeros, caían plenos de redención los oráculos papales (I, 2, III).

En las novelas, Isabel II aparece en excelente relación con la Santa Sede: el papa la condecora con la *Rosa de oro* e impone su política al conseguir el casamiento de la infanta Isabel Francisca con el conde de Girgenti. Con respecto a una posible apertura política más liberal la reina dice: «... yo no quiero volver a incurrir en las censuras de Roma», a lo que González Bravo responde: «Roma representa el caso de conciencia para Su Majestad Católica... No la oportunidad política para España» (I, 10, XII). Pero González Bravo debe abandonar sus deseos de liberalizarse para satisfacer a la camarilla ultramontana que, en este caso, es mucho más derechista que el papa y hace todo lo posible para conseguir la abdicación en la rama carlista.

El desarrollo de esta intriga está expuesto en *Viva mi dueño*, libro sexto, capitulillos XIII a XVI, en los que el rey, el padre Claret y sor Patrocinio, secundados por el Conde Blanc, consiguen su propósito —gracias a la mediación de un «milagro» de la monja—: que la reina firme una carta dirigida a Pío IX, exponiéndole sus escrúpulos sobre la ilegitimidad de su hijo Alfonso, heredero del trono. En estos puntos el relato de Valle coincide con un folleto de 1869 titulado *Biografía del P. Claret* (por O... Colaborador de *La Iberia* de Calvo Asensio, Madrid. 1869. El autor podría ser José Olózaga, según opina C. Fernández en *El confesor de Isabel II y sus actividades en Madrid*, Madrid, 1964). Allí se dice, a propósito de una carta sobre la legitimidad de los hijos de la reina:

> El rey venía, al decir de las gentes, sosteniendo una influencia extraordinaria a través de la amenaza de publicar una carta sobre los hijos de Isabel, en que seguramente nada nuevo nos habría dicho, pues los misterios de palacio sólo lo eran para los que se divertían en suponerlos tales (p. 67).

y sobre la abdicación en la rama carlista:

> En febrero de 1868 trataron los neos de escalar el poder, para lo que contaron que el P. Claret aconsejara a la reina su abdicación en el príncipe Carlos de Borbón y Este, o sea Carlos VII. A las reuniones concurrían varios personajes y entre ellos D. Francisco de Asís, verificándose los conciliábulos en Atocha en las horas de la noche (pp. 71-72).

El folleto sigue diciendo que, en cierta ocasión, se presentó Narváez en la reunión y la disolvió, pero que al ver al rey entre los asistentes, resolvió no prender a nadie.

Más adelante, al hablar del padre Claret, estudiaremos con detalle la relación entre la reina y su confesor. Digamos ahora solamente que la influencia del sacerdote era mucha y que éste trataba de imponer sus puntos de vista a la reina empleando coacciones morales. El nuncio apostólico dice, en una de sus cartas al Vaticano, que la reina tenía «una confianza casi supersticiosa en el P. Claret» (v. más adelante, p. 374).

El tipo de dominación que ejercía sobre la reina la famosa sor Patrocinio, la monja de las llagas, era fundamentalmente el mismo que ejercía su confesor. Sor Patrocinio tenía, para la reina, el prestigio de sus milagros y presunta santidad. Valle-Inclán se hace eco de quienes aseguraban que Isabel II dormía con las camisas usadas por la monja, camisas que tenían las marcas dejadas por la supuración de las llagas.

El tema de las camisas figura en casi toda la literatura de la época y también en la *Biografía del P. Claret* escrita por O···, que ya hemos citado:

> [El P. Claret y Sor Patrocinio le hicieron] entender a Isabel que mientras llevara su ropa interior y sobre todo la camisa beatificada, todo pecado se borraría que el pecado está siempre más en la intención que en los hechos (p. 46).

B) EL REY CONSORTE EN LA HISTORIA Y EN LA NOVELA

Vida matrimonial

Francisco de Asís era primo de Isabel II, e hijo de aquella infanta Carlota que tanto predicamento tuvo en la corte de Fernando VII. Su padre, Francisco de Paula —que siendo niño provocó con su llanto la reacción popular del 2 de mayo de 1808— era un personaje singular: las gentes piadosas dirían que como buen masón acabó casándose en segundas nupcias con una bailarina.

Eliminados uno a uno todos los posibles pretendientes a la mano de Isabel II, sólo se mantuvo firme la candidatura del que parecía menos peligroso a los intereses de Francia e Inglaterra. Lord Palmerston, aunque no se opuso, dio su opinión: «Inglaterra jamás dará apoyo al enlace de Su Majestad con el Infante Don Francisco de Asís, porque este Príncipe está imposibilitado físicamente y moralmente para hacer la felicidad privada de Su Majestad y la de la Nación Española» (v. p. 72).

Isabel y Francisco se casaron el 10 de octubre de 1846. Al parecer, el matrimonio no se consumó. Según la versión de Morayta, don Francisco no se atrevió a entrar en la cámara regia porque creyó ver «en la llama vacilante de las bujías de la antecámara regia el anuncio de fatídicas predicciones» (*Historia*, t. VII, p. 1193).

Algunos historiadores han querido dejarnos la idea de que Francisco fue el principal enemigo que tuvo la reina. Lo cierto es que, desde principios de 1847, la separación de los reyes se hizo pública y provocó varias crisis de gabinete. El rey, ofendido con Serrano —que fue, según opinión general, el primer amante de la reina—, se negó a vivir con ella y decidió alojarse en El Pardo. Quiso volver al Palacio de Oriente cuando Isabel estaba fuera, pero no se lo permitieron. Al trascender el problema, hubo muchos mediadores para convencer al rey de que abandonara su actitud; uno de ellos fue el entonces ministro de la Gobernación, Benavides, quien mantuvo la célebre entrevista con Francisco que ya hemos comentado (p. 180). Los periódicos españoles publicaban noticias sobre las desavenencias entre el rey y la reina (*El Faro, El Eco del Comercio, El Tiempo, El Heraldo* y *El Clamor Público,* según Cambronero), pero la prensa inglesa recogía insidiosamente la noticia de la impotencia de Francisco al hacerse eco del rumor según el cual la reina pediría la disolución del matrimonio (Morayta, *Historia,* t. VII, página 1197). Según parece, la reconciliación final la logró monseñor Brunelli, nuncio de Pío IX.

Sobre las inclinaciones sexuales del rey cada autor se explaya a su gusto. Hasta hay quien lo convierte en seductor de monjas, recogiendo las habladurías sobre las visitas diarias y a deshora que hacía al convento de sor Patrocinio. Así lo quiere el folleto de Rafael Gamuz:

> ... el fraile y la monja [permitían] a su señor y amo la entrada en aristocráticos y muy célebres conventos donde alternaban amigablemente Dios y Venus, fundiendo así en una sola las religiones cristiana y pagana en medio del mayor júbilo de Paquita [Francisco] y las honestísimas esposas de Cristo (p. 6).

Francisco tenía una antipatía profunda por Serrano porque, al parecer, él había denunciado públicamente la situación irregular del matrimonio real. Carmen Llorca reproduce el testimonio de diplomáticos italianos sobre un incidente entre Serrano y el rey durante el besamanos del 4 de octubre de 1850: «un incident qu'il aurait été facile d'éviter, si ce Général par des motifs de delicatesse se fut abstenu de paraître à cette cérémonie» (*Isabel II,* página 87).

El rey consorte y el carlismo

Cada vez que la reina sufre un atentado, o muere un infante, o hay una conspiración carlista, se tiende a considerar que Francisco es cómplice o promotor de los hechos. Al parecer, Francisco creía que su mujer era una usurpadora, y eso le traía problemas de conciencia. Antes de su casamiento, dirigió una carta a su primo Carlos Luis, conde de Montemolín, pretendiente como él a la mano de Isabel, de la que extractamos los párrafos más significativos. La carta está firmada en Pamplona el 13 de julio de 1846:

Creo que poniendo los ojos en ti se ha dado un gran paso hacia la reconciliación que debes desear ardientemente, sea como cristiano, sea como Príncipe [...] De ninguna manera debes dejar pasar ocasiones que, una vez perdidas, no vuelven jamás [...] Las circunstancias te favorecen hoy. Cuentas con un poder que ningún ser humano te puede quitar [...] Si resistes, si te empeñas en conseguirlo todo, todo lo pierdes; y nada extraño sería que los que hoy te apoyan, al ver tu obstinación, se volviesen hacia mí considerándome como el primero después de ti [...] Mientras mi querido primo, en quien reconozco derechos superiores a los míos, esté delante de mí, me mantendré tranquilo como hasta ahora. Pero si tu matrimonio viniera a hacerse imposible [...] creo que mi conciencia (no hablo de mi interés porque un Trono nada tiene de seductor) me manda, me obliga a no exponer a España a un nuevo conflicto [...] No me acuses nunca de haberte quitado un puesto que tú habrás abandonado y que no quisiera ocupase otro más que tú, a quien amo de todo corazón (Morayta, *Historia*, t. VII, p. 1123).

Balmes y el grupo católico derechista habían acariciado este proyecto de unir las dos ramas, proyecto que al parecer no prosperó porque Carlos se negó a ser sólo rey consorte y a reconocer a Isabel como reina. Según Morayta, la candidatura de Montemolín no encontró apoyo en el partido moderado y mucho menos en Narváez, quien «veía en el carlista algo con lo cual no podían transigir los que como él derramaron su sangre en los campos de batalla» (*Historia*, t. VII, p. 1117).

Volviendo a la carta, el futuro rey no es tan desinteresado como dice: en la sesión de Cortes del 15 de febrero de 1869 Laureano Figuerola demostró que Francisco de Asís había conseguido un empréstito de ocho millones de francos del banquero M. Fasté para lograr el casamiento con su prima Isabel (Cambronero, *Isabel II*, página 124).

Un nuevo intento de unir las dos ramas se produce después del nacimiento de la infanta María Isabel (20 de diciembre de 1851), que fue princesa de Asturias hasta el nacimiento del futuro Alfonso XII. En 1855, el rey Francisco inició negociaciones para casar a María Isabel con el primer hijo que le naciera a Montemolín, pero el nacimiento del príncipe Alfonso en 1857 puso fin a estos devaneos que contaban, al parecer, con la aquiescencia de la reina (Morayta, *Historia*, t. VIII, p. 195; ver, en este libro, pp. 46 y ss.).

San Carlos de la Rápita

En 1860, aprovechando que la oficialidad liberal y las tropas se encontraban en África, Carlos VI decidió llegar al poder con el apoyo del general Jaime Ortega. Este, que era comandante de las Baleares, embarcó tres mil hombres y tomó San Carlos de la Rápita (al norte de Valencia); ocupó los caminos, cortó las líneas telegráficas y se dispuso a la marcha.

Pero los soldados, al enterarse del objeto de la sedición, se negaron a plegarse a ella. Ortega fue fusilado, el pretendiente y su hermano Fernando fueron hechos prisioneros y conducidos a Tortosa, donde firmaron su renuncia al trono español. Al encontrarse en libertad, se retractaron de esta renuncia.

Vastos sectores de la nobleza palaciega apoyaron esta conjura en la que participó también la camarilla del rey consorte. «Ese club tenebroso tenía en Palacio sus raíces», afirma Garrido (*Historia*, t. III, p. 431). Lo mismo opina Pirala, aunque expone las cosas con mucha cautela luego de escribir:

> La gran conjura que fracasó inesperadamente en San Carlos de la Rápita, aún se halla envuelta en el misterio; ofrecimos revelarla y vamos a cumplir nuestra promesa (*Historia*, t. II, pp. 487 a 535).

Por eso Valle-Inclán dice:

> En la Cámara del Rey acogíase la intriga apostólica, años atrás fracasada en San Carlos de la Rápita (II, 6, XIII).

en moméntos en que el rey Francisco, sor Patrocinio y el padre Claret se coaligan para lograr que la reina abdique en la rama carlista.

c) EL PADRE CLARET EN LA HISTORIA Y EN LA NOVELA

De todos los personajes de *El ruedo ibérico*, el padre Claret es el que ha despertado más controversias. Por un lado, hay una cantidad inmensa de literatura apologética derivada de los procesos de beatificación (1934) y santificación (1950); y por otro, un material que también parece ser inmenso, producido por sus detractores.

Antes de ser confesor de la reina, Claret fue arzobispo de Cuba, desde 1851 hasta 1860. En 1856, en Holguín, recibió un navajazo en la cara, hecho que recuerda Valle-Inclán en *Viva mi dueño:*

> Hábitos rojos, gran solideo, la jeta embridada de la oreja al mentón por el chirlo que le había pintado un moreno de Tierra Caliente (II, 6, XIII).

y más adelante:

> El Reverendo tenía la boca vasta y oscura, rasgada de pastosas vocales catalanas, partida por el chirlo que diseñaba acentos de clérigo trabucaire, en aquella jeta payesa y frailuna (II, 8, IV).

Claret fue confesor de la reina entre 1857 y 1868, y emigró con ella después de la revolución. El 10 de junio de 1858 recibió el título de arzobispo de Trajanópolis. Acompañaba a Isabel en sus viajes y aprovechaba estos desplazamientos para predicar. Su obligación era confesar a la reina cada ocho días, y también solía celebrar misa en Palacio y darle la comunión, aunque esto era obligación del patriarca de las Indias y otros capellanes de Palacio. Claret vivía en la parroquia de Monserrat, en Antón Martín; allí estaba cuando se declaró la revolución de 1866, y fue testigo de los hechos que se produjeron en las barricadas (en la edición de sus obras de la *BAC* se publica una carta donde cuenta la revolución y hace juicios políticos muy interesantes). También estuvo durante nueve años encargado del Real Monasterio del Escorial.

En cuanto a las obras apologéticas, las más documentadas son las de Cristóbal Fernández. Pretende el padre Fernández que Claret no influyó en política, cuando de su mismo relato se deduce la evidencia contraria; lo mismo sucede con sus afirmaciones de que el confesor no ejercía presiones sobre la reina. Sobre estos puntos hay un estudio reciente más objetivo, provisto de interesante documentación. Se trata del artículo de Goñi Gallarraga titulado «El reconocimiento de Italia y monseñor Claret, confesor de Isabel II (La correspondencia Barili-Claret)», publicado en *Anthologica Annua,* Roma, Instituto Español de Historia Eclesiástica, núm. 17, 1970, pp. 369-462. El reconocimiento del reino de Italia fue un hecho político trascendental para España; lo impuso O'Donnell como una de sus condiciones para asumir el gobierno en 1865, con objeto de atraerse las simpatías de progresistas y demócratas (v. p. 81). Como es sabido, la casa de Saboya logró la unidad italiana a costa de enemistarse con la Santa Sede, ya que ésta tuvo que perder sus posesiones. En 1861 se proclamó el reino de Italia, y el trono de Víctor Manuel fue reconocido por los países europeos, menos por Austria y España. Pío IX excomulgó al rey, hecho que se sumó en la imaginación de los feligreses a las patéticas imágenes de un papa amenazado y perseguido por el liberalismo. Cuando cuatro años más tarde España reconoció por fin a Víctor Manuel, los neocatólicos levantaron una ola de protestas, tanto en las Cortes como en sus periódicos *El Pensamiento Español*, *La Regeneración*, *La Esperanza*. Aparisi y Guijarro lanzó contra la reina la famosa imprecación «Adiós, mujer de York, reina de los tristes destinos», que proporcionó el título a uno de los *Episodios Nacionales* de Galdós.

Según el pensamiento de derecha, este hecho político fue el principio del fin del reinado de Isabel II; así lo afirmó, por ejemplo, Menéndez y Pelayo (v. p. 266) en su *Historia de los heterodoxos* (Madrid, 1932, t. VII, p. 304).

Pero no es nuestro tema discutir si el abandono de la derecha ultramontana produjo la caída de Isabel II, sino tratar de dilucidar si Valle responde de alguna manera a la realidad histórica cuando toca el tema de las relaciones entre la reina y su confesor. Valle-Inclán presenta un personaje rústico, con una rusticidad que se destaca aún más frente a la sutil diplomacia vaticana: «Monseñor Franchi acogía con especiosa misericordia las razones del Reverendo Padre. Resabios de protocolo movían el ánimo del Prelado Romano: El gran estilo de sus artes diplomáticas se mal avenía con la escuela chabacana del Regio Confesor. Aquellas expresiones ramplonas, dechado de sagacidad frailuna, le inspiraban lástima, y acaso el despecho removía sus larvas en la conciencia de Monseñor...» (II, 8, IV). Esta actitud repite la del nuncio apostólico anterior, Monseñor Barili en la realidad histórica, como se advierte en las cartas a que hacíamos referencia más arriba. En una de ellas, monseñor Barili le dice a monseñor Antonelli, cardenal secretario de Estado de Pío IX:

> algunos hay que desearían para Su Majestad otro confesor más avispado, más culto y acreditado (cit. por Goñi, p. 408).

pero pese a todo era preferible que el cargo lo ocupara Claret porque

> la profunda compenetración entre la reina y su santo confesor está dando óptimos frutos en provecho de la Iglesia, particularmente en el campo de la elección de obispos (Goñi, p. 395).

Por eso monseñor Barili trató de convencer a Claret de que siguiera al lado de la reina al estallar el conflicto sobre el reconocimiento del reino de Italia. Cuando el hecho ya estaba consumado, Claret —que ignoraba esta decisión— escribió a monseñor Barili:

> Su Majestad se halla muy afectada pero resuelta y determinada de sufrir el destierro, y aun la muerte, si es menester, antes que hacer cosa alguna contra la Santa Sede, así me lo ha dicho, ellos no sé lo que harán (me ha dicho), pero yo no haré ni firmaré cosa alguna contra el Papa (carta del 6 de julio de 1865, citada por Goñi, p. 433).

Luego la reina comunica a Claret que ha debido firmar el reconocimiento del reino de Italia. Este decide abandonar la corte el mismo día y se marcha a Barcelona contrariando los ruegos de Isabel:

> Durante mi permanencia en Cataluña me escribió [la reina] varias veces explicándome sus penas y pidiéndome por lo más santo y sagrado que no la abandonase, que volviera. Yo no contestaba. (*Documentos autobiográficos del Confesor Real*, M., Viñas, p. 462).

En Barcelona Claret se decide a ir a Roma a consultar con el papa sus problemas de conciencia y porque, además, quiere dejar el cargo de confesor de la reina. El nuncio no está de acuerdo y quiere que Claret siga al lado de Isabel, cosa que también le aconseja el papa.

Goñi ha publicado un curioso documento del archivo de Pío IX, encontrado casualmente dentro de una carta de Isabel II al papa, carta que éste citó en su entrevista con Claret. Se trata de un ayuda-memoria de lo que el padre Claret expuso al Sumo Pontífice en esa entrevista. Transcribimos el texto porque a través de su lectura se advierte la importancia que el padre Claret tenía como figura político-religiosa:

Monseñor Claret a Su Santidad Pío IX
(Archivo Pío IX. Spagna Sovrani 100-199 f. 319). Pliego
de puño y letra de Claret.

Motivos para separarme del encargo de confesor de S. M. la Reina de España.

1. El haber S. M. reconocido el reino de Italia habiéndole dicho antes que me retiraría si tal hiciera.

2. La protección que el Gobierno de S. M. da a la prensa revolucionaria.

3. Por haber el Gobierno repuesto con Real Decreto al rector y algún catedrático demócratas en la Universidad central de Madrid.

4. El inminente peligro en que se halla la nación española de admitir por su gobierno la libertad de cultos, y otros males que amenazan.

5. Si vuelvo a la Corte, los malos se confirmarán en sus maldades y Dios sabe cuánto dirán al verme allí otra vez. Además mi presencia en la Corte será como desaprobar lo que han dicho los señores obispos en sus representaciones y cartas pastorales. Será igualmente desaprobar lo que han dicho y hecho los demás católicos con escritos por medio de la prensa católica

6. Los periódicos malos me hacen la más cruda guerra con toda especie de dicterios y calumnias: a los periódicos malos se juntan las fotografías las más obscenas y repugnantes.

Motivos para continuar en dicho cargo.

1. S. M. lo pide con muchas y repetidas instancias.

2. El nuncio y otros personajes me lo aconsejan.

3. Los muchos males, dicen, que mi presencia puede impedir y que sin duda vendrán, tanto en Palacio como en la Iglesia, si me retiro.

4. El gran bien que se está haciendo en el Real Monasterio del Escorial; y los demás que experimentará si no me separo de la Corte.

5. Si me retiro de Madrid desaparecerá la Academia de San Miguel que tantos frutos está dando.

6. Igualmente se acabarán las Bibliotecas parroquiales.

7. En las logias masónicas se ha tratado varias veces de quitarme la vida y lo han intentado, pero D. aún no les ha concedido tal permiso.

7. Si me retiro de Madrid desaparecerán las misiones que cada año hago en las iglesias de los arrabales. Los ejercicios espirituales que cada año doy en muchos conventos de monjas, Congregaciones y casas de Beneficencia; y finalmente no se hará el bien que se hace en las muchas horas que cada día estoy en el Confesionario ya oyendo confesiones generales de almas recién convertidas, ya dirigiendo a otras a la perfección. Mas en cuanto a las calumnias y muerte con la ayuda de Dios no las temo. Nihil horum vereor etcétera.

(Goñi Gallarraga, pp. 461-62.)

El documento pone en evidencia la simplicidad del cura y la importancia de sus actividades en la corte.

El libro más conocido de Claret se titula *Llave de oro o serie de reflexiones que, para abrir el corazón cerrado de los pobres pecadores ofrece a los confesores nuevos...*, Barcelona, 1860. Según el P. Fernández, la *Llave de oro* se imprimió bajo el nombre del confesor de la reina, con interpolaciones de dibujos obscenos y con instrucciones y explicaciones escandalosas (*op. cit.*, p. 26). El libro era un blanco fácil para los librepensadores de la época, y fue puesto en solfa ya en 1866 por Eusebio Blasco en *Los curas en camisa* (reeditado en 1874), cuya dedicatoria dice: «Permitid, gran señor, que a riesgo de que se ofenda el respetable público, ponga vuestro nombre en la primera página de este libro [...] Así podrán leerle las beatas, y tal vez con esto consigamos distraerlas de aquellas *ocupaciones* de que vos habláis en vuestra *Llave de oro*, libro en el cual han sido inspirados estos renglones...»

Funes y Lustonó, redactores de *La Iberia*, en su libro *Los neos en calzoncillos* (Madrid, 1868), dedican a Claret el capítulo titulado *El de las alpargatas*; allí cuentan cómo Claret viajó a Roma para pedir la famosa bula que autorizaba a la reina a tener relaciones sexuales extramatrimoniales a cambio de una limosna de 12 millones de reales.

En cuanto a los libros de Claret citados por Valle-Inclán en II, 8, VII, y cuyo contenido conoce de memoria el príncipe Alfonso, ninguno figura en la edición de sus *Escritos autobiográficos y espirituales*, editados por una comisión de padres claretianos dirigida por José María Viñas (Madrid, *BAC*, 1959).

BIBLIOGRAFÍA

BIBLIOGRAFÍA

ALARCÓN, PEDRO ANTONIO DE. *Diario de un testigo de la guerra de África*, Madrid, 1957.

ALMAGRO SAN MARTÍN, MELCHOR. *Biografía del 1900*, Madrid, Revista de Occidente, 1943.

ÁLVAREZ VILLAMIL, V., y LLOPIS, RODOLFO. *Cartas de conspiradores. La revolución de setiembre. De la emigración al poder*, Madrid, Espasa-Calpe, 1929.

ARANGUREN, JOSÉ LUIS. *Moral y sociedad. La moral social española en el siglo XIX*, Madrid, EDICUSA, 1970.

ARJONA, EMILIO. *Carlos VII y don Ramón Cabrera*, Paris, 1875.

ARTOLA, MIGUEL. *La burguesía revolucionaria (1808-1874)*, Madrid, Alianza, 1974.

AZCÁRATE, GUMERSINDO DE. «Olózaga. Origen, ideas y vicisitudes del partido progresista. El parlamento desde 1840 hasta 1866», en *La España del siglo XIX*, Madrid, 1886.

BALLESTEROS BERETTA, ANTONIO. *Historia de España y su influencia en la Historia universal*, Barcelona, Salvat, 1936.

BENÍTEZ RUBÉN. *Bécquer tradicionalista*, Madrid, Gredos, 1971.

BERMEJO ILDEFONSO ANTONIO. *La estafeta de Palacio. Historia del reinado de Isabel II*, Madrid, 1872.

——. *Historia de la interinidad y guerra civil de España desde 1868*, Madrid, 1875.

BERMEJO MARCOS, MANUEL. *Valle-Inclán: Introducción a su obra*, Madrid, Anaya, 1971.

BLANQUAT, JOSETTE. «De l'histoire au roman: Doña Perfecta (approche methodologique)». *Actes du VI Congrès des Hispanistes Françaises*, Beçanson, 1970, pp. 59-71.

BLASCO, EUSEBIO. *Memorias íntimas*, Madrid, 1904.

——. *Los curas en camisa*, Madrid, 1866, 2.ª ed., corregida y aumentada en 1874.

BORREGO, ANDRÉS. *Datos para la historia de la Revolución, de la interinidad y del advenimiento de la Restauración*, Madrid, 1877.

BORROW, George. *La Biblia en España*, Madrid, 1921. Tr. de Manuel Azaña.

——. *The Zincali. An account of the gypsies of Spain*, New York, 1967.

BOUDREAU, HAROLD L. «Bandrity and Valle-Inclán's *Ruedo Ibérico*», en *Hispanic Review*, 35, vol. 26, núm. 1, enero de 1967, págs. 85-92.

——. «The circular structure of Valle-Inclán's *Ruedo Ibérico*», en *PMLA*, vol. 82, núm. 1, marzo de 1867, pp. 128-135.

BURGO, JAIME DEL. *Bibliografía de las guerras carlistas y de las luchas políticas del siglo XIX*, Pamplona, 1953-1966.

[CALDERÓN DE LA BARCA]. *The attaché in Madrid or Sketches of the Court of Isabella II* (1853-1854), New York, 1856.

CAMBRONERO, CARLOS. «Crónicas del tiempo de Isabel II», en *La España Moderna*, Madrid, noviembre de 1913.

——. *Isabel II, íntima. Apuntes histórico-anecdóticos de su vida y de su época*, Barcelona, 1908.

CARDONA, RODOLFO, y ZAHAREAS, ANTHONY. *Visión del esperpento. Teoría y práctica en los esperpentos de Valle-Inclán*, Madrid, Castalia, 1970.

CARLOS DE BORBÓN. *Memorias y diario de Carlos VII*, Madrid, 1957.

CARO BAROJA, JULIO. *Ensayo sobre la literatura de cordel*, Madrid, 1969.

CARR, RAYMOND. *España, 1808-1939*. Barcelona, Ariel, 1969.

CASARES, JULIO. *Crítica profana*, Madrid, Espasa-Calpe, 1944.

CASO, JOSÉ INDALECIO. *La cuestión Cabrera*, Madrid, 1875.

CATALINA, SEVERO. *Obras*, Madrid, 1877.

CLAVERÍA, CARLOS. *Estudios sobre los gitanismos del español*, Madrid, 1951.

CIGES APARICIO, MANUEL. *España bajo la dinastía de los Borbones*, Madrid, Aguilar, 1932.

CORWIN, ARTHUR F. *Spain and the Abolition of Slavery in Cuba*, Austin, The Institute of Latin American Studies, University of Texas Press, 1967.

Cuadernos Hispanoamericanos, Madrid, vol. LXVII, número 199-200, julio-agosto de 1966. Número de homenaje a Valle-Inclán.

CHALLICE, RACHEL. *The secret history of the Court of Spain*, London, 1909.

DÍAZ DEL MORAL, JUAN. *Historia de las agitaciones campesinas andaluzas. Córdoba. Antecedentes para una reforma agraria*, Madrid, 1929.

DÍAZ PLAJA, GUILLERMO. *Las estéticas de Valle-Inclán*, Madrid, Gredos, 1965.

Los Diputados pintados por sus hechos. Colección de estudios [...] recopilados por distinguidos literatos, Madrid, 1869-1870.

EIRAS ROEL, ANTONIO «Nacimiento y crisis de la democracia en España. La revolución de 1868», en *Cuadernos Hispanoamericanos*, núm. 231.

EIRAS ROEL, ANTONIO. *El partido demócrata español (1849-1868)*, Madrid, 1961.
——. «Sociedades secretas republicanas en el reinado de Isabel II», en *Hispania*, 1962.
ESCOBAR, ALFREDO; marqués de Valdeiglesias. *Setenta años de periodismo. Memorias*, Madrid, 1950.
ESPINA, ANTONIO. *Romea o el comediante*, Madrid, 1931.
ESPOZ Y MINA, CONDESA. *Memorias*, Madrid, Aguilar, 1944.
ESTEBAN, JOSÉ. *Valle-Inclán visto por...*, Madrid, 1975.
ESTÉVANEZ, NICOLÁS. *Fragmentos de mis memorias*, Madrid, 1903. Reeditado por Tebas, Madrid, 1975.

FAYE, JEAN PIERRE. *Théorie du récit. Introduction aux «Langages totalitaires»*, Paris, 1972.
FERNÁNDEZ, CRISTÓBAL. *El beato P. Antonio María Claret. Historia documentada de su vida y empresas*, Madrid, 1946 2 vols.
——. *El confesor de Isabel II y sus actividades en Madrid*, Madrid, Ed. Co. Cue., 1964.
FERNÁNDEZ ALMAGRO, MELCHOR. *Vida y literatura de Valle-Inclán*, Madrid, Editora Nacional, 1943 (2.ª ed. Madrid, Taurus, 1966).
——. *Cánovas. Su vida y su política*, Madrid, Ambos Mundos, 1951.
FERNÁNDEZ DE CÓRDOVA, F.; marqués de Mendigorría. *Mis memorias íntimas*, Madrid, 1899.
FERNÁNDEZ Y GONZÁLEZ, Manuel. *El señor Juan Caballero o los hijos del camino*, Madrid, Felipe González Rojas, s/f.
——. *José María el Tempranillo. Historia de un buen mozo*, Madrid, 1888.
FICHTER, WILLIAM L. *Publicaciones periodísticas de don Ramón del Valle-Inclán* anteriores a 1895, México, El Colegio de México, 1952.
FRANCO, JEAN. «The concept of time in *El ruedo ibérico*», en *Bulletin of Hispanic Studies*, XXXIX, 3, 1962, pp. 177-187.
FRESSARD, JACQUES. «Un episodio olvidado de *La guerra carlista*», en *Cuadernos Hispanoamericanos*, Madrid, julio-agosto de 1966.
FUNES, AGUSTÍN, y LUSTONÓ, EDUARDO. *Los neos en calzoncillos*, Madrid, 1869.

GARCÍA RUIZ, EUGENIO. *Historias*, Madrid, 1878.
GARCÍA DE LA TORRE, JOSÉ MANUEL. *Análisis temático de «El ruedo ibérico»*, Madrid, Gredos, 1972.
GARMENDIA, VICENTE. *La segunda guerra carlista (1872-1876)*, Madrid, Siglo XXI, 1976.
GARRIDO, FERNANDO. *Historia del reinado del último Borbón de España*, Madrid, 1869.
GOGORZA FLETCHER, MADELEINE DE. *The Spanish historical novel (1870-1970)*, London, Tamesis Books, 1974.
GÓMEZ DE LA SERNA, GASPAR. *España en sus «Episodios Nacionales»*, Madrid, Ediciones del Movimiento, 1954.

GOMUZ, RAFAEL. *Memorias secretas de Isabel de Borbón, por un testigo ocular*, Madrid, 1868.

GOÑI GALARRAGA, JOSÉ MARÍA. «El reconocimiento de Italia y monseñor Claret, confesor de Isabel II (La correspondencia Barili-Claret)», en *Anthologica Annua*, Roma, Instituto Español de Historia Eclesiástica, núm. 17, 1970.

GUILLAUME, JAMES. *L'internationale. Documents et souvenirs (1864-1878)*, Paris, 1905-1910.

HENAO Y MUÑOZ, MANUEL. *Los Borbones ante la revolución*, s/l., s/f. [1869-1870].

HENNESSEY, C. A. M. *La república federal en España. Pi y Margall y el movimiento republicano federal (1868-1874)*, Madrid, Aguilar, 1967.

HERNANDO, FRANCISCO. *La campaña carlista (1872-1876)*, París, 1877.

HORMIGÓN, JUAN ANTONIO. *Ramón del Valle-Inclán. La política, la cultura, el realismo, el pueblo*, Madrid, 1972.

Insula, Madrid, vol. XXI, núm. 236-237, julio-agosto de 1966.

JIMÉNEZ, JUAN RAMÓN. «Castillo de quema», en *El Sol*, 26 de enero de 1936.

JOLL, JAMES. *Los anarquistas*, Barcelona, Grijalbo, 1968.

JOVER ZAMORA, JOSÉ MARÍA. *El siglo XIX en España. Doce estudios*, Barcelona, Planeta, 1974.

——. «1868, balance de una revolución», en *Cuadernos para el diálogo*, núm. 59-60, 1968.

JUTGLAR, ANTONI. *Ideologías y clases en la España contemporá*, Madrid, 1969-1970, 2 vols.

LAFUENTE, MODESTO. *Historia general de España*. Continuada por Juan Valera con la colaboración de Andrés Borrego y Antonio Pirala, Barcelona, 1899.

LADO, MARÍA DOLORES. *Las guerras carlistas y el reinado isabelino en la obra de Ramón del Valle-Inclán*, University of Florida Press, 1966.

LEIVA Y MUÑOZ, FRANCISCO DE. *La batalla de Alcolea o Memorias políticas y militares de la revolución española de 1868*, Córdoba, 1879.

LEMA, MARQUÉS DE. *De la Revolución a la Restauración*, Madrid, 1927.

LIDA, CLARA E. *Anarquismo y revolución en la España del XIX*, Madrid, Siglo XXI, 1972.

LIDA, CLARA E., y ZAVALA, IRIS, M. *La revolución de 1868. Historia, pensamiento, literatura*, Nueva York, Las Américas, 1970.

LIMA, ROBERTO. *An annotated bibliography of Ramón del Valle-Inclán*, Pennsylvannia State University Libraries, 1972.

López Cordón, María Victoria. *La revolución de 1868 y la I República*, Madrid, Siglo XXI, 1976.
Lorenzo, Anselmo. *El proletariado militante*, Barcelona, 1901.
Llorca, Carmen. *Isabel II y su tiempo*, Barcelona, Círculo de lectores, 1973.

Madrid, Francisco. *La vida altiva de Valle-Inclán*, Buenos Aires, Poseidón, 1943.
Maravall, José Antonio. «La imagen de la sociedad arcaica en Valle-Inclán», en *Revista de Occidente*, núm. 44-45, noviembre-diciembre de 1966, pp. 225-256.
Martínez Cuadrado, Miguel. *La burguesía conservadora (1874-1931)*, Madrid, Alianza, 1973.
——. «El horizonte político de la revolución de 1868», en *Revista de Occidente*, número 67, octubre de 1968.
Martínez Sierra, Gregorio. «Hablando con Valle-Inclán. De él y de su obra», en *ABC*, 7 de diciembre de 1928.
Marx-Engels. *Revolución en España*, Barcelona, Ariel, 1973.
Matilla Rivas, Alfredo. *Las «Comedias bárbaras»: historicismo y expresionismo dramático*, Madrid, Anaya, 1972.
Menéndez y Pelayo, Marcelino. *Historia de los heterodoxos españoles*, Madrid, 1932.
Melgar, Francisco. *Veinte años con don Carlos. Memorias de su secretario el conde de Melgar*, Madrid, Espasa-Calpe, 1940.
Morayta, Miguel. *Historia de España*, Madrid, 1887-1896.
——. *Masonería española. Página de su historia. Memoria leída en la Asamblea del Grande Oriente Español de 1915 por el gran Maestre...*, Madrid, 1915.
Múgica, José. «¿Cómo murió el general donostiarra Urbiztondo?», en *Boletín de la Real Sociedad Vascongada de Amigos del País*, 1947, III.
Muñiz, Ricardo. *Apuntes históricos sobre la revolución de 1868*, Madrid, 1884-1885.
Murcia, J. I. «Fuentes del último capítulo de *Tirano Banderas*», *Bulletin Hispanique*, 52, 1950.

Nettlau, Max. *Impresiones sobre el socialismo en España*, Madrid, Zero, 1971.
——. *Miguel Bakunin. La Internacional y la Alianza en España, 1868-1873*, estudio preliminar y notas por Clara Lida, Iberama, 1971.
Nombela, Julio. *Detrás de las trincheras. Páginas íntimas de la guerra y la paz (1868 a 1876)*, Madrid, s/f.
——. *Impresiones y recuerdos*, Madrid, 1909.

O···, *Biografía del Padre Claret*, Madrid, s/f.
Odriozola, Antonio. *Catálogo de la exposición bibliográfica Valle-Inclán*, Pontevedra, Ateneo de Pontevedra, 1967.

OLAZÁBAL Y RAMERY, JUAN DE. *El cura Santa Cruz, guerrillero,* Vitoria, 1928.

OLIVAR BERTRAND, R. *Así cayó Isabel II,* Barcelona, 1955.

——. *El caballero Prim,* Barcelona, Miracle, 1952.

OYARZÚN, ROMÁN. *Historia del carlismo,* Madrid, 1939.

PANDO FERNÁNDEZ DE PINEDO, marqués de Miraflores. *Memorias del reinado de Isabel II,* Madrid, 1964.

PAÚL Y ANGULO, José. *Memorias íntimas de un pronunciamiento,* Madrid, 1869.

PEDROL RIUS, ANTONIO. *Los asesinos del general Prim,* Madrid, Tebas, 1960.

PÉREZ GALDÓS, BENITO. *Episodios nacionales,* Madrid, Aguilar, 1971.

PETSCHEN, SANTIAGO. *Iglesia-Estado. Un cambio político. Las Constituyentes de 1869,* Madrid, Taurus, 1974.

PI Y MARGALL, FRANCISCO, y PI Y ARSUAGA, F. *Historia de España en el siglo XIX,* Barcelona, 1902-3.

PIRALA, ANTONIO. *Historia contemporánea. Segunda parte de la guerra civil. Anales desde 1843 hasta el fallecimiento de D. Alfonso XII,* Madrid, 1895.

PRAZ, MARIO. *La carne, la muerte y el diablo en la literatura romántica,* Caracas, Monte Ávila, 1969.

Ramón María del Valle-Inclán. 1866-1966 (Estudios reunidos en conmemoración del centenario). Universidad Nacional de La Plata, 1967.

RÉPIDE, PEDRO DE. *Isabel II, reina de España,* Madrid, Espasa-Calpe, 1932.

Revista de Occidente. Número extraordinario dedicado a Valle-Inclán, año IV, 2.ª época, núms. 44-45, Madrid, noviembre-diciembre de 1966.

Revue d'Histoire littéraire de la France, número dedicado a «Le roman historique», 75, 2-3, 1975.

RIVAS CHERIF, CIPRIANO. «La comedia bárbara en Valle-Inclán», en *España,* 16 de febrero de 1924.

RIVAS SANTIAGO, NATALIO. *Los presidentes del Consejo de la Monarquía española (1874-1931). Sagasta. Conspirador. Tribuno. Gobernante.* Madrid, 1946.

——. *Anecdotario III,* Madrid, 1945.

ROCA DE TOGORES, ALFONSO. *Una embajada interesante. Apuntes para la historia (1875-1881),* Madrid, 1913.

RODRÍGUEZ ARÉVALO, TOMÁS; conde de Rodezno. *La princesa de Beira y los hijos de don Carlos,* Madrid, 1928.

——. *Carlos VII, duque de Madrid,* Madrid, 1929. Vidas españolas del siglo XIX, vol. 4.

RODRÍGUEZ MARÍN, FRANCISCO. *Cantos populares españoles,* Madrid, Atlas, 1951.

RODRÍGUEZ SOLÍS, E. *Memorias de un revolucionario,* Madrid, 1931.

RUBIO, CARLOS. *Historia filosófica de la revolución española de 1868,* Madrid, 1869.

SÁNCHEZ ALBORNOZ, NICOLÁS. *España hace un siglo, una economía dual*, Barcelona, 1968.
SANROMÁN, S. M. *Mis memorias (1852-1868)*, Madrid, 1894.
SEGOVIA, ÁNGEL MARÍA. *Figuras y figurones*, Madrid, 1878.
SHOEMAKER, WILLIAM. *Los artículos de Galdós en «La Nación»*, Madrid, Ínsula, 1972.
SMITH, V. A. *«Fin de un revolucionario* y su conexión con el Ciclo Ibérico»*, en *Revista de Literatura*, Madrid, 1964, número 51-2, pp. 61-88.
SOLALINDE, ANTONIO G. «Prosper Merimée y Valle-Inclán», en *Revista de Filología Española*, VI, 1919.
SPERATTI-PIÑERO, EMMA SUSANA. *De «Sonata de otoño» al esperpento. Aspectos del arte de Valle-Inclán*, London, Tamesis Books, 1968.

TAXONERA, LUCIANO DE. *González Bravo y su tiempo (1811-1871)*, Barcelona, Juventud, 1941.
TERMES, JOSEP. *Anarquismo y sindicalismo en España. La Primera Internacional (1864-1881)*, Barcelona, Ariel, 1972.
THOMAS, HUGH. *Cuba. The pursuit of freedom*, New York, Harper and Row, 1971.
TUÑÓN DE LARA, MANUEL. *La España del siglo XIX (1808-1914)*, París, 1961.
——. *Estudios sobre el siglo XIX español*, Madrid, Siglo XXI, 1973.
——. *Medio siglo de cultura española* (1885-1936), Madrid, Tecnos, 1971.
——. *Sociedad, política y cultura en la España de los siglos XIX y XX*, Universidad de Pau, II Coloquio, Madrid, Edicusa, 1973.
TUÑÓN DE LARA, MANUEL, y otros. *Movimiento obrero, política y literatura en la España contemporánea*, Universidad de Pau, III Coloquio, Madrid, Edicusa, 1974.

URRUTIA, JORGE. «Sobre un presunto soneto de Ventura de la Vega (1854). Poesía y política en el XIX», en *Tiempo de Historia*, núm. 10, setiembre de 1975.

VICENS VIVES, Jaime. *Historia social y económica de España y América*, Barcelona, 1972.
VILAR, PIERRE. *Histoire de l'Espagne*, Paris, PUF, 1973.
VILARRASA, EDUARDO MARÍA, y GATELL, JOSÉ ILDEFONSO. *Historia de la revolución de setiembre. Sus causas, sus personajes, sus doctrinas, sus episodios, sus resultados*, Barcelona, 1875.
VILLALBA HERVÁS, MIGUEL. *Recuerdo de cinco lustros (1843-1868)*, Madrid, 1896.
VILLAURRUTIA, marqués de. *Las mujeres de Fernando VII*, Madrid, 1916.
——. *Palique diplomático. Recuerdos de un embajador*, Madrid, 1928.

ZAHAREAS, A. N., ed. *Ramón del Valle-Inclán. An appraisal of his life and works*, New York, Las Américas, 1968.

ZAMORA VICENTE, ALONSO. *La realidad esperpéntica. Aproximación a «Luces de Bohemia»*, Madrid, Gredos, 1969.

——. *Valle-Inclán, novelista por entregas*, Madrid, Taurus 1973.

ZAVALA, IRIS M. «Notas sobre la caricatura política y el esperpento», en *Asomante*, I, 1970.

ZUGASTI, JULIÁN DE. *El bandolerismo. Estudio social y memorias históricas*, Madrid, 1876-1880.

PERIÓDICOS

La Época
La Esperanza
La Nación
La Nueva Iberia
El Gil Blas

MANUSCRITOS

Documentos referentes al reinado de Isabel II.
Legajos X-XXIV. Real Academia de la Historia, Madrid.

ESTE LIBRO
SE TERMINÓ DE IMPRIMIR
EL DÍA 2 DE SEPTIEMBRE DE 1984

LITERATURA   Y SOCIEDAD

TÍTULOS PUBLICADOS